L'EMPREINTE DU FAUX

Née le 19 janvier 1921 à Fort Worth, dans le Texas, Patricia Highsmith a passé la plus grande partie de sa jeunesse à New York et a fait ses études à Barnard College, Université de Columbia, où elle a obtenu ses diplômes en 1942. Fille unique de parents artistes, elle manifesta très tôt des dispositions aussi bien pour le dessin que pour la littérature. Elle a d'abord illustré un livre d'enfants, puis écrit et illustré une satire politique, Le Mensonge éhonté.

Son premier roman, L'Inconnu du Nord-Express, *remporta un grand succès de presse et de librairie et, porté à l'écran par Hitchcock, deviendra un classique du cinéma (choisi parmi les dix meilleurs films de l'année 1951).*

Autres réussites : Monsieur Ripley, *dont René Clément tira le film* Plein Soleil *(avec Alain Delon), remporta en Amérique le Prix des « Mystery Writers of America » en 1956 et, en France, le Grand Prix de la Littérature policière, en 1957.*

Suivront Ripley et les ombres, Ripley s'amuse *(*L'Ami américain, *film mis en scène par Wim Wenders);* Le Meurtrier *qui a été sélectionné par le* Times *de Londres parmi les 99 meilleurs romans policiers de tous les temps et désigné par le* New York Herald Tribune *comme « la meilleure histoire de suspense » (Claude Autant-Lara en a fait un film);* L'Empreinte du faux, L'Amateur d'escargots *(Grand Prix de l'Humour noir en 1975).* Ce mal étrange *(*Dites-lui que je l'aime*) a été porté à l'écran par Claude Miller.* Eaux profondes *a inspiré le cinéaste Michel Deville.* Le Journal d'Edith, Le Jardin des disparus *et* Ces gens qui frappent à la porte *ont également connu un grand succès. Patricia Highsmith s'est fixée en Suisse.*

PATRICIA HIGHSMITH

L'empreinte du faux

ROMAN TRADUIT DE L'AMÉRICAIN
PAR ÉLISABETH GILLE

CALMANN-LÉVY

Titre original de l'ouvrage :

THE TREMOR OF FORGERY

« Vous êtes sûr qu'il n'y a pas de lettre pour moi ? demanda Ingham. Howard Ingham. I-n-g-h-a-m. »

Il s'était adressé au réceptionniste en anglais, mais il épela son nom en français, avec des hésitations.

L'employé arabe, grassouillet dans son uniforme rouge vif, vérifia d'un coup d'œil le contenu du casier qui portait l'inscription I-J et secoua la tête.

« Non, m'sieur.

— Merci », dit Ingham avec un sourire poli.

Il avait déjà posé cette question une première fois, mais à un employé différent. Cela dix minutes plus tôt, en arrivant au Tunisia Palace, et dans l'espoir de trouver une lettre de John Castlewood. Ou d'Ina. Son départ de New York datait à présent de cinq jours, avec escale à Paris pour y rencontrer son agent et aussi pour le seul plaisir de revoir la ville.

Ingham alluma une cigarette et parcourut du regard le hall de réception. Tapis orientaux par terre et climatisation. La clientèle semblait en majorité française et américaine, mais il y avait quelques Arabes au teint plutôt foncé, habillés à l'occidentale. Le Tunisia Palace lui avait été recommandé par John. C'était probablement le meilleur hôtel de la ville, se dit Ingham.

Il poussa les portes de verre et sortit sur le trottoir. Bientôt dix-huit heures et il faisait bon, la lumière oblique du soleil restait vive en ce début de juin. John avait suggéré le Café de Paris pour prendre un verre avant le déjeuner ou le dîner et c'était là, de l'autre côté du boulevard Bourguiba, deux rues plus haut. Ingham prit cette direction et acheta l'édition de Paris du *Herald Tribune*. Le boulevard, assez large, était divisé au milieu par une esplanade bordée d'arbres et cimentée qui servait de promenade. On y trouvait les kiosques à journaux et à tabac, les petits cireurs de chaussures. Aux yeux d'Ingham, cela tenait à la fois d'une rue de Mexico et de Paris, mais les Français avaient été présents tant à Mexico qu'à Tunis. Les lambeaux de phrases hurlées qui parvenaient à ses oreilles ne lui apprenaient rien. Il avait dans une valise, à l'hôtel, un manuel de conversation intitulé *L'Arabe sans mal*. Visiblement, il devrait l'apprendre par cœur, car l'arabe ne ressemblait à rien de ce qu'il connaissait.

Ingham traversa la rue et s'arrêta devant le Café de Paris. Il y avait des tables en terrasse, toutes occupées. On le dévisagea, peut-être parce qu'on ne connaissait pas encore sa tête. Les Américains et les Anglais, très nombreux, avaient l'expression de gens qui sont là depuis un bon moment déjà et qui s'embêtent un peu. Ingham dut aller s'accouder au bar. Il commanda un pernod et jeta un coup d'œil à son journal. L'intérieur du café était bruyant. Il repéra une table et la prit.

Des passants flânaient sur le trottoir; les consommateurs et eux se regardaient en chiens de faïence. Ingham observait particulièrement les jeunes gens parce qu'il était là pour rédiger un projet de film dont les héros étaient deux amoureux, ou plutôt trois, puisqu'il y avait un deuxième garçon qui n'obtenait pas la fille. Il ne voyait pas de garçons et de filles se promener ensemble, mais seulement des adolescents qui allaient seuls ou par paires en se tenant les mains et en discutant ferme. John avait parlé à Ingham des relations très étroites qui existaient entre les garçons. Ici, l'homosexualité n'était nullement tabou, mais cela n'avait rien à voir avec le script. Les jeunes gens de sexe opposé étaient souvent chaperonnés ou tout au moins espionnés. Il y avait beaucoup à apprendre et le rôle d'Ingham pendant les huit ou quinze jours qui précéderaient l'arrivée de John consistait à ouvrir l'œil et à s'imprégner de l'atmosphère. John connaissait deux ou trois familles dans le pays, et Ingham pourrait voir l'intérieur d'une maison tunisienne bourgeoise. L'histoire ne devait comporter qu'un minimum de dialogues écrits, mais il fallait bien quand même écrire quelque chose. Tout en ayant un peu travaillé pour la télévision, Ingham se considérait surtout comme un romancier. Il n'était pas sans inquiétudes au sujet de ce job. Toutefois, John ne se faisait aucun souci et les arrangements étaient souples. Ingham n'avait rien signé. Castlewood lui avait avancé mille dollars et il réservait scrupuleusement cet argent aux frais. La voiture qu'il était censé louer pour un mois en mangerait une bonne partie. Il ferait bien de s'en occuper dès le lendemain matin, se dit-il, pour pouvoir commencer à se balader un peu.

« Merci, non », dit Ingham à un marchand ambulant qui s'approchait de lui avec une fleur à longue tige, liée très serré. Le parfum trop sucré traînait dans l'air. Le marchand se frayait un passage au milieu des tables avec sa poignée de fleurs en hurlant : « *Yes meen* ? » Il portait un fez rouge et une djellaba lavande avachie, si râpée qu'on distinguait dessous un caleçon théoriquement blanc.

A une table, un homme très gras tortillait entre ses

doigts son jasmin, qu'il tenait sous son nez. Il semblait en transe, si absorbé par sa rêverie qu'il en louchait presque. Attendait-il une fille ou simplement y songeait-il ? Dix minutes plus tard, Ingham décida qu'il n'attendait personne. Il avait bu en entier quelque chose qui ressemblait à un jus de fruit soda incolore. Il était vêtu d'un costume de ville gris clair. Ingham se dit qu'il devait être cadre, ou même cadre supérieur. Il se faisait peut-être trente dinars par semaine ou davantage, soixante-trois dollars ou un peu plus. Ingham creusait la question depuis un mois. Bourguiba œuvrait avec tact pour débarrasser son peuple des entraves réactionnaires de sa religion. Il avait officiellement aboli la polygamie et il désapprouvait le port du voile pour les femmes. Par comparaison avec les autres pays africains, la Tunisie était le plus évolué. Ils essayaient d'amener tous les hommes d'affaires français à partir, mais ils dépendaient encore dans une large mesure de l'aide financière française.

Ingham avait trente-quatre ans : cheveux châtain clair et yeux bleus, un peu plus d'un mètre quatre-vingts, des gestes assez lents. Sans prendre la peine de faire du sport, il avait un bon physique : les épaules larges, les jambes longues, les mains fortes. Il était né en Floride, mais il se considérait comme un New-Yorkais parce qu'il vivait à New York depuis l'âge de huit ans. Ses études terminées — à l'université de Pennsylvanie — il avait travaillé pour un journal de Philadelphie tout en s'essayant au roman, sans grand succès jusqu'à la publication de son premier livre, *Les Beautés de l'Irréflexion*, coup de bluff assez culotté et juvénile sous ses apparences d'ouvrage profondément pensé, d'où ses deux héros irréfléchis émergeaient triomphants, couverts de gloire et d'argent. Fort de cette réussite, Ingham avait abandonné le journalisme pour connaître deux ou trois années assez pénibles. Son deuxième roman, *Une Histoire de Mycènes*, n'avait pas été aussi bien accueilli que le premier. Ensuite, il avait épousé une jeune fille riche, Charlotte Sweet, dont il était très amoureux, mais sans tirer profit de sa fortune, laquelle s'était révélée être en fait plutôt un handicap qu'autre chose. Le mariage avait capoté au bout de deux ans. De temps en temps, Ingham vendait une pièce pour la télévision ou une nouvelle et il vivotait dans un modeste appartement de Manhattan. En février dernier, le coup de chance était venu. On lui avait acheté son livre, *Le Jeu des « Si »*, pour en faire un film. Plutôt — Ingham s'en doutait — pour l'histoire d'amour un peu dingue qu'il racontait que pour son contenu ou son message intellectuel (la valeur et la nécessité des rêves) mais tant pis, en tout cas on le lui avait acheté, et il savourait pour la première fois de sa vie la sécurité financière. Invité à rédiger lui-même le script du *Jeu*, il avait décliné cette proposition. Il pensait que le cinéma et même la télévision n'étaient pas son fort; et puis il se rendait mal compte de ce que son livre pourrait donner visuellement.

L'idée de John Castlewood pour *Trio* était plus simple et plus visuelle. Le jeune homme qui se faisait éjecter par la fille épousait quelqu'un d'autre, mais exerçait sur son heureux rival une vengeance effroyable : il commençait par séduire sa femme, puis il le ruinait et enfin il s'arrangeait pour le faire assassiner. Ces choses-là pouvaient difficilement arriver en Amérique, pensait Ingham, mais ça se passait en Tunisie. John Castlewood était enthousiaste et il connaissait le pays. Après avoir rencontré Ingham, il lui avait proposé d'écrire le script. Ils avaient un producteur : Miles Gallust. Ingham se disait que si ça n'allait pas, s'il ne se sentait pas capable de mener la chose à bien, il l'avouerait à John, lui rendrait les mille dollars, et John pourrait trouver quelqu'un d'autre. John avait fait deux bons films avec de petits budgets et remporté un certain succès, surtout pour le premier des deux, *Le Grief*. Celui-là avait le Mexique pour cadre. Quant au second, c'était une histoire de trafiquants de pétrole au Texas, mais il ne se souvenait plus du titre. John avait vingt-six ans, une énergie fantastique et cette espèce de confiance dans la vie qui vient de ce qu'on ne la connaît pas encore, tout au moins de l'avis d'Ingham. Ingham pensait que John avait, très probablement, plus d'avenir que lui. Il était, lui, à un âge où l'on a conscience de ses possibilités et de ses limites. John ne connaissait pas encore les siennes et il appartenait peut-être à ce type d'hommes qui n'y réfléchissent jamais ou ne s'en rendent pas compte, ce qui vaut quelquefois mieux.

Ingham paya l'addition et retourna chercher son veston à l'hôtel. Il commençait à avoir faim. Il eut encore un coup d'œil pour les deux lettres en attente dans le casier I-J et pour le sien, qui restait vide sous la clef accrochée à son clou.

« Vingt-six, s'il vous plaît », dit-il, et il prit la clef.

Suivant toujours les conseils de John, Ingham se rendit au restaurant du Paradis, dans la rue du même nom, entre son hôtel et le Café de Paris. Ensuite il se promena dans la ville et prit deux cafés debout au comptoir de bars où il n'y avait pas de touristes. Les clients étaient tous des hommes. Le barman le comprit quand il parla français, mais il n'entendit personne d'autre bavarder dans cette langue.

Il avait pensé écrire à Ina en rentrant à l'hôtel, mais il se sentait trop fatigué ou bien l'inspiration lui manquait. Il se coucha et lut un roman de William Golding qu'il avait apporté d'Amérique. Avant de s'endormir, il rêva à la fille qui lui avait fait des avances

— peu appuyées — au Café de Paris. Elle était blonde, un peu lourde mais très attirante. Il s'était dit qu'elle pouvait être allemande (impossible de définir la nationalité de l'homme qui l'accompagnait), et il avait été content de l'entendre parler français avec son compagnon en sortant. Vanité, se dit Ingham. Il aurait dû être en train de penser à Ina. Elle pensait certainement à lui, elle. En tout cas, la Tunisie serait l'endroit rêvé pour cesser d'être obsédé par Lotte. Dieu merci, elle ne le hantait presque plus. Son divorce datait déjà d'un an et demi, mais Ingham avait quelquefois l'impression que ça ne faisait pas plus de six mois, ou même que deux.

Le lendemain matin, Ingham, n'ayant toujours rien reçu, se dit que John et Ina avaient peut-être écrit à Hammamet, à l'hôtel du Golfe, où John lui avait suggéré de s'installer. Ingham n'avait encore rien réservé là-bas et il pensa qu'il devait le faire pour le 5 ou le 6 juin. John lui avait dit : « Baladez-vous dans Tunis pendant quelques jours. C'est là que les personnages vont vivre... Je ne crois pas que vous aimeriez y travailler. Il fera chaud et il faudrait aller à Sidi-Bou-Saïd pour se baigner. Nous travaillerons à Hammamet. Une plage formidable pour piquer une tête dans l'eau l'après-midi et les bruits de la ville ne nous gêneront pas... »

Après tout une journée de promenade à pied et en voiture à Tunis, et la pénible expérience des longues heures — de midi ou midi et demi jusqu'à seize heures — pendant lesquelles tout, sauf les restaurants, était fermé, Ingham se sentait prêt à partir pour Hammamet dès le lendemain. Mais il se dit que, dès son arrivée à Hammamet, il se reprocherait de ne pas avoir assez bien vu Tunis, et il décida donc de rester deux jours de plus. Pendant ces quarante-huit heures, il fit en voiture les seize kilomètres qui le séparaient de Sidi-Bou-Saïd, prit un bain et déjeuna dans un hôtel assez chic, car il n'y avait pas de restaurants. C'était une ville très propre, où s'alignaient des maisons blanchies à la chaux, aux portes et aux persiennes bleu vif.

Aucune chambre n'était libre au Golfe quand Ingham avait téléphoné la veille, mais le directeur lui avait indiqué un autre hôtel à Hammamet. Ingham s'y rendit, le trouva trop hollywoodien pour son goût et finit par fixer son choix sur un troisième établissement qui s'appelait le *Reine* de Hammamet. Tous les hôtels disposaient d'une plage privée sur le golfe, mais ils étaient bâtis à une cinquantaine de mètres ou davantage du bord de l'eau. Le sien se composait d'un grand bâtiment principal, au milieu de jardins plantés de tilleuls, de limoniers et de bougainvillées, et de quinze ou vingt bungalows plus ou moins importants, cachés derrière les feuilles des citronniers. Il y avait des cuisines dans les bungalows, mais Ingham ne se sentait pas d'humeur à se lancer dans le ménage et il prit une chambre dans le grand bâtiment, avec vue sur la mer. Il descendit aussitôt prendre un bain.

Il n'y avait pas beaucoup de monde sur la plage à cette heure, quoique le soleil fût encore au-dessus de l'horizon. Ingham vit deux ou trois chaises longues vides. Il ne savait pas s'il fallait ou non les louer, mais, supposant qu'elles appartenaient à l'hôtel, il en annexa une. Il mit ses lunettes de soleil — autre tuyau de John Castlewood, qui lui en avait fait cadeau — et prit un livre dans la poche de son peignoir de bain. Un quart d'heure plus tard il dormait, ou du moins il somnolait. *Mon Dieu*, pensa-t-il, *comme c'est tranquille ici, comme c'est beau, comme il y fait bon...*

« Hé, bonsoir ! Vous êtes Américain ? »

La voix sonore fit sur Ingham l'effet d'un coup de pistolet; il sursauta et se redressa sur sa chaise.

« Oui.

— Excusez-moi de vous interrompre dans votre lecture. Moi aussi, je suis Américain. Du Connecticut. »

C'était un homme d'une cinquantaine d'années : des cheveux grisonnants et rares, une légère brioche et un bronzage enviable. Il n'était pas très grand.

« Moi, je suis de New York, dit Ingham. J'espère que je ne vous ai pas pris votre chaise.

— Ah ! ah ! Non ! Mais les garçons de l'hôtel vont les ramasser dans une demi-heure à peu près. Il faut les ranger, sinon elles ne seraient plus là demain matin ! »

Un type seul, pensa Ingham. Ou flanqué d'une épouse aussi sociable que lui ? Mais ça n'empêchait pas de se sentir seul. Il était debout à deux mètres d'Ingham et il regardait la mer.

« Je m'appelle Adams. Francis J. Adams. »

Il dit cela comme s'il en était fier.

« Et moi Howard Ingham.

— Qu'est-ce que vous pensez de la Tunisie ? demanda Adams avec son sourire amical qui gonflait ses joues brunes.

— Très joli. Hammamet, en tout cas.

— Je trouve aussi. Il vaut mieux avoir une voiture, pour se promener. Sousse, Djerba, tout ça. Vous en avez une ?

— Oui.

— Parfait. Eh bien... (Il se préparait à prendre congé.) Passez donc me voir un de ces jours. Mon bungalow est là, juste en haut de la pente. N° 10. N'importe quel garçon vous le montrera. Demandez simplement Adams. Venez prendre un verre un soir. Amenez votre femme si vous en avez une.

— Merci beaucoup, répondit Adams. Non, je n'en ai pas. »

Adams hocha la tête et agita la main.

« A bientôt. »

Ingham resta là cinq minutes, puis se leva. Il prit
une douche dans sa chambre et descendit au bar.
C'était une grande pièce, au sol recouvert d'un tapis
rouge, de style persan. Un couple d'âge moyen bavar-
dait en français. Il y avait une tablée de trois Anglais.
En tout, sept ou huit personnes seulement, dont
quelques-unes regardaient la télévision dans le coin.

Un homme passa du poste de télévision à la table
des Anglais et dit sans ajouter la moindre explication :

« Les Israéliens ont bombardé une douzaine d'aéro-
dromes.

— Où ça ?

— En Egypte. Ou peut-être en Jordanie. Les Arabes
vont se faire flanquer une raclée.

— L'information a été donnée en français ? » demanda un autre Anglais.

Ingham resta debout au bar. Apparemment la
guerre était déclarée. La Tunisie était assez loin de la
zone des combats. Ingham espérait que ça ne boule-
verserait pas ses projets de travail. Mais les Tunisiens
étaient des Arabes et il y aurait, il le savait, un courant
de rancœur anti-occidentale si leurs coreligionnaires
perdaient la guerre, ce qui ne faisait pas l'ombre d'un
doute. Il fallait se procurer dès demain un journal de
Paris.

Ingham évita la plage pendant les deux jours sui-
vants et fit quelques promenades en voiture dans la
région. Les Israéliens étaient en train de dérouiller les
Arabes et vingt-cinq bases aériennes avaient été dé-
truites le lundi, le premier jour du conflit. Le journal
de Paris signalait que quelques voitures immatricu-
lées en Europe ou aux Etats-Unis avaient été retournées à Tunis et les vitrines de la *U.S.I.S. Library* brisées sur le boulevard Bourguiba. Ingham n'alla pas à
Tunis. Il visita Nabeul, au nord-est de Hammamet,

Bou Bir Rekba à l'intérieur des terres, et quelques autres petites villes, poussiéreuses et pauvres, dont il ne se rappelait pas facilement les noms. Un matin, il tomba au milieu d'un marché; il déambula parmi les chameaux, les poteries, les colifichets et les épingles, les cotonnades et les nattes de paille, le tout étalé sur des draps grossiers à même le sol. Les gens le poussaient du coude, ce qui ne lui plut pas. Les Arabes ne trouvaient rien à redire à ces contacts, en ressentaient même le besoin, à ce que lui avaient appris ses lectures. C'était visible partout dans le souk. Il ne vit au marché que des bijoux en toc, mais cela lui donna l'idée d'entrer dans un bon magasin où il acheta pour Ina une épingle en argent : un triangle plat fermé par un cercle. Il y en avait de toutes les tailles. La boîte étant un peu petite pour la poste, il choisit aussi pour Ina un gilet rouge brodé : un vêtement d'homme, mais tellement fantaisie qu'il aurait l'air très féminin en Amérique. Il les expédia le même jour, dans l'après-midi, non sans s'être donné beaucoup de mal pour tuer le temps en attendant l'ouverture de la poste de Hammamet, à seize heures. Ladite poste ne restait ouverte qu'une heure l'après-midi, à en croire l'écriteau accroché dehors.

Quatre jours après son installation à l'hôtel, il écrivit à John Castlewood. John habitait à Manhattan, dans la 53e Rue Ouest.

8 juin 19..

Cher John,

Hammamet est aussi joli que vous le disiez. La plage est magnifique. Arrivez-vous toujours le 13 ? Je suis prêt à me mettre au travail, je saisis toutes les occasions de bavarder avec des étrangers, mais les gens qu'on trouve intéressants ne connaissent pas toujours très bien le français. Hier soir, je suis allé

18

aux Arcades. (C'était un café, à un kilomètre ou deux de son hôtel.)

S'il vous plaît, demandez à Ina de m'envoyer un mot. Je lui ai écrit. On se sent un peu seul ici, sans nouvelles du pays. A moins que le courrier ne soit d'une lenteur fantastique, comme vous le prétendiez...

Il continua sur ce ton et se sentit encore un peu plus seul après avoir écrit qu'avant. Il allait s'informer à l'hôtel du Golfe quotidiennement, parfois même deux fois par jour. Il n'avait rien reçu : ni télégramme ni lettre. Il prit sa voiture pour poster lui-même celle de John, car il n'était pas certain qu'elle partirait dans la journée s'il la laissait à l'hôtel. Divers employés lui avaient indiqué trois heures différentes pour l'arrivée du courrier et il supposait que le ramassage était aussi imprécis.

Ingham descendit à la plage vers dix-huit heures. Pour en approcher, on traversait un bouquet de palmiers qui évoquaient une forêt vierge mais poussaient dans le sable omniprésent. Il fallait emprunter un sentier usé par les pas. Il y avait là quelques poteaux métalliques, vestiges peut-être d'un terrain de jeux pour les enfants, au sommet desquels de petits escargots blancs collés comme des moules faisaient une espèce de carapace. Le métal était si brûlant qu'il pouvait à peine le toucher. En marchant, il rêvait à son roman. Il avait apporté son stylo et son carnet. Impossible de travailler davantage à *Trio* avant l'arrivée de John.

Il entra dans l'eau, nagea jusqu'aux premiers symptômes de fatigue et rebroussa chemin. Les fonds ne descendaient que très progressivement. En retournant vers la plage, on sentait sous ses pieds d'abord du sable lisse, puis des rochers et de nouveau du sable. Il s'essuya la figure avec son peignoir en éponge, car il avait oublié d'apporter une serviette. Puis il s'assit avec son carnet. Le héros de son livre était un homme qui menait une double vie, un homme qui ne se rendait pas compte de sa propre amoralité, qui était donc dérangé mentalement, ou pour le moins déséquilibré. Cela, Ingham ne se l'avouait pas avec plaisir, mais il y était bien obligé. Il n'avait nullement l'intention, dans son livre, de justifier son héros, Dennison. Ce n'était qu'un jeune homme (vingt ans au début du roman) qui se mariait, était heureux en ménage et devenait directeur de banque à trente ans. Il détournait les fonds de sa banque quand il le pouvait, principalement en faisant des faux, et se montrait aussi prodigue de cet argent qu'il mettait de simplicité à le voler. Il en investissait une partie pour assurer l'avenir de sa famille, mais en donnait les deux tiers (toujours sous un faux nom) à des gens qui en avaient besoin ou qui essayaient de monter leur propre affaire.

Comme il arrivait fréquemment, les ruminations d'Ingham l'endormirent en moins de vingt minutes et il n'avait écrit que quelques lignes sur son carnet lorsque, tel un cauchemar à répétition, la voix de l'Américain l'arracha à sa somnolence.

« Hé ! salut ! Voilà deux ou trois jours que je ne vous ai pas vu. »

Ingham se redressa.

« Bonjour. »

Il savait ce qui allait suivre, et aussi qu'il irait, le jour même, prendre un verre dans le bungalow d'Adams.

« Vous êtes ici pour combien de temps ? demanda Adams.

— Je n'en sais rien. (Ingham s'était levé et enfilait son peignoir.) Trois semaines, peut-être. J'attends un ami.

« — Américain, lui aussi ?

— Oui. »

Ingham regarda le trident qu'Adams tenait à la main : c'était une sorte d'épieu qui mesurait au moins un mètre cinquante et qui ne comportait aucun moyen de propulsion apparent.

« Je remonte chez moi. Je vous offre quelque chose de rafraîchissant à boire ? »

Ingham pensa aussitôt à un verre de Coca-Cola.

« D'accord. Merci. Qu'est-ce que vous faites avec cet épieu ?

— Oh ! je vise les poissons, mais je n'en attrape jamais. (Petit rire.) En fait, ça me sert quelquefois à ramener des coquillages que je ne pourrais pas ramasser à la main en nageant. Quand il y a deux mètres d'eau, vous savez. »

Le sable devenait plus chaud à mesure qu'on s'éloignait de l'eau, mais il restait supportable. Ingham tenait ses sandales de plage à la main. Adams n'en avait pas du tout.

« C'est là », dit brusquement Adams en s'engageant sur une allée pavée mais caillouteuse qui menait à un bungalow bleu et blanc, dont le toit s'arrondissait en forme de dôme, dans le style arabe, pour plus de fraîcheur.

En jetant un coup d'œil par-dessus son épaule, Ingham aperçut un bâtiment qu'il n'avait pas encore remarqué : une espèce d'office, sans doute. Plusieurs adolescents, les serveurs et les garçons de l'hôtel, supposa-t-il, bavardaient, adossés au mur.

« Ce n'est pas grand-chose, dit Adams, mais pour l'instant c'est mon chez moi. »

Il ouvrit la porte avec une clef qu'il avait pêchée dans la ceinture de son maillot de bain. A l'intérieur du bungalow, il faisait frais et, les persiennes étant closes, très sombre après tout ce soleil. Adams utilisait visiblement un appareil de climatisation. Il alluma la lumière.

« Asseyez-vous. Qu'est-ce que je vous offre ? Un scotch ? Une bière ? Un Coca ?

— Un Coca, merci. »

Ils s'étaient soigneusement essuyé les pieds dehors, sur les dalles. Adams traversa rapidement la pièce en direction d'un petit couloir qui donnait dans une cuisine; son pas faisait un bruit de ventouse sur le carrelage.

Ingham regarda autour de lui. En effet, on se sentait chez soi. Il y avait des coquillages, des livres, des rames de papier, un bureau dont Adams se servait manifestement beaucoup, vu les bouteilles d'encre, les stylos, la boîte de timbres, le taille-crayon et le dictionnaire ouvert qui s'y trouvaient. Plus un exemplaire du *Reader's Digest*. Et aussi une Bible. Adams était peut-être écrivain ? Ce dictionnaire, proprement couvert de papier brun ? Anglais-russe. Adams était peut-être espion ? Ingham sourit à cette idée. Au-dessus du bureau était accrochée la photographie encadrée d'une maison de campagne américaine — cela ressemblait à la Nouvelle-Angleterre —, un bâtiment de ferme tout blanc cerné, à une distance confortable, par une palissade également blanche, à triple barreau. Il y avait des ormes, un épagneul, mais personne dans le tableau.

Ingham se retourna au moment où Adams entrait avec un petit plateau.

Adams buvait un scotch à l'eau.

« Vous êtes contre l'alcool ? demanda-t-il avec son petit sourire joufflu.

— Non. J'avais simplement envie d'un Coca. Vous êtes ici depuis longtemps ?

— Un an », fit Adams, rayonnant.

Il sautillait sur place, un coup sur la pointe des

pieds, un coup sur les talons. Ses pieds, très cambrés et assez petits, avaient quelque chose de répugnant. Ingham, après les avoir vus une fois, ne les regarda plus.

« Votre femme n'est pas avec vous ? »

Ingham avait remarqué, au-dessus de la commode, derrière Adams, une photographie de femme : la quarantaine, un sourire discret, des vêtements discrets.

« Ma femme est morte depuis cinq ans. D'un cancer.

— Oh !... Et à quoi passez-vous votre temps ?

— Je ne me sens pas trop seul. Je m'occupe. (Encore ce petit sourire d'écureuil.) De temps en temps, des gens intéressants débarquent à l'hôtel, on fait connaissance, puis ils s'en vont ailleurs. Je me considère comme représentant officieusement l'Amérique. Ambassadeur à titre privé, si vous voulez. De la bonne volonté — du moins je l'espère — et du mode de vie américain. Notre mode de vie. »

Que diable voulait-il dire, se demanda Ingham, à qui le Vietnam vint immédiatement à l'esprit.

« Comment ça ? s'enquit-il.

— J'ai mes méthodes... Mais parlez-moi de vous, monsieur Ingham. Asseyez-vous quelque part. Vous êtes en vacances ? »

Ingham s'assit dans un grand fauteuil de cuir en forme de coquille qui craqua sous son poids. Adams prit place sur le divan.

« Je suis écrivain, dit Ingham. J'attends un ami américain qui veut tourner un film ici. Il sera à la fois metteur en scène et cameraman. Le producteur est à New York. Tout ça est assez décontracté.

— Intéressant. Sur quel sujet, ce film ?

— Sur la jeunesse tunisienne. John Castlewood — le cameraman — connaît bien le pays. Il a passé plusieurs mois chez des gens de Tunis.

— Ainsi, vous êtes cinéaste ? »

Adams enfilait une chemise de couleur vive, à manches courtes.

« Non, plutôt romancier. Mais mon ami John voulait que je fasse ce film avec lui. »

Cette conversation pesait à Ingham.

« Qu'est-ce que vous avez écrit ? »

Ingham se leva. Il savait que d'autres questions suivraient.

« Quatre romans. Il y en a un qui s'appelle *Le Jeu des* « *Si* ». Vous n'en avez probablement jamais entendu parler. (Comme c'était le cas, il poursuivit :) Et puis, *Une Histoire de Mycènes*. Celui-là a eu moins de succès.

— *Une Histoire de Mécène ?* fit Adams, comme Ingham l'avait prévu.

— De *Mycènes*. J'avais choisi le titre exprès pour qu'on pense à « mécène », voyez-vous. »

Une chaleur lui montait aux joues. De vague honte, peut-être, ou d'ennui.

« Ça vous rapporte assez pour vivre ?

— Oui, en travaillant de temps en temps pour la télévision, à New York. »

Il pensa brusquement à Ina et son cœur battit plus vite : il ne sut pourquoi, en cet instant, elle lui parut plus réelle qu'elle ne l'avait été depuis son arrivée en Europe, puis en Afrique. Il la vit clairement dans son bureau de New York. Midi ou à peu près. Elle tendait la main vers un crayon, ou une feuille de papier à machine. Si elle avait rendez-vous pour déjeuner, elle serait un peu en retard.

« Vous êtes probablement célèbre et je ne m'en rends pas compte, dit Adams en souriant. Je ne lis pas beaucoup de romans. De temps à autre, quelque chose de condensé. Comme dans le *Reader's Digest*, vous voyez. Si vous avez ici un de vos livres, j'aimerais bien le lire. »

Ce fut au tour d'Ingham de sourire.

« Désolé. Je ne les emporte pas en voyage.

— Votre ami arrive quand ? (Adams se leva.) Encore un peu de Coca ? Ou alors un scotch ? »

Ingham accepta le scotch.

« Mardi, en principe. »

Il surprit son propre reflet dans une glace accrochée au mur. Son teint, rosi par le soleil, commençait à virer au brun. Sa bouche lui parut sévère, et même un peu maussade. Un brusque éclat de voix — on criait quelque chose en arabe — qui retentit juste en dessous de la fenêtre aux persiennes closes le fit sursauter, mais sans l'arracher à sa contemplation. C'était donc cela, pensa-t-il, que voyait Adams, que voyaient les Arabes, un visage d'Américain moyen, des yeux bleus au regard trop perçant, une bouche qui n'avait rien d'amical. Trois plis ondulaient en travers de son front et des rides s'amorçaient sous ses yeux. Un visage qui n'était peut-être pas très aimable, mais on ne pouvait pas modifier sa propre expression sans que ça ait l'air faux. Lotte avait provoqué quelques dégâts. Le mieux, se dit Ingham sans savoir pourquoi, la meilleure chose à faire, c'était d'être neutre, ni trop copain ni trop compassé. De s'en foutre.

Adams entra avec son verre, et il pivota sur ses talons.

« Qu'est-ce que vous pensez de la guerre ? demanda l'autre avec son éternel sourire. Les Israéliens l'ont gagnée d'avance.

— Vous avez les nouvelles ? A la radio ? »

Ingham était intéressé. Il devrait acheter un transistor, se dit-il.

« J'ai Paris, Londres, Marseille, la Voix de l'Amérique, pratiquement n'importe quoi, dit Adams avec un geste en direction d'une porte qui menait probablement à sa chambre. Pour l'instant les nouvelles sont fragmentaires, mais les Arabes sont fichus.

— Comme l'Amérique est pour Israël, je suppose qu'il y aura des manifestations antiaméricaines ?

— Quelques-unes, sûrement, fit Adams d'un ton aussi gai que s'il parlait de fleurs sur le point de s'ouvrir dans un jardin. Dommage que les Arabes soient incapables de voir plus loin que le bout de leur nez. »

Ingham sourit.

« Je vous croyais pro-arabe.

— Pourquoi ?

— Parce que vous vivez ici. Je pensais que vous les aimiez. »

D'autre part, il lisait le *Reader's Digest*, qui était toujours anticommuniste. D'autre part... Pourquoi d'autre part ?

« Mais oui, j'aime les Arabes. J'aime tout le monde. Je trouve qu'ils devraient mieux s'occuper de leurs propres terres. Ce qui est fait est fait, Israël existe, que ce soit un bien ou un mal. Les Arabes feraient mieux d'aménager leurs déserts, au lieu de se plaindre. Il y en a trop qui se tournent les pouces. »

C'était vrai, pensa Ingham, mais comme Adams lisait le *Reader's Digest*, tout ce qu'il disait lui paraissait suspect et il y réfléchit à deux fois.

« Vous avez une voiture ? Vous croyez que les Arabes vont la retourner ? »

Adams eut un petit rire confortable.

« Pas ici. C'est la Cadillac noire, la décapotable qui est là, sous les arbres. La Tunisie prend le parti des Arabes, évidemment, mais Bourguiba ne va pas autoriser trop d'agitation. Il ne peut pas se le permettre. »

Adams parla de sa ferme dans le Connecticut et de son ancienne entreprise. Une usine d'embouteillage de boissons non alcoolisées, à Hartford. Il prenait visiblement plaisir à évoquer le passé. Il avait été heureux en ménage. Il avait une fille qui vivait à Tulsa. Mariée à un brillant ingénieur, disait-il. Ingham pensait : *J'ai peur d'aimer Ina. J'ai peur de l'amour depuis Lotte.* C'était tellement évident qu'il se demanda pourquoi il n'en avait pas pris conscience depuis longtemps, depuis des mois. Pourquoi il s'en rendait compte brusquement, au cours de cette conversation avec ce petit Américain banal qui débarquait du Connecticut. Ou de l'Indiana ? Il ne savait plus.

Ingham prit congé, sur la vague promesse de retrouver Adams au bar le lendemain vers vingt heures, juste avant le dîner. Adams lui dit qu'il prenait quelquefois ses repas à l'hôtel, pour ne pas avoir à faire la cuisine. En regagnant le bâtiment principal, Ingham pensa à Ina. Ce n'était pas un mal, se dit-il, c'était même peut-être un bien, le sentiment qu'il éprouvait pour elle. Pas de transports. De l'affection. Elle jouait un rôle important dans sa vie. Il lui avait montré son contrat de cinéma pour *Le Jeu des « Si »* avant de le signer, car il tenait autant à son opinion qu'à celle de son agent. (En fait, Ina était très au courant de tout ce qui concernait les contrats de cinéma, mais c'était aussi sur le plan affectif qu'il avait désiré son approbation.) Elle était intelligente, jolie, elle lui plaisait physiquement. Elle était solide, pas névrosée pour un sou. Elle avait son métier, elle ne représentait pas dans sa vie un boulet à traîner, elle ne l'ennuyait pas... ce qu'il ne pouvait pas dire de Lotte, en dehors du lit, il devait l'avouer. Ina avait un certain talent de scénariste. Elle aurait été mieux faite que lui pour ce job, en réalité, et Ingham se demanda pourquoi John ne le lui avait pas proposé à elle, et non à lui. Mais peut-être l'avait-il fait, à un moment où elle ne pouvait pas s'absenter de New York. John et Ina se connaissaient déjà depuis quelque temps quand lui-même les avait rencontrés pour la première fois, l'un et l'autre, et si John lui avait demandé d'écrire *Trio*, elle n'y aurait peut-être pas fait allusion devant lui, se dit Ingham.

Brusquement, il se sentit plus heureux. S'il ne trouvait pas de lettre en arrivant à l'hôtel, s'il n'en avait pas non plus demain, si John n'apparaissait pas le 13, il avait l'impression qu'il ne s'en ferait pas trop. Il s'adaptait peut-être au rythme de l'Afrique. *Pas d'anxiété. Laissons couler les jours.* Il se rendit compte que Francis J. Adams avait eu sur lui une influence curieusement stimulante. Les condensés du *Reader's Digest* ! Le mode de vie américain ! Cette satisfaction de soi, et de tout ! C'était fabuleux, à notre époque. Pendant la conversation, un jeune Arabe avait apporté des serviettes propres, et Adams lui avait adressé la parole en arabe. Le garçon semblait trouver Adams sympathique. Ingham s'efforça d'imaginer ce que serait son état d'esprit s'il séjournait dans cet hôtel depuis un an. Adams pouvait-il être un quelconque agent américain ? Non, il était beaucoup trop naïf pour ça. Mais s'il le faisait exprès ? On ne pouvait être sûr de rien, à présent. Ingham ne savait que penser d'Adams.

LE 13 juin vint et passa. Pas un mot de John et, ce qui était plus étrange encore, rien d'Ina. Le 14, sous l'inspiration d'un bon déjeuner à l'hôtel, Ingham télégraphia à Ina :

ET ALORS ? — ÉCRIS-MOI HÔTEL REINE HAMMAMET — JE T'AIME — HOWARD

Il adressa son câble au C.B.S. Au moins il arriverait à la première heure le lendemain matin, qui était un jeudi. Quinze jours en Tunisie sans nouvelles de John ou d'Ina ! Alors que Jimmy Gœtz, peu porté cependant sur la correspondance, lui avait envoyé une carte postale dans laquelle il lui souhaitait bonne chance. Jimmy était à Hollywood, en train d'adapter le roman de quelqu'un pour le cinéma. Sa carte était arrivée à l'hôtel du Golfe.

Les journées commencèrent à se traîner. Elles se traînèrent pendant quarante-huit heures, au terme desquelles Ingham reprit le dessus moralement, ou s'abandonna à un rythme plus lent, de sorte que la longueur du temps lui pesa moins. Le plan de son roman avançait et les trois premiers chapitres étaient clairs dans son esprit.

Ayant opté pour la demi-pension, il prenait l'un de ses deux repas quotidiens hors de l'hôtel, généralement chez Mélik, dans la ville même de Hammamet, à un kilomètre de là. C'était un restaurant en terrasse, très simple et bon marché. On montait quelques marches et on s'asseyait à l'ombre de la vigne vierge. D'un côté, on avait vue sur un enclos jonché de paille où, parfois, des moutons et des chèvres attendaient d'être égorgés. De temps en temps, les animaux vivants cédaient la place à un tas de peaux sanguinolentes que les chats se disputaient, sous le bourdonnement des mouches. Ingham n'appréciait pas toujours ce spectacle. Ce qu'il y avait de bien chez Mélik, c'était la diversité de la clientèle. Chameliers enturbannés, étudiants tunisiens ou français qui jouaient de la flûte ou de la guitare, touristes français, quelques Anglais, enfin paysans du cru qui restaient à se curer les dents et à grignoter des fruits en sirotant leur vin rosé jusqu'à minuit. Un jour, Adams l'accompagna chez Mélik. Il y était déjà venu avant Ingham, bien entendu, et ça ne lui plaisait pas autant. Il aurait préféré que ce fût plus propre.

Ingham avait fait la connaissance de quatre ou cinq personnes à l'hôtel, mais aucune ne lui inspirait beaucoup de sympathie. Un couple d'Américains qui lui avait proposé une partie de bridge, pour s'entendre répondre qu'il ne savait pas jouer, ce qui était presque vrai. Un autre Américain, Richard Messerman, célibataire en goguette, qui ne trouvait quelque chose à se mettre sous la dent, disait-il, qu'à l'hôtel Fourati, où il passait souvent la nuit. Ingham déclina l'invitation que lui faisait Messerman d'aller draguer avec lui au Fourati. Enfin, un homosexuel allemand de Hambourg qui n'avait de chance — mais alors, en quantité, confia-t-il à Ingham — qu'avec les petits Arabes de Hammamet. Il s'appelait Heinz quelque chose, il parlait bien l'anglais et le français, et il portait habituellement un pantalon blanc collant avec une ceinture de couleur.

Aussi étrange que cela pût paraître, Ingham préférait encore la compagnie d'Adams à celle des autres, peut-être parce que celui-là n'exigeait rien de lui. Il se montrait aussi affable avec tout le monde : avec Mélik, avec le pharmacien, le postier ou les garçons arabes de l'hôtel. Il avait l'air heureux. Ingham se demandait avec quelque inquiétude s'il n'allait pas un de ces jours se révéler brusquement scientiste chrétien ou Rose-Croix, mais au bout de deux semaines ou presque il n'en avait encore donné aucun signe.

Il faisait de plus en plus chaud. Ingham s'aperçut qu'il mangeait moins et qu'il maigrissait un peu.

Il avait télégraphié une seconde fois à Ina, chez elle, à Brooklyn Heights, mais toujours sans réponse. Trois jours après l'envoi de ce second télégramme, il avait essayé de lui téléphoner au bureau dans l'après-midi, pensant que ce serait le matin à New York et qu'il la trouverait au travail. Il avait attendu pendant plus de deux heures dans le hall climatisé de l'hôtel, mais on ne pouvait même pas obtenir Tunis. Les lignes étaient trop encombrées. Ingham se doutait que ses coups de téléphone n'aboutiraient jamais, sauf s'il allait à Tunis, ce qu'il pouvait parfaitement faire, bien entendu : ce n'était qu'à soixante et un kilomètres. Mais il n'y alla pas et il n'essaya pas non plus de rappeler Ina. Il se contenta de lui écrire une longue lettre dans laquelle il disait :

L'Afrique est extraordinairement propice à la réflexion. C'est comme si on se tenait nu devant un mur blanc, sous un soleil éclatant. Rien n'est dissimulé sous cet éclairage cru...

Mais de cette idée importante qui lui était venue sur la peur qu'il avait de tomber amoureux, et de cette découverte plus essentielle encore qui avait suivi sur ses sentiments à l'égard d'Ina, il préféra ne rien dire. Il lui en parlerait peut-être un jour, si toutefois il ne valait pas mieux se taire, car elle risquait de s'y méprendre et de lui reprocher un manque de passion à son sujet.

Dis à John que s'il ne se dépêche pas d'arriver, je vais commencer mon roman. Qu'est-ce qui le retient ? Il est vrai qu'on est bien ici et que ça ne coûte rien (si l'affaire marche), mais ça tourne aux vacances et je déteste les vacances... Les Arabes sont très gentils et décontractés. Ils passent le plus clair de leur temps à se prélasser sous les arbres en buvant du vin et du café. Il y a un quartier qui ressemble à la Casbah, près d'une vieille forteresse qui avance en surplomb dans la mer. Là, toutes les maisons sont blanches, pleines de bonnes femmes grassouillettes et rigolardes qui sont pour la plupart perpétuellement enceintes. Comme les portes ne sont jamais fermées, on aperçoit à l'intérieur des nattes étalées par terre, des bébés qui rampent et la grand-mère qui attise le feu en agitant le bout de son châle devant le brasero... La voiture est une fourgonnette Peugeot et pour l'instant elle ne me donne aucun souci... Je vendrais mon âme pour que tu sois ici avec moi. Pourquoi John ne nous a-t-il pas demandé de faire ce travail à nous deux ?... Pourrais-tu m'envoyer une photo de toi ? Sais-tu que je n'en ai pas une seule ?

Elle lui enverrait probablement un horrible instantané en manière de blague, se dit Ingham. Il reconnut qu'il se sentait affreusement seul. La lettre mettrait bien quatre ou cinq jours pour lui parvenir, supposait-il. Elle la recevrait le 20 ou le 21 juin.

Les Israéliens avaient gagné, comme prévu : une guerre éclair, disaient les journaux. Conformément aux prédictions d'Adams, les répercussions furent bénignes à Hammamet, mais à Tunis il y eut suffisamment de vitrines brisées et de bagarres dans les rues pour ôter à Ingham l'envie d'y aller. Il n'aurait su dire si, dans les cafés de Hammamet, les Arabes parlaient de la guerre, car il ne comprenait pas un mot à leurs conversations. Celles-ci se déroulaient à un certain niveau d'intensité sonore qui ne semblait pas varier.

Ingham avait posé sa candidature pour un bungalow et, le 19 juin, l'un d'eux fut libéré. Le réfrigérateur et la cuisinière étaient pratiquement neufs, cet ensemble de bâtiments n'ayant été construit qu'au printemps, d'après Adams. Il y avait, tout au début d'une allée qui conduisait à l'hôtel, à cent mètres de son bungalow, une épicerie de petite taille mais très bien approvisionnée où l'on vendait de l'alcool et de la bière fraîche, toutes sortes de conserves, jusqu'à des gadgets pour la cuisine et de la pâte dentifrice. Si John et lui voulaient vivre en ermites, se dit Ingham, ils n'auraient à sortir que pour se baigner ou faire les courses dans cette boutique. Son bungalow, le n° 3, ne comportait qu'une seule pièce, très grande, avec cuisine et salle de bain, mais il y avait deux lits jumeaux. John n'aurait probablement pas très envie de partager sa chambre et, comme cette idée ne souriait pas beaucoup non plus à Ingham, il lui proposerait de dormir dans le bâtiment principal. La grande table de bois du bungalow serait parfaite pour travailler. Ingham acheta du salami, du fromage, du beurre, des œufs, des fruits, des crackers et du scotch l'après-midi même de son installation et alla chercher Adams vers cinq heures pour l'inviter à pendre la crémaillère avec lui.

Adams n'étant pas là, Ingham en déduisit qu'il devait être sur la plage. Il le trouva couché à plat ventre sur une natte, en train d'écrire quelque chose. Adams, qui n'aperçut Ingham qu'au tout dernier moment, acheva sa phrase avec un paraphe satisfait, en brandissant son stylo.

« Tiens, tiens, Howard ! dit-il. Vous avez votre bungalow ?

— Ça y est tout juste. »

Adams fut enchanté de l'invitation, comme Ingham l'avait prévu. Il déclara qu'il serait au n° 3 à dix-huit heures.

Ingham alla finir de défaire ses valises. Une « maison », ou du moins quelque chose d'approchant, c'était bien agréable après une chambre d'hôtel. Il pensa à son bureau, dans son appartement de la 4e Rue Ouest, près de Washington Square. Cet appartement, il ne l'habitait que depuis trois mois. Il était climatisé, plus coûteux que tous ses logements précédents, et il ne l'avait pris qu'après la vente définitive du *Jeu des « Si »*. Ina avait les clefs. Il espérait qu'elle allait y faire un tour de temps à autre, mais elle avait emporté ses quelques plantes dans sa maison de Brooklyn et il ne restait pas d'autre corvée pour elle là-bas, sinon faire suivre les lettres qui lui paraissaient importantes. Ina avait le don de distinguer ce qui était important de ce qui ne l'était pas. Bien entendu, Ingham avait averti ses agents et ses éditeurs qu'il partait pour la Tunisie et, à présent, ils connaissaient tous son adresse.

« Eh bien. (Adams apparut à la porte avec une bouteille de vin.) C'est *épatant !*... Tenez, je vous ai apporté ça. Pour l'apéritif ou pour votre premier dîner.

— Oh ! merci, Francis. Vous êtes très gentil. Qu'est-ce que vous prendrez ? »

Ils se servirent comme d'habitude un scotch, avec de l'eau gazeuse pour Adams.

« Vous avez des nouvelles de votre ami ?

— Non, hélas !

— Vous ne pourriez pas envoyer un télégramme à quelqu'un qui le connaît ?

— C'est déjà fait. »

Ingham faisait allusion à Ina.

Mokta, le garçon qui servait au bar-café des bungalows, frappa à la porte. Il arborait toujours un aimable et large sourire.

« Bonsoir, messieurs, dit-il en français. Vous avez besoin de quelque chose ?

— Non merci, je ne crois pas, répondit Ingham.

— A quelle heure voulez-vous qu'on vous apporte le petit déjeuner, monsieur ?

— Ah ! parce que vous l'apportez ?

— Ce n'est pas *obligatoire*, dit Mokta avec un geste rapide, mais en général les clients des bungalows préfèrent ça.

— D'accord. A neuf heures, alors. Non, à vingt heures trente. »

Le petit déjeuner serait probablement en retard.

« Gentil garçon, ce Mokta, dit Adams après le départ du jeune homme. Et on les fait travailler dur ici. Vous avez vu la cuisine, là-dedans ? (Il désigna du doigt le bâtiment bas et carré qui abritait le café-terrasse des bungalows.) Et la pièce dans laquelle ils dorment ? »

Ingham sourit.

« Oui. »

Il l'avait entrevue dans la journée. Un champ de bataille : dix ou douze lits serrés les uns contre les autres. Et la cuisine. Un évier plein d'eau et de vaisselle sales.

« Les tuyauteries sont toujours bouchées, vous savez. Je fais mon petit déjeuner moi-même. Il me semble que c'est un peu plus hygiénique. Mokta est bien, mais cette chipie de directrice le crève. Elle est allemande, on ne l'a probablement engagée que parce qu'elle parle l'arabe et le français. Quand on manque de serviettes ici, c'est Mokta qui doit aller en chercher dans le bâtiment principal... Comment marche votre bouquin ?

— J'en ai fait vingt pages. C'est moins que mon rythme habituel, mais je ne peux pas me plaindre. »

Ingham était reconnaissant à Adams de l'intérêt qu'il lui témoignait. Il avait découvert qu'Adams n'était ni écrivain ni journaliste, mais il ignorait toujours à quoi il consacrait son temps, en dehors du russe qu'il apprenait en dilettante. Peut-être ne faisait-il rien. C'était possible, évidemment.

« Ça doit être pénible d'écrire quand on se dit qu'il va falloir laisser tomber d'un jour à l'autre, observa Adams.

— Ça ne me tracasse pas trop. »

Ingham remplit le verre d'Adams. Il lui offrit des biscuits salés et du fromage. Le bungalow commençait à prendre un aspect plus plaisant. La lumière pâlissante du soleil brillait sur les murs blancs, à travers les persiennes bleu clair entrouvertes. Ingham se dit que John et lui ne passeraient peut-être pas plus d'une dizaine de jours sur le script. John connaissait quelqu'un, à Tunis, qui pourrait l'aider à réunir la petite équipe d'acteurs. Il voulait des amateurs.

Adams et lui étaient d'excellente humeur quand ils montèrent dans la voiture d'Ingham pour aller dîner chez Mélik. La terrasse, juste à moitié pleine, n'était pas encore bruyante. Quelqu'un pinçait les cordes d'une guitare, un autre tirait d'une flûte des trémolos hésitants à une table de derrière.

Adams parla de sa fille Caroline qui habitait Tulsa.

Son mari, l'ingénieur, allait être envoyé au Vietnam car il appartenait à une espèce de réserve civile. Caroline attendait un bébé qui devait naître dans cinq mois, ce qui enchantait Adams et lui rendait l'espoir, cette grossesse ayant été précédée d'une fausse couche. Adams était pour la guerre du Vietnam, comme Ingham le savait depuis un moment déjà. Ingham en avait marre, marre de discuter de ça avec des gens comme Adams, et il fut heureux de constater que celui-ci n'y faisait pas d'autre allusion au cours de la soirée. La démocratie et Dieu, voilà à quoi Adams croyait. Il n'était ni scientiste chrétien ni Rose-Croix — du moins jusqu'à plus ample informé — mais une espèce de Billy Graham affublé d'un code moral démodé qui fourrait Dieu partout. Ce qu'il fallait aux Vietnamiens, disait-il en termes affreusement clairs, c'était une démocratie de type américain. Outre cette démocratie de type américain, pensait Ingham, on familiarisait les Vietnamiens avec le système capitaliste sous la forme d'une fructueuse entreprise de bordels, et avec le système de classes américain en faisant payer plus cher les passes aux Noirs. Il écoutait en hochant la tête, avec ennui et un peu d'irritation.

« Vous n'avez jamais été marié ? demanda Adams.
— Si. Une fois. Divorcé. Pas d'enfants. »

Ils fumaient une cigarette après le couscous. La viande n'était guère comestible ce soir, mais ils s'étaient régalés avec le couscous et la sauce épicée. Adams avait expliqué que le terme *couscous* désignait la farine de millet africaine, une farine en grains qu'on faisait cuire à la vapeur au-dessus d'un bouillon. Parfois aussi on la fabriquait avec du froment. Elle était de couleur brune, sans grande saveur, et on versait dessus de la sauce piquante, chaude ou brûlante, des navets, de l'agneau en ragoût. C'était une spécialité de Mélik.

« Votre femme écrivait, elle aussi ? s'enquit Adams.

— Non, elle ne faisait rien, répondit Ingham avec un petit sourire. Le type même de l'oisive. Mais tout ça, c'est du passé. »

Il était prêt à dire à Adams que son divorce datait d'un an et demi, au cas où il le lui aurait demandé.

« Vous croyez que vous vous remarierez ?

— Je n'en sais rien. Pourquoi ? Vous trouvez que c'est la vie idéale ?

— Oh ! ça dépend, il me semble. Ce n'est pas pareil pour tout le monde. (Adams fumait un petit cigare. Ses joues aplaties, son visage allongé lui donnaient une apparence plus anodine et, quand il ôta son cigare de sa bouche, ses bajoues, en réapparaissant, dessinèrent comme une caricature de lui-même. Ses lèvres minces et roses souriaient aimablement.) Moi, en tout cas, j'étais heureux. Ma femme savait s'occuper d'une maison. Faire des confitures, jardiner, recevoir, se rappeler les anniversaires, tout ça. Pas un mot de travers quand j'étais retardé à l'usine. J'ai pensé à me remarier. Il y a même une femme... elle ressemblait beaucoup à la mienne... que j'ai failli épouser. Mais ce n'est pas la même chose quand on n'est plus jeune. »

Ingham ne trouva rien à répondre. Il pensait à Ina; il aurait donné cher pour la voir là, assise devant lui, pour se promener avec elle sur la plage ce soir, après avoir pris congé d'Adams, pour la ramener dans son bungalow et coucher avec elle.

« Il y a quelqu'un dans votre vie en ce moment ? » demanda Adams.

Ingham se réveilla.

« Oui, en un sens. »

Adams sourit.

« Alors, vous êtes amoureux ? »

Ingham n'aimait guère parler d'Ina à quelqu'un,

mais quelle importance avec un type du genre
d'Adams ?

« Oui, je crois. Je la connais depuis un an, à peu
près. Elle travaille pour une chaîne de T.V. à New
York, le C.B.S. Elle a écrit des pièces pour la télévision et aussi quelques nouvelles. Dont plusieurs ont
été publiées », ajouta-t-il.

Le flûtiste prenait de l'assurance. Les couplets
tremblés d'une chanson arabe se firent entendre, appuyés par les gémissements d'une voix masculine.

« Quel âge a-t-elle ?

— Vingt-huit ans.

— C'est assez vieux pour savoir ce qu'on veut.

— Mmm... Elle s'est mariée une première fois vers
vingt et un ou vingt-deux ans et ça n'a pas marché. Je
suis sûr qu'elle n'a pas envie de refaire la même erreur. Et moi non plus.

— Mais vous avez l'intention de l'épouser ? »

Le musicien jouait encore plus fort.

« Vaguement. Je trouve que ça n'a pas grande importance, sauf si on veut des enfants.

— Elle va vous rejoindre ici, en Tunisie ?

— Non. Je le regrette bien. Elle connaît parfaitement John Castlewood. En fait, c'est elle qui nous a
présentés. Mais elle a son travail à New York.

— Et elle ne vous a pas écrit non plus ? Au sujet
de John ?

— Non. (Ingham se dégela un peu.) C'est bizarre,
pas vrai ? Jusqu'à *quel* point le courrier peut-il prendre du retard ici ? »

Leur yogourt était arrivé. Il y avait aussi des fruits.

« Parlez-moi encore de cette jeune femme. Elle
s'appelle comment ?

— Ina Pallant. Elle vit avec ses parents dans une
grande maison de Brooklyn Heights. Elle a un frère
infirme qu'elle aime beaucoup : Joey. Il souffre de

sclérose en plaques et il ne quitte pratiquement pas son fauteuil roulant, mais Ina l'aide énormément. Il fait de la peinture... un peu dans le style surréaliste. Elle a organisé une exposition pour lui l'année dernière. Evidemment, elle n'y serait pas arrivée si sa peinture n'avait pas été bonne. Il a vendu... oh ! sept ou huit toiles sur trente. (Ingham ne donna cette précision qu'à contrecœur, mais il pensait qu'Adams serait intéressé par les chiffres.) Il y en avait une, par exemple, qui représentait un homme tranquillement assis sur un rocher, dans une forêt, une cigarette aux lèvres. Au premier plan, une petite fille qui se sauvait, terrifiée, et un arbre lui poussait sur la tête. »

Adams se pencha, fasciné.

« Qu'est-ce que c'est censé signifier ?

— Qu'il est effrayant de grandir. L'homme symbolise la vie et le mal. Il est entièrement vert. Il se contente de regarder — sans grand intérêt — comme s'il avait la situation bien en main. »

Le fils de Mélik, un gros garçon de treize ans, vint échanger quelques mots en arabe avec Adams, en appuyant deux mains potelées sur la table. Adams souriait. L'autre fit l'addition. Ingham insista pour payer, parce que ça faisait partie de sa crémaillère.

En bas, dans la rue poussiéreuse, Ingham remarqua un vieil Arabe, qu'il avait vu déjà plusieurs fois, en train de tourner autour de sa voiture. Petite barbe grise, turban, classique pantalon rouge, bouffant, on ne savait par quel miracle, sous les genoux. Il marchait avec une canne. Sans doute s'escrimait-il sur les portières dès que lui, Ingham, avait le dos tourné, en attendant avec une inépuisable patience le jour et l'heure où, à la suite d'un oubli, il les trouverait ouvertes. Il s'éloigna de la grosse fourgonnette Peugeot et Ingham lui accorda à peine un coup d'œil. Il faisait partie du paysage, comme la forteresse brune ou le café de la Plage, à côté de chez Mélik. Ingham et Adams remontèrent un bout de la rue principale mais, celle-ci étant plongée dans l'obscurité, ils revinrent sur leurs pas. Le seul coin intéressant, la seule partie de la ville qui vivait encore à cette heure de la nuit, c'était la vaste étendue de sable qui prolongeait le café de la Plage, où quelques personnes assises à des tables buvaient du café ou du vin. La lumière jaune répandue par les grandes fenêtres du café éclairait les pieds des premières tables et les sandales de leurs occupants.

Comme Ingham tournait les yeux vers la porte d'entrée, un homme surgit, rudement poussé par-derrière, et faillit tomber. Ingham et Adams s'arrêtèrent pour regarder. L'homme semblait un peu ivre. Il rentra immédiatement dans le café et se fit de nouveau éjecter. Une autre personne sortit à son tour, lui passa le bras autour des épaules et lui parla. L'ivrogne fit mine de s'entêter, puis se laissa expédier en direction des maisons blanches, derrière la forteresse. Ingham, fasciné par l'incompréhensible passion qui l'habitait, suivit des yeux sa démarche hésitante. Arrivé à la limite de la zone éclairée, l'homme s'arrêta et se retourna à demi, en regardant avec défi la porte du café. Celui qui lui avait passé le bras autour des épaules tout à l'heure se tenait à présent sur le seuil avec un compagnon, plus grand que lui, et tous deux discutaient sans cesser d'observer la silhouette obstinée, immobile à deux cents mètres d'eux.

Ingham était pétrifié. Il se demandait s'ils avaient des couteaux. Il s'agissait peut-être d'une vieille rancune ?

« C'est probablement une histoire de femmes, dit Adams.

— Oui.

— Ils sont très jaloux en ce qui concerne les femmes, vous savez.

— Oui, sûrement », fit Ingham.

Ils se promenèrent un moment sur la plage, quoique Ingham n'appréciât pas le sable fin qui s'introduisait dans ses chaussures. De petits enfants — deuxième ou troisième vague de pillards après les parents et les aînés — profitaient du clair de lune pour ramasser tout ce qu'ils trouvaient; ils fourraient leurs découvertes dans un sac accroché à leur cou. Ingham n'avait jamais vu de plage aussi propre que celle-là. Ces chiffonniers ne dédaignaient rien, ni le plus petit bout de bois parce qu'ils s'en servaient pour le feu, ni le moindre coquillage parce qu'ils en vendaient le plus possible aux touristes.

Ingham et Adams burent un dernier café à la Plage. Sur leur droite, une porte en ogive d'où émanait une odeur nauséabonde révélait un énorme W.-C et une flèche, peinte en noir sur le mur bleu, environ un mètre plus loin. Au plafond, des appliques ornées de gros boutons jaunes qui étaient censées évoquer des projecteurs de scène faisaient penser, si l'on peut dire, à des rangées de testicules. Ingham se rendit compte qu'il ne trouvait plus rien à discuter avec Adams. Adams, qui gardait le silence, devait être dans le même état d'esprit. Ingham eut un petit sourire en buvant sa dernière gorgée de café noir et sucré. Amusant de penser que des gens comme Adams et lui passaient leur soirée ensemble simplement parce qu'ils étaient Américains. Mais vingt minutes plus tard, à l'hôtel, leur poignée de main fut chaleureuse. Adams lui souhaita un bon séjour, comme s'il venait de s'installer à titre définitif ou, pensa Ingham, comme si l'autre voyait en lui un explorateur récemment arrivé sur les lieux d'une expédition et condamné à mener, pendant plusieurs mois, une vie différente et un peu solitaire. Mais Ingham n'avait pas de devoirs autres que ceux qu'il s'assignait lui-même, et rien ne l'empêchait de prendre sa voiture pour se promener à des centaines de kilomètres de là.

Ce soir-là, avant de se coucher, Ingham feuilleta ses carnets d'adresse, passa en revue ses amis personnels et ses relations d'affaires et finit par trouver deux personnes à qui il pouvait écrire au sujet de John. (Il ne possédait pas l'adresse de Miles Gallust, ou alors il l'avait laissée à New York, et il se reprocha cette étourderie.) Ces deux personnes étaient William McIlhenny, rédacteur au bureau de New York de la Paramount, et Peter Langland, photographe indépendant que John connaissait assez bien, Ingham s'en souvint. Il pensa un instant envoyer à Peter un télégramme, mais se dit que ce serait trop mélodramatique, et se contenta de lui écrire un petit mot gentil (ils s'étaient rencontrés chez John, au cours d'une party, et il le revoyait plus nettement à présent : c'était un gros blond à lunettes), dans lequel il lui demandait de bousculer un peu John, de le pousser jusqu'à la porte si ce n'était pas encore fait. Les quatre ou cinq jours d'attente qu'il fallait probablement prévoir jusqu'à l'arrivée de la lettre lui paraissaient interminables, mais il s'exhorta à la patience. Après tout on était en Afrique, pas à Paris ou à Londres. La lettre devait d'abord passer par Tunis avant de partir en avion.

Il la mit à la poste le lendemain matin.

DEUX ou trois jours passèrent. Ingham travaillait.

Le matin, Mokta lui apportait son petit déjeuner à la française vers neuf heures et quart ou neuf heures et demie. Il trouvait toujours une question à poser : « Le réfrigérateur marche bien ? » Ou encore : « Hassim vous a apporté assez de serviettes ? » Cela accompagné d'un sourire désarmant. Mokta était plus blond que brun; il avait de grands yeux gris bleu frangés de longs cils.

Ingham supposait que Mokta rencontrait autant de succès auprès des hommes que des femmes et qu'en dépit de ses dix-sept ans il avait déjà l'expérience des uns et des autres. En tout cas, avec son physique et sa gentillesse, il ne passerait sûrement pas le reste de sa vie à trimbaler sur le sable des plateaux de petit déjeuner et des piles de serviettes.

« Il n'y a qu'une seule chose qui pourrait me faire plaisir, mon vieux, dit Ingham. Si vous voyez une lettre pour moi dans cette maison de fous, voulez-vous me l'apporter tout de suite ? »

Mokta pouffa de rire.

« Bien sûr, m'sieur. Je regarde tout le temps... tout le temps pour vous. »

Ingham lui fit nonchalamment adieu de la main et se servit une tasse de café, qui était assez fort mais pas très chaud. Quelquefois, c'était le contraire. Il enfila sa veste de pyjama. Il ne gardait que la culotte pour dormir. Les nuits étaient tièdes. Il pensa au bureau de l'employé qui s'occupait des bungalows. Oserait-il espérer une lettre pour aujourd'hui, vers dix heures et demie ou onze heures ? On lui avait dit dans le bâtiment principal qu'on portait le courrier deux fois par jour au bureau des bungalows et qu'on le distribuait dès son arrivée, mais ce n'était manifestement pas vrai, car il avait vu des gens entrer dans ce bureau et fouiller dans les lettres qui étaient quelquefois triées, et quelquefois pas. Comment penser que les garçons arabes, ou même que la directrice allemande toujours revêche et harassée se préoccuperaient beaucoup du courrier ? Il n'y avait jamais personne au bureau. Des piles de serviettes s'entassaient dans un coin... et pourtant, Ingham, en ayant un jour réclamé une propre pour remplacer la sienne dont il se servait depuis plus d'une semaine, s'était entendu répondre par le garçon qu'on ne l'avait pas changée parce qu'elle n'avait pas l'air sale. De mystérieux classeurs métalliques de couleur grise s'alignaient contre les murs. L'absurdité des objets que ce bureau contenait lui donnait aux yeux d'Ingham une futilité kafkaïenne. Il sentait qu'il n'y recevrait jamais, qu'il ne pourrait jamais y recevoir, une lettre de quelque importance. Parfois, il s'exaspérait de trouver la porte fermée sans raison apparente, personne n'étant là pour l'ouvrir ou la clef restant introuvable. Il se précipitait aussitôt vers le bâtiment principal pour le cas où le courrier serait déjà arrivé mais n'aurait pas encore été distribué dans les bungalows.

Ingham était en train de travailler quand Mokta apparut, juste avant onze heures, avec une lettre. Il s'en saisit, tout en cherchant automatiquement une pièce dans sa poche.

« Halleluïah ! » s'écria-t-il.

C'était une longue enveloppe de format commercial, expédiée par avion, et qui portait le cachet de New York.

« Victoire ! dit Mokta. Merci, m'sieur ! »

Il salua et sortit.

Curieuse coïncidence, cela venait de Peter Langland. Leurs lettres s'étaient croisées.

19 juin 19..

Cher Mr. Ingham, ou Howard,

Vous êtes sûrement au courant du triste événement qui est arrivé le week-end dernier, Ina m'ayant dit qu'elle allait vous écrire. John m'avait parlé deux jours avant. Il passait par une mauvaise période, comme vous le savez peut-être, ou peut-être pas. Mais aucun de nous ne s'attendait à ça. Il craignait de ne pas pouvoir venir à bout de Trio *dans ces conditions-là, et se sentait par conséquent doublement coupable, je crois, parce que vous étiez déjà en Tunisie. Et puis il avait ses problèmes personnels, dont Ina vous a sans doute parlé. Mais il aurait désiré que je vous envoie un mot, je le sais, pour vous dire combien il regrettait, et c'est pour cela que je le fais. Il n'a tout simplement pas pu tenir le coup. J'aimais beaucoup John et j'avais énormément d'estime pour lui, comme tous ceux qui le connaissaient, je pense. Nous étions tous certains qu'il avait une brillante carrière devant lui. C'est un choc pour nous tous, et en particulier pour ceux avec qui il était le plus lié. Je suppose que vous allez revenir, à présent, et peut-être êtes-vous déjà parti, mais on vous fera sans doute suivre cette lettre.*

Bien à vous,
PETER LANGLAND.

John Castlewood s'était suicidé. Ingham se dirigea

vers la fenêtre, la lettre à la main. Les persiennes bleues étaient fermées pour protéger la pièce du soleil matinal, qui gagnait en ardeur, mais il les contemplait fixement, comme s'il pouvait voir au travers. C'était la fin de l'expédition tunisienne. Comment John s'y était-il pris ? Revolver ? Non, barbituriques, probablement. *Incroyable*, pensa Ingham. Et pourquoi ? Eh bien, il ne connaissait pas assez John pour le deviner. Il évoqua son visage : des traits toujours animés, souvent un sourire, le teint pâle sous les cheveux noirs impeccablement coiffés. Un visage peut-être un peu faible ? Mais il se laissait sans doute influencer par ce qu'il venait d'apprendre. En tout cas, une barbe peu drue, une peau claire et douce. John n'avait l'air nullement déprimé la dernière fois qu'ils s'étaient vus, dans ce restaurant de Washington Square, avec Ina. C'était la veille du départ d'Ingham. « Vous savez où louer la voiture, à Tunis ? » avait demandé John et, comme d'habitude, il s'était inquiété des détails pratiques : si Ingham avait bien emporté le plan de Tunis et le *Guide Bleu* de Tunisie qu'il lui avait prêtés ou donnés.

« Ça alors ! » marmonna Ingham.

Abasourdi, il se mit à faire les cent pas dans sa chambre. Une anecdote racontée par Adams lui revint à l'esprit : Adams, à dix ans, pêchant dans une petite rivière (du Connecticut ? de l'Indiana ?) et ramenant au bout de sa ligne un crâne humain, un crâne si vieux que « ça n'avait plus d'importance », comme il disait, de sorte qu'il n'en avait même pas parlé à ses parents dont il se demandait d'ailleurs avec inquiétude s'ils le croiraient. Dans un mouvement de crainte, il avait enterré le crâne. Brusquement, Ingham éprouva le désir d'aller quêter un réconfort auprès d'Adams. Il pensa un moment se rendre chez lui pour lui raconter la nouvelle. Puis il décida de n'en rien faire.

« Bon Dieu ! » se dit-il. Et il alla dans la cuisine se servir un scotch. Il ne lui trouva pas un goût agréable, à cette heure de la matinée, mais c'était une espèce de rite, en l'honneur de Castlewood.

A présent, il fallait penser à rentrer. Prévenir l'hôtel. Demander les horaires des avions pour New York.

Il aurait sûrement un mot d'Ina dans la journée. Il consulta le calendrier. Le week-end auquel Peter faisait allusion était celui du 10 au 11 juin. Qu'est-ce qu'il lui prenait, à cette immense et frénétique Amérique ? Elle commençait à lui paraître plus lente que la Tunisie.

Ingham sortit et s'engagea sur l'allée, déserte pour l'instant, qui s'incurvait en direction du bureau-bar-café-office-poste par lequel les bungalows étaient desservis. Le sable poudreux crissait sous ses souliers de tennis. Il marchait les mains dans les poches et, en rencontrant une énorme femme qui parlait en français à son minuscule fils, véritable lutin à côté d'elle, il rebroussa chemin sans bien savoir pourquoi. Il se demandait ce qu'il devait faire. Envoyer un nouveau télégramme à Ina, peut-être. Attendre encore sa lettre un jour ou deux... si elle avait écrit. Soudain, tout lui paraissait si vague, si imprécis !

Il retourna dans son bungalow — qu'il avait laissé ouvert au mépris des conseils d'Adams, lequel le conjurait de fermer dès qu'il s'absentait, ne fût-ce que pour une minute — prit son portefeuille et ressortit, en fermant à clef cette fois, pour se rendre au bâtiment principal. Il allait télégraphier à Ina et jeter un coup d'œil aux journaux disposés sur les tables, dans le hall. Certains dataient de plusieurs jours. Il y aurait peut-être quelque chose au sujet de John dans l'édition de Paris du *Herald Tribune*. Il fallait chercher le journal du lundi 12 juin, pensa-t-il. Ou celui du mardi 13.

La plage communiquait avec l'arrière de l'hôtel par un escalier aux marches basses et larges. Il y avait au pied de cet escalier une douche à ciel ouvert pour les baigneurs : un couple d'Allemands corpulents, un homme et une femme, se frottaient mutuellement le dos en vociférant sous l'eau. En s'approchant, Ingham fut agacé de constater qu'ils parlaient un américain vraiment très américain.

Au bureau de l'hôtel, il télégraphia à Ina.

AU COURANT POUR JOHN PAR LANGLAND — ÉCRIS OU TÉLÉGRAPHIE — COMPRENDS PAS — TENDRESSE — HOWARD

Il l'envoya à l'adresse de Brooklyn car Ina y passerait sûrement, quel que fût le cours des événements, et d'ailleurs il se pouvait très bien qu'elle n'allât pas travailler si son frère Joey se sentait mal et avait besoin de ses soins. Il eut beau chercher sur les tables basses et sur les étagères du hall, impossible de trouver un journal américain datant du 10 au 11 juin; rien non plus en français ou en anglais pour les 12 ou 13 juin.

« S'il vous plaît, dit Ingham en soignant son français au jeune réceptionniste arabe (il lui tendit en même temps un billet de cinq cents millimes), voudriez-vous veiller à ce qu'on m'apporte immédiatement toutes les lettres qui pourront arriver pour moi aujourd'hui ? Bungalow n° 3. C'est très important. »

Il écrivit son nom sur un bout de papier.

L'idée de prendre un verre au bar le tenta un instant, puis il y renonça. Il ne savait que faire. Il avait l'impression qu'il pourrait fort bien travailler à son roman dans l'après-midi, et il s'en étonnait. Logiquement, il aurait dû songer à son départ et avertir immédiatement l'hôtel. Il n'en fit rien.

Ingham retourna dans son bungalow, enfila son

maillot de bain et alla nager. Il aperçut au loin Adams, son trident à la main, mais réussit à ne pas se faire voir. Adams lui avait dit qu'il piquait toujours une tête dans l'eau avant le déjeuner.

En fin d'après-midi, n'ayant toujours rien reçu, Ingham, pour en avoir le cœur net, passa d'abord par le bureau des bungalows — huit lettres non distribuées, mais aucune pour lui —, puis par le bâtiment principal. Là non plus, rien. Il revint par la plage, pieds nus, ses sandales à la main, en se faisant caresser les chevilles par les petites vagues. Le dos tourné au soleil couchant, il contemplait fixement le sable mouillé.

« Howard ! Où étiez-vous passé ? (Adams, le nez luisant et brun, lui faisait face à quelques mètres de distance. Ingham trouva qu'il ressemblait à un lapin.) Venez donc prendre un verre chez moi.

— Merci, dit Ingham. Et, après une hésitation : Quand ça ?

— Tout de suite. Je rentre.

— Vous avez passé une bonne journée ? » demanda Ingham avec effort.

Ils avançaient côte à côte.

« Oui, merci, excellente. Et vous ?

— Non. Pas très.

— Ah ? Qu'est-ce qui vous arrive ? »

Ingham désigna du doigt la maison d'Adams, d'un geste vague qu'il avait, en fait, emprunté à son compagnon.

Ils s'engagèrent tous deux sur l'allée caillouteuse qui longeait le bureau des bungalows. Adams allait pieds nus; Ingham, lui, avait chaussé ses sandales, le sable étant très chaud. Il se sentait toujours négligé en sandales sans talons ou en pantoufles, mais c'était certainement ce qu'on pouvait porter de plus frais.

En hôte attentionné, Adams prépara aussitôt des scotches avec de la glace. Ingham trouva délicieuse la fraîcheur de l'air climatisé. Il fit un pas dehors, frappa ses sandales l'une contre l'autre pour ôter le sable, et rentra.

« Goûtez-moi ça, dit Adams en tendant un verre à Ingham. Alors, qu'est-ce qu'il y a ? »

Ingham prit le verre.

« La personne qui était censée me rejoindre s'est suicidée à New York il y a une dizaine de jours.

— *Quoi ?* Mon Dieu !... Vous avez appris ça quand ?

— Ce matin. C'est un de ses amis qui me l'a écrit.

— Vous voulez parler de John... Pourquoi a-t-il fait ça ? Une histoire d'amour qui a mal tourné ? Des ennuis d'argent ? »

Ingham lui fut reconnaissant de poser les questions attendues.

« Une histoire d'amour, je ne crois pas, mais au fond je n'en sais rien. Il n'avait peut-être pas de raison précise. L'anxiété, quelque chose comme ça...

— C'était un type nerveux ? Névrosé ?

— En un sens, oui. Mais je n'aurais pas cru que c'était à ce point-là.

— Il a fait ça comment ?

— Je ne sais pas. Somnifères, je suppose.

— Vous m'avez dit qu'il avait vingt-six ans. (Adams était visiblement touché.) Et sur le plan financier ? »

Ingham haussa les épaules.

« Il ne roulait pas sur l'or, mais il ne manquait pas d'argent pour ce projet de film. Nous avions un producteur, Miles Gallust. Il nous avait avancé quelques milliers de dollars... A quoi bon s'interroger ? Il a probablement fait ça pour une quantité de raisons, des raisons que je ne connais pas.

— Asseyez-vous. »

Adams s'assit sur le divan avec son verre et Ingham prit le fauteuil de cuir grinçant. Les volets clos plongeaient la pièce dans une agréable pénombre. De fines barres de soleil rayaient le plafond au-dessus de la tête d'Adams.

« Eh bien, dit ce dernier, je suppose que John n'étant plus là, vous allez songer à partir... à retourner aux Etats-Unis ? »

Ingham trouva que le ton d'Adams était sombre.

« Oui, sûrement. Dans quelques jours.

— Vous avez des nouvelles de votre fiancée ? » demanda Adams.

Ce terme de « fiancée » déplut à Ingham.

« Pas encore. Je lui ai télégraphié aujourd'hui. »

Adams hocha pensivement la tête.

« Ça s'est passé quand ?

— Pendant le week-end du 10 au 11 juin. Malheureusement, je n'ai pas lu les journaux à ce moment-là. Le *Herald Tribune* en a peut-être parlé.

— Je comprends que ce soit un choc pour vous, dit Adams avec sympathie. Vous étiez très liés, John et vous ? »

Lieux communs.

Adams remplit de nouveau les deux verres. Puis Ingham alla chez lui passer un pantalon pour le dîner. Il avait sottement espéré trouver un télégramme d'Ina sur le coin de sa table de travail en entrant dans son bungalow. La table était vide, comme d'habitude.

Ce soir-là, chez Mélik, l'atmosphère était animée. Il y avait deux tablées d'instruments à vent et une guitare quelque part ailleurs. Un autre client était accompagné de son chien policier, un animal très bien élevé qui couchait les oreilles à cause du bruit, mais sans aboyer. Le vacarme rendait la conversation difficile et cela valait mieux ainsi, pensait Ingham. Le propriétaire du chien, un garçon grand et mince, semblait américain. Il portait des lévis et une chemise de toile bleue. Adams, avec son petit sourire joufflu, secouait la tête de temps en temps d'un air plein d'indulgence. Ingham avait l'impression d'être une petite chambre silencieuse — une chambre vide, peut-être — à l'intérieur d'une autre pièce, plus vaste, d'où sortait tout ce bruit. L'Américain partit avec son chien.

Adams vociféra pour la seconde fois :

« Je vous disais que vous devriez voir un peu de pays avant votre départ. »

Ingham hocha la tête avec vigueur.

La lune était presque pleine. Ils firent un tour sur la plage et Ingham regarda la forteresse beige aux murailles en pentes, inondée par une lumière blafarde, les dômes blancs des maisons arabes blotties les unes contre les autres à l'arrière-plan, il entendit le murmure de la brise embaumée et se sentit loin de New York, loin de John et de ses mystérieuses raisons, plus loin encore d'Ina... parce qu'il lui en voulait de ne pas avoir écrit. Il se reprochait sa rancœur et la petitesse d'esprit qui en était cause. La carence d'Ina s'expliquait peut-être par un motif sérieux, mais lequel ? Il n'était même pas proche d'Adams, pensa-t-il avec un petit tressaillement de crainte, ou de solitude.

Que faire ? Etudier une carte de Tunisie, se dit-il. Ou bien travailler à son roman en attendant une lettre ou un télégramme d'Ina. C'était la solution la plus sage. Son bungalow avec petit déjeuner lui coûtait environ six dollars par jour. Il n'y avait pas de quoi s'inquiéter, certes, mais, vu la situation, il devrait évidemment débourser lui-même une bonne partie des frais. En tout cas, il valait mieux attendre deux ou trois jours, pour le cas où Ina écrirait au lieu de télégraphier.

Ils se dirent bonsoir dans l'allée des bungalows.

« Mes pensées sont avec vous, dit Adams à voix basse parce qu'il y avait des gens qui dormaient tout près. Reposez-vous. Vous avez subi un choc, Howard. »

INGHAM avait l'intention de dormir tard, mais il se réveilla de bonne heure. Il alla prendre un bain, puis rentra chez lui et se fit une tasse de café en poudre. Il travailla jusqu'à l'arrivée de Mokta, qui apparut à neuf heures avec le petit déjeuner.

« Ah ! vous travaillez déjà, dit Mokta. Attention de ne pas vous faire tourner la tête ! »

Il accompagna cette mise en garde d'un mouvement circulaire du doigt près de la tempe.

Ingham sourit. Il avait remarqué que les Arabes redoutaient toujours de se surmener intellectuellement. Il se rappelait avoir bavardé à Nabeul avec un étudiant qui, disait-il, s'était fatigué le cerveau et prenait plusieurs semaines de vacances sur ordre de son médecin.

« N'oubliez pas de regarder s'il y a une lettre pour moi, hein, Mokta ? Je passerai à la réception à onze heures, mais s'il arrive quelque chose avant, apportez-le-moi.

— Mais nous sommes dimanche, aujourd'hui !

— Ah ! c'est vrai ! (Ingham se sentit brusquement déprimé.) Au fait, j'aimerais bien avoir une serviette propre. Hassim a emporté la mienne hier et il a oublié de la changer.

— Ah ! ce Hassim ! Je suis *désolé*, monsieur ! J'espère qu'il y en a de propres aujourd'hui. Hier, nous les avions toutes utilisées. »

Ingham hocha la tête. Au moins, il y avait des clients que l'on fournissait en serviettes propres.

« Et pourtant, dit Mokta, gracieusement appuyé au chambranle de la porte, tous les garçons font *cinq mois* d'étude pour apprendre le métier d'hôtelier. On ne le croirait pas, hein ?

— Non », fit Ingham en se beurrant un toast.

Ce jour-là, il prit la voiture et alla déjeuner à Bir Bou Rekba, village distant de sept kilomètres, dans un petit restaurant très simple avec deux ou trois tables en terrasse. Les chats errants étaient encore plus maigres ici qu'ailleurs, on leur voyait les côtes, et ils avaient tous la queue brisée selon un angle pénible à voir. Casser la queue des chats, adultes ou non, entrait visiblement dans la catégorie des activités sportives, en Tunisie. A Hammamet aussi, la plupart des chats avaient la queue brisée. Ingham n'entendit pas un mot de français. Il n'entendit rien qui lui fût compréhensible. Aucune atmosphère n'aurait pu être plus appropriée, pensa-t-il, car le héros de son roman vivait la moitié du temps dans un monde inconnu de sa famille et de ses collègues, un monde connu seulement de lui-même, en réalité, puisqu'il ne pouvait faire partager à personne sa vérité : ses extorsions de fonds, les chèques sur lesquels il imitait, plusieurs fois par mois, trois signatures différentes. Ingham rêvassait, assis au soleil, en sirotant son vin rosé, frais à point; il aurait aimé — mais c'était sans passion qu'il le souhaitait, pour l'instant — que le temps passât un peu plus vite, afin qu'il arrivât une lettre d'Ina. Quelle explication donnerait-elle ? Mais elle lui avait peut-être écrit et une lettre, ou même deux s'étaient perdues. Ingham avait téléphoné à l'hôtel du Golfe l'avant-veille, mais pas la veille. Il en avait assez de s'entendre répondre que rien n'était arrivé pour lui. Et d'ailleurs, le Golfe, selon toute apparence, faisait suivre régulièrement le courrier. Les nerfs de son visage palpitaient sous le soleil et il avait l'impression de cuire doucement. Il n'avait jamais vu le soleil si proche et si gros. Les gens du Nord ne savaient pas ce que c'était que le soleil, pensait-il. Celui-là, c'était le vrai soleil, le feu antique qui semblait réduire le temps d'une vie humaine à quelques secondes et les problèmes personnels des hommes à de minuscules détails, d'une futilité absurde.

« Les drames que les gens vont inventer ! » se dit-il. L'humanité entière lui inspirait une espèce de dégoût détaché.

Un chat hirsute, émacié, le regardait d'un air implorant, mais on lui avait déjà ôté son assiette de poisson et d'œufs frits. Il jeta un peu de mie de pain sur le ciment poussiéreux. C'était tout ce qu'il avait. Le chat la mangea, en mâchonnant avec patience, la tête tournée de côté.

Rien d'Ina ni le lundi ni le mardi. Ingham travaillait. Il évitait Adams. Il se sentait morose et savait qu'il ne serait pas d'une société agréable. Quand il se trouvait dans cet état d'esprit, il lui arrivait de dire des méchancetés. Le mercredi, l'envie lui étant venue de dîner avec Adams, il se rappela que celui-ci passait toujours cette soirée seul. Il semblait s'en faire une règle. Ingham dîna dans la salle à manger de l'hôtel. Le touriste américain était là, avec un compagnon. Ingham le salua de la tête. Il se rendit compte qu'il n'avait pas répondu à la lettre de Peter Langland. Le soir-même, il lui écrivit.

28 juin 19..

Cher Peter,
Merci de votre lettre. Je n'étais pas au courant,

comme vous le savez maintenant par celle que vous
avez sans doute reçue de moi. En fait, Ina ne m'a pas
encore écrit. J'ai été profondément désolé d'apprendre ce qui est arrivé à John, car je croyais moi aussi,
comme tout le monde, que les choses allaient bien
pour lui. Je le connaissais depuis un an, mais nous
n'étions pas très intimes. J'ignorais complètement
qu'il avait des problèmes.

Je rentrerai probablement aux Etats-Unis dans le
courant de la semaine prochaine. C'est sans aucun
doute l'expédition la plus étrange de ma vie. Pas un
mot, non plus, de Miles Gallust, qui devait être notre
producteur.

Pardonnez cette lettre qui ne rime à rien. Je suis
sincèrement abasourdi par cette histoire.

> Bien à vous,
> HOWARD INGHAM.

Peter Langland habitait Jane Street. Ingham ferma
l'enveloppe. Il n'avait plus de timbres. Il mettrait la
lettre à la poste le lendemain matin, à Hammamet.

Dans un bungalow, à cinq mètres de celui d'Ingham, derrière un bouquet de citronniers, des Français se disaient au revoir. Il les entendait distincte-
ment par la fenêtre ouverte.

« Nous serons à Paris dans trois jours, vous savez.
Passez-nous un coup de fil.

— Mais bien sûr ! Jacques, allons, viens !... Il dort
debout.

— Bonne nuit.

— Vous aussi. »

Il faisait très sombre dehors. Il n'y avait pas de
clair de lune.

Le lendemain se passa comme la veille. Ingham travailla. A cinq heures du soir, il alla frapper à la porte
d'Adams pour l'inviter à prendre un verre, mais ne le

trouva pas là. Il ne se donna pas la peine de le chercher sur la plage.

Le matin du 30 juin, qui était un vendredi, une lettre d'Ina arriva dans une enveloppe du C.B.S. Ce fut Mokta qui l'apporta. Ingham l'ouvrit précipitamment et oublia le pourboire dans sa hâte.

La lettre était datée du 25 juin et disait ceci :

> *Cher Howard,*
>
> *Je regrette de ne pas t'avoir encore écrit. Peter Langland m'avait dit qu'il le ferait, au cas où tu ne serais pas au courant, mais comme c'était dans le* Times *et dans l'édition de Paris du* Herald Tribune, *nous pensions que tu l'aurais vu en Tunisie. Je suis encore si bouleversée qu'il m'est impossible de t'écrire une vraie lettre. Je le ferai dans un jour ou deux, demain, j'espère. Je te le promets. Pardonne-moi, je t'en prie. J'espère que tu vas bien.*
>
> *Affectueusement,*
> Ina.

La lettre était tapée à la machine. Ingham la relut. Ces quelques mots méritaient à peine le nom de lettre. Il en fut un peu irrité. Qu'était-il censé faire ? Attendre encore une semaine qu'elle fût d'humeur à lui écrire plus longuement ? Pourquoi était-elle si bouleversée ? « Nous pensions... » Langland et elle se connaissaient-ils si bien ? Avaient-ils tous deux tenu la main de John pendant qu'il se mourait sur un lit d'hôpital ? A supposer, bien sûr, qu'il se fût tué avec des somnifères.

Ingham fit un tour sur la plage; il arpenta cette étendue de sable qu'il avait traversée tant de fois pour aller chercher une lettre d'Ina. Celle qu'il venait de recevoir l'exaspérait. Ina était le genre de fille qui pouvait torcher une lettre de dix lignes résumant parfaitement les faits, en ajoutant par exemple « Détails dans un prochain courrier », mais là elle ne donnait même pas les faits. Ingham se dit qu'il ne se serait pas attendu de sa part à un tel manque de cœur. Elle aurait pu avoir assez d'imagination pour se rendre compte de sa situation, pour comprendre ce qu'avait de pénible cette attente loin de tout. Et pourquoi n'avait-elle pas eu le temps de lui écrire avant le suicide de John ? Elle était donc comme ça, la fille qu'il comptait épouser ? Ingham sourit, et ce fut un soulagement pour lui. Mais il éprouvait une sorte de vertige, d'égarement, comme s'il flottait dans l'espace. Oui, il était entendu qu'ils se marieraient. Il en avait parlé à Ina sans solennité aucune, sur le seul ton qui pouvait lui plaire. Elle ne s'était pas écriée : « Oh, *oui*, mon chéri »; c'était convenu, cependant. Peut-être ne se marieraient-ils pas avant plusieurs mois. Cela dépendait de leurs métiers respectifs et aussi, sans doute, du temps plus ou moins long qu'il leur faudrait pour trouver un appartement, car Ina devait quelquefois passer six semaines ou davantage en Californie, mais l'important, c'était que...

Ses pensées s'effilochèrent; son cerveau, cuit et recuit par le soleil, se dérobait devant l'effort qu'il devait fournir pour se remémorer les conventions tacites de New York dans la chaleur torride de ce pays arabe. Ingham se rappela une histoire qui lui avait été racontée par Adams : une jeune Anglaise souriant à un Arabe ou peut-être le regardant un peu trop longuement et l'autre la suivant sur une plage obscure pour la violer. Telle était, du moins, la version de la fille. Pour l'Arabe, ce simple regard était un feu vert. Le gouvernement tunisien, soucieux de préserver ses bonnes relations avec l'Ouest, avait fait beaucoup de bruit autour de cette affaire et condamné le coupable à une longue peine de prison, qui, d'ailleurs, avait été très vite commuée. Histoire absurde. Et Ingham pouffa de rire, ce qui lui valut un coup d'œil surpris de la part des deux jeunes gens — ils avaient l'air français — qui passaient justement à côté de lui, leur équipement de plongée sur l'épaule.

Ce soir-là, Ingham dîna avec l'homme aux lévis. Il le rencontra au café de la Plage, où il était allé prendre un verre à vingt heures. Ce fut l'autre qui lui adressa la parole le premier. Son chien policier l'accompagnait. Il s'appelait Anders Jensen, était de nationalité danoise et parlait parfaitement l'anglais, avec l'accent d'Oxford. Il occupait, raconta-t-il, un appartement loué devant chez Mélik. Ingham goûta à la *boukhah* que Jensen buvait. Ça ressemblait à la *grappa* ou à la *tequila*.

Ingham ne se sentait guère enclin à parler de lui-même, mais Jensen ne le cuisina pas. A une question de ce dernier, il répondit simplement qu'il était écrivain et qu'il prenait un mois de vacances. Jensen était peintre. Il paraissait trente ou trente-deux ans.

« A Copenhague, j'ai fait une dépression nerveuse, dit Jensen avec un sourire las et sans vie. (Il était maigre, bronzé, les cheveux blonds et raides; il semblait bizarrement absent et une lueur vague flottait dans ses yeux bleus, comme s'il ne prêtait qu'une attention distraite à ce qui l'entourait.) Mon psychiatre m'a ordonné un séjour quelque part au soleil. Je suis ici depuis huit mois.

— Et vous êtes bien installé ? (Jensen avait dit que son logement était simple et, comme il semblait très capable de vivre à la dure, Ingham imaginait quelque chose de tout à fait primitif.) Pour peindre, je veux dire ?

— La lumière est merveilleuse, répondit Jensen. Il n'y a pratiquement pas de meubles, mais c'est toujours pareil. On vous loue une maison et vous demandez : Où est le lit ? Où sont les chaises ? Et la table, Bon Dieu ? On vous répond que ça viendra demain. Ou la semaine prochaine. La vérité, c'est qu'ils se passent de meubles. Ils dorment par terre, sur des nattes, et ils plient leurs vêtements sur le carreau. Ou alors, ils les laissent tout simplement tomber. Moi, au moins, j'ai un lit. Et je me suis fabriqué une table avec des caisses et des planches que j'ai ramassées dans la rue... Ils ont cassé la patte de mon chien. Il recommence tout juste à pouvoir marcher sans boiter.

— Vraiment ? Pourquoi ? fit Ingham, choqué.

— Oh ! ils lui ont jeté une grosse pierre. Du haut d'une fenêtre, je crois. Ils ont attendu le moment où Hasso allait se coucher à l'ombre d'une maison, de l'autre côté de la rue. Ils prennent plaisir à torturer les animaux, vous savez. Et un chien de pure race comme Hasso les tente peut-être plus qu'un bâtard ordinaire. (Il tapota la tête de l'animal, qui était assis à côté de sa chaise.) Hasso est resté un peu nerveux, après ça. Il déteste les Arabes, ceux qui vous regardent par en dessous. (Encore un sourire distant, mais amusé.) Heureusement qu'il obéit bien, sinon il en esquinterait une douzaine par jour. »

Ingham rit.

« Il y en a un en pantalon rouge et turban que je corrigerais volontiers. Il tourne tout le temps autour de ma voiture, quand je la gare par ici. »

Jensen leva un doigt.

« Je le connais. Abdullah. Un vrai cochon. Figurez-vous que je l'ai vu voler quelque chose dans une voiture à deux rues d'ici, en plein milieu de l'après-midi. (Jensen rit de plaisir, mais presque sans bruit. Il avait de belles dents blanches.) Et personne ne fait rien !

— C'est une valise qu'il volait ?

61

— Non, des vêtements. Ça, il peut toujours le revendre au marché. Je crois que je ne resterai plus très longtemps ici, à cause de Hasso. S'ils s'attaquent encore à lui, ils le tueront peut-être. Et d'ailleurs, il fait une chaleur infernale au mois d'août. »

Ils entamèrent une seconde bouteille de vin. Le restaurant était calme. Deux autres tables seulement étaient occupées, par des Arabes, des hommes exclusivement.

« Vous aimez prendre vos vacances seul ? demanda Jensen.

— Oui. Je crois.

— Vous n'écrivez rien en ce moment, alors ?

— Oh ! si, j'ai commencé un livre. Il m'est arrivé de travailler plus dur dans ma vie, mais enfin ça ne marche pas mal. »

A minuit, Ingham repartit en compagnie de Jensen pour voir son appartement. Jensen logeait dans une petite maison blanche dont la porte d'entrée était défendue par un cadenas. Il alluma la plus faible des ampoules électriques et ils gravirent un escalier blanc — mais sale — aux marches nues et sans rampe. Une odeur de W.-C. flottait partout. Jensen occupait une grande pièce au premier étage et deux autres, plus petites, à l'étage au-dessus. Des toiles étaient adossées aux murs, dans le plus grand désordre, ou couchées sur les tables de fabrication artisanale dont Jensen avait parlé. En haut, il y avait un petit fourneau à gaz à deux feux. Dédaignant l'unique chaise, ils s'assirent tous deux par terre. Jensen servit du vin rouge.

Jensen avait allumé deux bougies fichées dans des bouteilles vides. Il parlait d'aller à Tunis acheter des fournitures. Il irait en autobus, déclara-t-il. Ingham regardait les tableaux. Un orange violent prédominait. C'était de l'abstrait, supposa-t-il, quoique certain assemblage de lignes droites et de carrés pût figurer un groupe de maisons. Un chiffon peint, aplati et froissé, était collé sur une toile. L'éclairage ne se prêtait guère à l'appréciation et Ingham n'émit aucun jugement.

« Vous avez une douche ici ? demanda-t-il.

— Oh ! je me sers d'un seau. En bas sur la terrasse. Ou du tuyau de la cour. »

Deux hommes discutaient dans la rue. Jensen leva la tête pour écouter. Les voix s'éloignèrent. Le ton semblait plus furieux que d'habitude.

« Vous comprenez l'arabe ? s'enquit Ingham.

— Un peu. Je n'ai pas fait l'effort de l'apprendre, mais j'ai le don des langues. Ça me vient facilement. Je me débrouille, quoi. »

Jensen avait sorti d'un placard du fromage sec et du pain. Ingham n'en avait pas envie. L'assiette de fromage était assez jolie à la lumière des bougies, entourée par un halo d'ombre. Le chien, couché par terre près de la porte, poussa un profond soupir et s'endormit.

Une demi-heure plus tard, Jensen posa la main sur l'épaule d'Ingham et lui demanda s'il voulait passer la nuit avec lui. Ingham comprit soudain qu'il était pédéraste ou du moins qu'il lui faisait des propositions.

« Non, j'ai ma voiture dehors, dit-il. Merci quand même. »

Jensen voulut l'embrasser, manqua son coup, et le baiser tomba sur la joue d'Ingham. Celui-ci avait eu un petit mouvement de recul. Jensen était à genoux. Ingham frissonna. Il était en manches de chemise.

« Vous ne couchez jamais avec des hommes ? C'est agréable. Pas de complications, dit Jensen en roulant sur ses talons et en se rasseyant à un mètre d'Ingham. Ici les filles sont affreuses, que ce soit des touristes ou — comment dire — des indigènes. Et puis, il y a le danger de la syphilis. Elles l'ont toutes, vous savez. Elles sont pratiquement immunisées elles-mêmes, mais elles la transmettent. »

Le ton assourdi de Jensen trahissait une profonde amertume. Ingham, pendant ce temps, se traitait d'imbécile pour ne pas s'être aperçu qu'il avait affaire à un homosexuel. Après tout, en bon New-Yorkais habitué aux mondanités, il aurait pu être un peu plus perspicace. Il avait envie de sourire, mais il craignait que Jensen ne le prît pour lui alors qu'il se moquait en réalité de sa propre sottise, et il ne broncha pas.

« Il paraît qu'ici on peut se procurer tous les garçons qu'on veut, observa-t-il.

— Oh, oui, fit Jensen avec un sourire absent, nostalgique, des petites ordures qui vous font les poches. (Il s'était allongé par terre et s'appuyait sur un coude.) C'est parfait, à condition de les flanquer tout de suite dehors. »

Cette fois, Ingham rit.

« Vous m'avez dit que vous n'étiez pas marié.

— Non. Je peux voir encore quelques-unes de vos toiles ? »

Jensen alluma une ou deux lampes : des ampoules nues. Sur quelques toiles, d'énormes visages déformés apparaissaient au premier plan. Cette couleur rouge orangée semblait dégager une chaleur intense. Les tableaux étaient tous un peu négligés et torchés à la va-vite, pensa Ingham. Mais visiblement Jensen travaillait dur et se concentrait sur un thème : un thème mélancolique, selon toute apparence, qui ressortait sous la forme de ces visages ravagés, sur un arrière-plan de maisons arabes chaotiques, d'arbres écroulés, d'orages, de pluie, de tempêtes de sable. Au bout de cinq minutes, il ne savait toujours pas si c'était bon ou mauvais. En tout cas, c'était intéressant.

« Vous avez exposé au Danemark ? demanda-t-il.

— Non. Seulement à Paris », répondit Jensen.

Brusquement, Ingham se dit qu'il n'en croyait pas un mot. Mais peut-être se trompait-il ? Et d'ailleurs, quelle importance ? Il s'approcha d'une lampe pour consulter sa montre : minuit trente-cinq. Il parvint à trouver quelques mots de félicitation qui firent plaisir à Jensen.

Celui-ci ne cessait de bouger, de remuer. Ingham le sentait affamé, physiquement peut-être, affectivement en tout cas. Il avait aussi l'impression de n'être pour lui qu'une ombre, une forme dans la pièce, douée de substance, certes, mais sans plus. Jensen ne savait rien de lui et ne lui avait pratiquement posé aucune question. Et pourtant, ils auraient pu être en ce moment même couchés ensemble dans un lit.

« Je ferais mieux de m'en aller, dit Ingham.

— Oui. Quel dommage. Juste au moment où il commence à faire un peu frais. »

Ingham voulut aller aux toilettes. Jensen l'accompagna pour allumer. C'était un simple trou au milieu d'un bac de porcelaine en pente. Dehors, un robinet gouttait lentement dans un seau. Ingham se dit que Jensen devait vider de temps en temps le seau dans le trou.

« Bonsoir et merci de cette soirée », dit-il en tendant la main.

Jensen la lui serra fermement.

« J'ai été enchanté. Revenez me voir. On se retrouvera sûrement chez Mélik ou à la Plage.

— Venez plutôt chez moi. J'ai un bungalow et un réfrigérateur. Je peux même faire la cuisine. (Ingham sourit. Il en faisait peut-être trop, de peur que Jensen ne crût qu'il lui en voulait.) Je retrouve la grand-route comment ?

— Prenez à gauche. Puis encore la première à gauche et ensuite la première à droite. »

Ingham sortit. Le réverbère placé devant la maison

de Jensen ne servait plus de rien une fois passé l'angle de la première rue. Celle-ci n'avait que deux mètres de large : elle n'était pas prévue pour les voitures. De chaque côté de lui, les murs blancs — troués de fenêtres noires dans leurs renfoncements — semblaient baigner dans un silence étrange... étrange parce qu'on entendait généralement du bruit quand on passait devant des maisons arabes. Ingham n'avait jamais traversé un quartier résidentiel à une heure si tardive. Il trébucha sur quelque chose, perdit l'équilibre, faillit tomber face contre terre et se rattrapa juste à temps sur les deux mains. Il eut la sensation d'avoir heurté une couverture roulée. Puis il tâta l'objet du pied et lui trouva une consistance compacte. C'était un homme endormi. Ingham avait touché deux jambes.

« Drôle d'endroit pour dormir », murmura-t-il.

La forme endormie ne bougea pas.

Ingham, par curiosité, craqua une allumette. L'homme était couché, sans couverture, un bras recroquevillé sous lui. Il avait un foulard sombre autour du cou. Un pantalon noir, une chemise d'un blanc sale. Puis Ingham constata que le foulard sombre était rouge, et rouge de sang. L'allumette lui brûla les doigts; il en craqua une autre et se pencha davantage. Il y avait du sang par terre, sous la tête de l'homme. Une longue entaille luisait juste en dessous de la mâchoire.

« Hé ! » fit Ingham.

Il saisit l'homme par l'épaule, la lui serra d'un geste convulsif et, tout aussi brusquement, retira sa main. Le cadavre était froid. Ingham regarda autour de lui, ne vit que les ténèbres et les vagues formes blanches des maisons. Son allumette s'était éteinte.

Il pensa un moment retourner chercher Jensen. Mais ses jambes le portaient loin du cadavre, loin de

Jensen, en direction de la route. Ça ne le regardait pas.

Une lumière pâle éclairait l'extrémité de la ruelle. Il avait laissé sa voiture à une centaine de mètres sur la gauche, près de chez Mélik. En s'en approchant, il aperçut le vieil Arabe bossu avec son pantalon en forme de sac, debout près de la vitre arrière droite. Il s'élança dans sa direction.

« Fous-moi le camp ! » hurla-t-il.

L'Arabe détala, plié en deux, avec une agilité surprenante et disparut à droite, dans une rue noire.

« Espère de salopard ! » marmonna Ingham.

Il n'y avait personne dehors, à l'exception de deux hommes debout sous un arbre, devant les fenêtres éclairées de la Plage.

Ingham ouvrit la portière et, une fois la lumière allumée, jeta un coup d'œil sur la banquette arrière. Est-ce que sa serviette de bain (la sienne, pas celle de l'hôtel) et sa veste de toile n'y étaient pas, tout à l'heure ? Si, bien sûr. L'une des vitres arrière était entrouverte de dix centimètres environ. L'Arabe avait passé la main par là. Il le maudit avec une rage nouvelle, claqua la portière et s'engagea dans la rue noire par laquelle il avait disparu.

« Sale cochon, j'espère que tu t'*étoufferas* avec ! cria-t-il, si furieux que ses joues le brûlaient. Espèce d'ordure ! »

Le fait que l'Arabe n'y comprît goutte n'avait aucune importance.

LE lendemain matin, à neuf heures, Ingham, couché dans son lit sous le soleil déjà chaud qui filtrait à travers les persiennes, ne se rappelait plus le trajet du retour. Il ne se souvenait plus de ce qu'il avait fait après avoir injurié l'Arabe bossu au turban d'un jaune crasseux. Puis le cadavre lui revint à la mémoire. Bon Dieu, oui, un cadavre. Ce devait être une sacrée entaille, se dit-il, le type avait probablement le cou à moitié tranché et, s'il avait essayé de le soulever, la tête se serait peut-être détachée du corps. Non, *ça*, il ne le raconterait pas à Ina. Il ne parlerait de ce cadavre à personne, pensa-t-il. Les gens lui demanderaient sans doute : « Pourquoi ne l'avez-vous pas signalé à la police ? » Ingham se rendit compte qu'il avait honte de lui-même. Tracasseries administratives ou non, il aurait dû le signaler. Il pouvait encore le faire. L'heure à laquelle il avait trouvé le cadavre constituait peut-être un détail important. Mais il n'irait pas.

Il sauta à bas du lit et prit une douche.

Quand il sortit de la salle de bain, Mokta avait posé le plateau du petit déjeuner sur l'appui de la fenêtre, près de son lit. Bravo pour le service. Il mangea assis sur le bord de sa chaise, en short et manches de chemise. Il pensait à la lettre qu'il allait écrire à Ina et, avant même de finir son café, il repoussa le plateau pour se mettre à taper sur sa machine.

Ma chérie,

J'ai passé une drôle de journée hier. En fait, toutes ces journées sont bizarres. J'étais furieux de ne pas avoir de plus longues nouvelles de toi. Je n'enverrai pas cette lettre avant d'en avoir reçu. Vas-tu enfin me dire d'abord pourquoi il s'est suicidé, et ensuite pour quelle raison tu es si bouleversée ?

Ça paraît extraordinaire, mais j'ai déjà écrit 47 pages de mon livre et je trouve que ça ne marche pas mal. A part ça, je me sens horriblement seul. C'est une sensation si nouvelle pour moi qu'elle me paraît intéressante. Il m'est déjà arrivé dans ma vie de me croire seul, et c'était vrai, mais jamais à ce point-là. Je me suis fixé un horaire de travail assez souple parce que, si je ne l'avais pas, je crois que je me laisserais complètement aller. Il faut dire que cet état d'esprit date seulement de la semaine dernière, depuis que je suis au courant de ce qui est arrivé à John. Avant, les journées étaient un peu vides, à cause du peu d'empressement que vous mettiez à m'écrire (John et toi), mais, depuis sa mort, c'est vraiment la fin. La fin de quoi ? De la Tunisie, peut-être. Pas de moi, en tout cas. Evidemment je vais repartir bientôt, après avoir fait un tour dans le pays, puisque je suis là.

Hier soir, j'ai dîné avec un peintre danois, un pédé, comme je m'en suis aperçu un peu tard. Il m'a fait des propositions, sans insister, d'ailleurs. Lui aussi, le pauvre, il souffre de la solitude, mais je crois qu'il n'a pas de mal à trouver des compagnons de lit. Ici, l'homo-

sexualité n'est pas interdite par la religion. L'alcool,
par contre, si, et la vente en est prohibée dans certaines
villes. Quant au vol, on dirait que c'est parfaitement ad-
mis. Une espèce de vieux salaud m'a piqué ma veste de
toile et ma serviette de bain hier soir, sur la banquette
arrière de ma voiture, pendant que j'étais chez le Da-
nois... mais attention, simplement pour regarder ses
toiles. Je le déteste, cet Arabe-là, et je sais que je ne
devrais pas. Pourquoi détester les gens ? On éprouve
des émotions assez vilaines qui se concentrent sur une
personne et on s'aperçoit tout à coup qu'on la hait. Ina
chérie, j'ai concentré sur toi des émotions bien diffé-
rentes, tu es tout ce qui me plaît et que j'aime au
monde, alors pourquoi me fais-tu souffrir en m'infli-
geant cet abominable silence ? Pour toi, les journées
passent peut-être à toute allure, mais ici elles se traî-
nent. Je pressens que je vais poster cette lettre en ex-
press dès aujourd'hui, même si je n'ai aucune nouvelle
de toi...

Comme il n'avait toujours rien reçu au courrier du
matin, il posta la lettre en express à seize heures. Il
n'y avait rien non plus l'après-midi.

Le soir, il alla dîner avec Adams dans un petit village de pêcheurs, près de Tunis, à La Goulette. Il y
avait une ressemblance amusante entre ce patelin et
Coney Island, non qu'il existât des divertissements ou
des stands de hot-dogs, mais parce que le village avait
la même forme allongée, les mêmes maisons basses, la
même atmosphère maritime. En outre, il semblait
bon marché, simple et encore intact. Le premier mouvement d'Ingham fut de s'enquérir des hôtels, mais le
garçon du bar dans lequel ils s'arrêtèrent leur dit
qu'il n'y en avait pas. Le serveur et le propriétaire du
restaurant où ils dînèrent firent de même. Le serveur
connaissait quelqu'un qui louait des chambres, mais

ce renseignement semblait trop vague pour qu'il valût la peine d'entreprendre une enquête, en tout cas à cette heure de la journée.

Ce soir-là, Adams fut d'un ennui mortel. Il se lança de nouveau dans une apologie des vertus démocratiques et de la morale chrétienne, qu'il jugeait valables pour tout le monde. (« *Pour tout le monde ?* » répéta Ingham, si fort que les consommateurs de la table voisine se retournèrent pour le regarder.) Il pensait aux heureux sauvages qui se passaient allègrement du Christ, et peut-être aussi de la syphilis. Mais, en fait, où étaient-ils à présent ces sauvages ? Le christianisme et les explosions atomiques s'étaient propagés à peu près partout. *S'il en arrive au Vietnam*, se dit Ingham, *je crois que je me romps une veine.* Mais, se rendant compte qu'il serait stupide d'en vouloir à cet absurde petit bonhomme, il se reprit; il se souvint aussi qu'il avait apprécié plusieurs fois la compagnie d'Adams, et se dit qu'il se sentirait bien bête s'il se faisait un ennemi de ce type, qu'il rencontrait une ou deux fois par jour dans l'enceinte de l'hôtel ou sur la plage. Sa colère n'était due, il en avait conscience, qu'à un sentiment de frustration. Il se sentait frustré sur tous les plans, en ce moment, sauf peut-être en ce qui concernait les progrès de son roman.

« Ça se lit sur le visage des gens, ronronnait Adams, quand ils ont tourné le dos à Dieu. »

Où donc était Dieu, pour qu'on pût lui tourner le dos ?

Les bajoues d'Adams se gonflaient de plus en plus. Il souriait et mastiquait en même temps, avec satisfaction.

« Le drogué, l'alcoolique, l'homosexuel, l'assassin... et même l'homme de la rue, *s'il* a oublié le Bon Chemin, il est condamné. Mais si l'on arrive à le *remettre* sur le Bon Chemin... »

Seigneur, pensa Ingham, il est cinglé ou quoi ? Et qu'est-ce que les homosexuels avaient à voir là-dedans ?

> *Au jardin je descends,*
> *A l'heure où la rosée embue encore les fleurs*
> *Et la voix que tombant*
> *Du haut du ciel j'entends*
> *C'est la voix, oui, la voix de Jésus mon sauveur.*

Tombant du haut du ciel ? Tu fais de la chute libre, ou quoi ? Cette mauvaise blague d'écolier qui revint brusquement à la mémoire d'Ingham lui donna le fou rire et il eut tant de mal à le contenir que les larmes lui montèrent aux yeux. Par chance, Adams ne s'aperçut de rien, car Ingham aurait pu difficilement lui expliquer ce qui le mettait en joie. Il arborait toujours son petit sourire complaisant.

« Vous avez sûrement raison », dit Ingham avec vigueur, dans l'espoir de couper court à son fou rire.

On pouvait être gentil avec des gens comme Adams, pensait-il, mais il ne fallait pas se lier avec eux. Ils étaient dangereux.

Quelques minutes plus tard, comme Adams commençait à s'essouffler, quoiqu'il en fût encore à Notre Mode de Vie, *Our Way of Life*, Ingham demanda :

« Et les choses que les gens normaux font quand ils couchent ensemble ? Les hétérosexuels ? Vous les désapprouvez aussi ?

— De quelles choses parlez-vous ? » demanda Adams avec attention, et Ingham se dit que, vraisemblablement, il ne savait même pas de quoi il s'agissait.

« Oh !... de tout. De ce que les homosexuels, eux aussi, font entre eux, par exemple.

— Bah ! du moment qu'il s'agit de deux personnes

du sexe opposé, d'un homme et d'une femme », dit Adams gaiement, d'un ton indulgent.

Oui, du moment qu'ils étaient mariés, pensa Ingham.

« C'est vrai », dit-il.

Si OWL [1] prêchait la tolérance, il ne voulait pas être en reste. Mais il sentait ses pensées s'embourber, comme il lui arrivait souvent en compagnie d'Adams, et ses propres arguments, qu'il croyait irréfutables, se changer en poussière. On dirait un lavage de cerveau, pensa-t-il. C'était une impression bizarre.

« Vous avez écrit quelque chose là-dessus ? » demanda Ingham.

Le sourire d'Adams se fit rusé.

Ingham devina qu'il avait écrit quelque chose, ou qu'il caressait ce projet, ou encore qu'il était en train de le faire.

« Vous êtes un homme de lettres et je crois que je peux vous faire confiance, dit Adams. Oui, j'écris en un sens. Venez dans mon bungalow en rentrant. Je vous montrerai. »

Ingham paya leur peu coûteux dîner parce qu'il avait l'impression d'avoir été légèrement grossier avec Adams, et aussi parce que celui-ci l'avait amené dans sa Cadillac. Au retour, il fut heureux de se laisser conduire car, une demi-heure après le repas, il commença à souffrir de crampes à l'estomac, et même dans tout l'abdomen, jusqu'aux côtes. Arrivé aux bungalows, il s'excusa sous prétexte d'aller chercher un paquet de cigarettes et se rendit aux toilettes. Il avait une bonne diarrhée. Il avala deux comprimés d'Entero-Vioform et retourna chez Adams.

Celui-ci l'introduisit dans sa chambre. C'était la pre-

1. Jeu de mots sur les premières lettres d'*Our Way of Life* et sur *Owl* qui signifie hibou. (*N. d. T.*)

mière fois qu'Ingham y entrait. Il y avait un lit à deux places avec un très joli couvre-lit rouge, blanc et bleu : un achat d'Adams, sans doute. Quelques étagères pleines de livres, encore des photos, une petite niche éclairée, fort agréable, à la tête du lit, avec d'autres livres, un carnet, un stylo, un cendrier et des allumettes.

Adams ouvrit un grand placard cadenassé, d'où il retira une belle valise de cuir noir. Il introduisit dans la serrure une petite clef accrochée à son trousseau. La valise, qu'il posa sur le lit, contenait une espèce d'appareil radio, un magnétophone et deux épaisses liasses de feuillets manuscrits.

« Voilà ce que j'écris, moi, dit Adams en désignant les papiers du geste. En fait, je parle à la radio, comme vous le voyez. Tous les mercredis soir. »

Il gloussa de rire.

« C'est vrai ? (Voilà donc ce qu'Adams faisait le mercredi.) C'est très intéressant, dit Ingham. Vous parlez en anglais ?

— En américain. C'est diffusé derrière le Rideau de Fer. En fait, c'est destiné exclusivement aux pays de l'Est.

— Alors, vous êtes employé par le gouvernement ? Par la Voix de l'Amérique ? »

Adams secoua rapidement la tête.

« Si vous me jurez de ne le dire à personne...

— Je le jure. »

Adams se détendit un peu et reprit à voix plus basse :

« Je suis employé par un petit groupe d'anticommunistes qui vivent derrière le Rideau de Fer. D'ailleurs, il ne s'agit pas vraiment d'un *petit* groupe, loin de là. Ils ne me paient pas grand-chose, parce qu'ils ne sont guère riches. L'argent me parvient par la Suisse, ce qui est assez compliqué, je crois. Je ne connais qu'un seul membre de ce groupe. Je fais des causeries proaméricaines. Je propage la philosophie occidentale, si vous voulez.

— C'est passionnant, dit Ingham. Et vous faites ça depuis combien de temps ?

— Près d'un an.

— Comment vous a-t-on contacté ?

— J'ai rencontré quelqu'un, sur un bateau. Nous allions de Venise en Yougoslavie. Un bridgeur remarquable. (Ce souvenir le fit sourire.) Il ne trichait pas, vous savez, il jouait d'une façon extraordinaire. Au bridge et aussi au poker. C'est un journaliste. Il habite Moscou. Mais, évidemment, il n'a pas le droit d'écrire ce qu'il pense. Quand il travaille pour son journal, il s'en tient strictement à la ligne du Parti. Il joue un rôle important dans cette organisation clandestine. Il s'est procuré le matériel à Dubrovnik et il me l'a donné. »

Adams montra avec orgueil le magnétophone et l'émetteur. Quant à Ingham, il se sentait à la fois ahuri et plein de respect. Il se demandait combien exactement Adams était payé. Et pourquoi on lui faisait faire ça alors qu'Europe libre et la Voix de l'Amérique diffusaient le même genre de choses gratis en Russie.

« Vous diffusez sur une longueur d'ondes spéciale ? Les Russes ne peuvent pas brouiller vos émissions ?

— C'est ce qu'on m'a dit. Je change la longueur d'ondes, selon les instructions qu'on me donne. Elles me parviennent en code depuis la Suisse ou quelquefois l'Italie. Vous avez envie d'écouter une bande ?

— Oh oui », dit Ingham.

Adams prit le magnétophone. Il retira une bande d'une petite boîte en métal.

« Mars-avril. On va essayer ça. (Il plaça la bande sur l'appareil et appuya sur un bouton.) Je ne vais pas le faire marcher trop fort. »

Ingham s'assit à l'autre bout du lit.

La machine émit un sifflement, qui fut remplacé par la voix d'Adams.

« Bonsoir, mesdames et messieurs, Russes et non-Russes, frères de tous les pays, amis de la démocratie et de l'Amérique. Ici Robin Goodfellow, simple citoyen américain, tout comme la plupart d'entre vous qui m'écoutez, êtes simples citoyens de... »

Adams avait signalé d'une œillade à Ingham le nom de « Robin Goodfellow ». Il avança un peu la bande.

« ... ce que vous avez pensé des nouvelles qui nous sont arrivées aujourd'hui du Vietnam. Cinq avions américains abattus par le Vietcong, disent les Américains. Dix-sept avions américains abattus, dit le Vietcong. Le Vietcong prétend qu'il a perdu un appareil. Les Américains affirment que le Vietcong en a perdu neuf. L'un des deux partis ment. Lequel ? Qu'en pensez-vous ? Quel est le pays qui ne dissimule pas plus ses échecs que ses victoires dans le domaine spatial ? Qui ne dissimule pas non plus ses propres problèmes, celui de la pauvreté, par exemple... cette pauvreté que les Américains combattent avec autant d'acharnement qu'au Vietnam les mensonges, la tyrannie, la misère, l'analphabétisme et le communisme ? La réponse, c'est l'Amérique. Vous êtes tous... »

Adams appuya sur un bouton qui fit avancer la bande par secousses.

« Le reste n'est pas très intéressant. »

La bande assourdie gémit, hoqueta et Adams reprit la parole. Ingham gardait les yeux fixés sur la machine, mais devinait, sans regarder son compagnon, perché de l'autre côté du lit, le sourire satisfait qui jouait sur ses lèvres. Quant à lui, son abdomen se contractait, se préparait à subir une nouvelle vague de douleur.

« ... un réconfort pour nous tous. Le *nouveau* soldat américain est un croisé, qui apporte non seulement la paix — un jour ou l'autre — mais un mode de vie plus heureux, plus sain, plus profitable aux pays dans lesquels il entre. Mais hélas, son entrée dans ces pays (la voix d'Adams baissa dramatiquement d'un ton et se tut un instant), son entrée dans ces pays est trop souvent pour lui synonyme de mort, de tragédie pour sa famille, pour sa jeune femme ou pour sa fiancée, de deuil pour ses enfants...

— Pas très excitant, ça non plus », dit Adams qui avait pourtant l'air fort excité.

Encore des bredouillis, des gargouillis, quelques passages qui ne plurent pas à Adams, et puis :

« ... la voix de Dieu triomphera enfin. Ceux qui font passer l'*homme* avant tout le reste vaincront. Ceux qui font passer l'*Etat* avant tout le reste, au mépris des valeurs *humaines*, périront. L'Amérique se bat, non seulement pour se protéger elle-même, mais aussi pour protéger tous ceux qui veulent suivre dans la même voie... adopter notre mode de vie. Bonsoir, mes amis. »

Clic. Adams arrêta la machine.

Ingham hésita.

« Très impressionnant, dit-il enfin.

— Ça vous plaît ? Tant mieux »

Adams rangea rapidement son matériel et replaça la valise dans le placard qu'il ferma à clef.

Si tout cela était vrai, pensait Adams, *si* les Russes payaient réellement Adams, alors c'était pour la sottise de ce qu'il racontait, parce que cela représentait en fait une propagande antiaméricaine assez efficace.

« Je me demande combien de personnes vous atteignez avec ça, combien vous avez d'auditeurs.

— Plus de six millions, répondit Adams. Du moins d'après mes amis. Je les appelle mes amis, quoique je ne connaisse même pas leur nom, sauf celui de l'homme dont je vous ai parlé. Leur tête est mise à prix. Et ils recrutent tout le temps des gens, évidemment. »

Ingham hocha la tête.

« Ils ont un plan ? Enfin, pour changer la politique de leur gouvernement, et tout ça ?

— C'est surtout une guerre d'usure », dit Adams avec son sourire confiant, mafflu, et, à voir l'étincelle de bonheur qui dansait dans ses yeux, Ingham comprit que là était son cœur, sa raison d'être, dans ces émissions hebdomadaires qui propageaient l'Idéal américain derrière le Rideau de Fer. « Les résultats ne seront peut-être même pas perceptibles de mon vivant. Mais si on m'écoute, et c'est le cas, j'y aurai contribué. »

L'espace d'un instant, Ingham ne trouva rien à dire.

« Vos émissions durent combien de temps ?

— Un quart d'heure... Surtout, n'en parlez à personne ici. Pas même à un autre Américain. En fait, vous êtes le premier compatriote à qui je montre ça. Je n'en ai même pas soufflé mot à ma fille, de peur qu'il y ait une fuite. Vous comprenez ?

— Bien sûr », dit Ingham.

Il était tard, plus de minuit. Il avait envie de partir. C'était une sensation désagréable, proche de la claustrophobie.

« Je ne suis guère payé, mais puisqu'il s'agit de dire la vérité, je le ferais volontiers pour rien, ajouta Adams. Passons dans l'autre pièce. »

Ingham refusa le café, puis le dernier verre qu'Adams lui offrait et réussit à prendre congé en cinq minutes, sans grossièreté. Mais, en regagnant son bungalow dans le noir, il flageolait un peu. Il se coucha. Au bout d'un moment, son estomac se souleva et il se précipita dans la salle de bain. Cette fois, il vomit. Tant mieux, pensa-t-il, pour le cas où ses ennuis viendraient du poisson complet — avec œuf frit — mangé au restaurant de La Goulette. Il reprit des Entero-Vioform.

3 heures. Ingham essayait de se reposer entre chaque crise. Il transpirait. Avec la serviette froide qu'il s'était posée sur la tête, il se sentait glacé, ce qui ne lui était pas arrivé depuis bien longtemps. Il vomit encore. Il se demanda s'il devait essayer de trouver un médecin — l'idée de rester pendant six heures encore dans un état si pénible ne semblait pas raisonnable —, mais il n'y avait pas de téléphone dans le bungalow et, quoiqu'il se fût procuré une lampe électrique, le trajet sur le sable jusqu'au bâtiment principal où il ne trouverait peut-être personne pour lui ouvrir la porte outrepassait ses forces. Appeler Mokta ? Aller le réveiller au bureau des bungalows ? Ingham ne put s'y contraindre. Il prit son mal en patience jusqu'à l'aube. Quand le jour se leva, il avait vomi et il s'était lavé les dents trois ou quatre fois.

A six heures et demie ou sept heures, les employés qui s'occupaient des bungalows s'étaient levés. Ingham se dit vaguement qu'il devrait essayer de téléphoner à un médecin ou demander un médicament plus efficace que l'Entero-Vioform. Il enfila une robe de chambre par-dessus son pyjama et s'en fut en sandales du côté du bureau. Il était glacé, épuisé. En chemin, il vit Adams sortir de son bungalow en sautillant sur ses petits pieds cambrés, fermer vivement la porte derrière lui, se retourner tout aussi vivement.

« Bonjour ! Ça ne va pas ? »

Ingham lui expliqua sa situation, d'une voix assez faible.

« Oh ! mon Dieu. Vous auriez dû me réveiller ! Vous avez vomi ? Il faut commencer par prendre du Pepto-Bismol. Entrez donc, Howard ! »

Ingham entra dans le bungalow d'Adams. Il aurait bien voulu s'asseoir, ou s'écrouler quelque part, mais il se força à rester debout.

« C'est ridicule de se sentir si démoli. »

Il réussit à rire.

« Vous croyez que c'est le poisson d'hier soir ? Je ne sais pas jusqu'à quel point ce restaurant est *propre*, après tout. »

Cette phrase rappela à Ingham la soupe de poisson par laquelle ils avaient commencé la veille, et il s'efforça d'oublier qu'il l'eût jamais vue.

« Un peu de thé, peut-être ? demanda Adams.

— Non merci, rien du tout. »

Un prochain voyage aux toilettes était imminent, mais Ingham se consola en pensant qu'il ne devait plus lui rester grand-chose dans l'estomac. Sa tête bourdonnait.

« Ecoutez, Francis, je regrette de vous embêter. Je... je ne sais pas si je dois voir un médecin ou pas. En tout cas, je crois que je ferais mieux de rentrer chez moi. »

Adams le raccompagna, sans aller jusqu'à lui tenir le bras, mais en voltigeant tout près de lui. Ingham n'avait pas fermé sa porte à clef. Il s'excusa et courut aux toilettes. Quand il en ressortit, Adams avait disparu. Il s'assit précautionneusement sur le bord de son lit, sans ôter son peignoir. Les crampes s'étaient transformées en douleur sourde, juste assez violente pour rendre le sommeil impossible, il en était sûr.

Adams réapparut, pieds nus, léger et preste comme une fille.

« Je vous ai apporté du thé. Une seule tasse, mais brûlante, avec beaucoup de sucre dedans. Ça vous fera du bien. C'est du thé en *sachets*. (Il passa dans la cuisine et Ingham entendit un robinet couler, des casseroles s'entrechoquer, le craquement d'une allumette.) J'ai dit à Mokta de ne pas vous donner votre petit déjeuner, reprit Adams. Le café n'est pas bon dans votre cas.

— Merci. »

Le thé lui fit effectivement du bien. Il n'arriva quand même pas à vider la tasse.

Adams lui dit adieu d'un ton jovial et déclara qu'il repasserait après son bain, qu'il ne le réveillerait pas s'il dormait.

« Ne perdez pas courage ! Vous êtes entouré d'amis », dit-il en partant.

Mais Ingham perdit courage. Il dut aller chercher dans la cuisine une casserole qu'il posa à côté de son lit car, toutes les dix minutes à peu près, il rejetait un peu de liquide et ça ne valait pas la peine d'aller jusqu'à la salle de bain. Quant à son amour-propre, pour le cas où Adams entrerait et verrait la casserole, il ne lui en restait plus du tout.

Mokta frappa et fit son apparition, lui aussi, mais Ingham ne trouva rien à lui demander.

Il était seul quand il passa, entre dix heures et midi, par un très mauvais moment. Il souffrait toujours autant. A New York, il aurait certainement appelé un médecin et demandé de la morphine, ou chargé un ami d'aller à la pharmacie chercher un médicament susceptible de le soulager. Ici, il s'en tenait à l'avis d'Adams qui jugeait inutile la visite d'un médecin et disait qu'il ne tarderait pas à se sentir mieux, mais savait-il à quel point il se sentait mal ? Au fond, il ne connaissait pas très bien Adams, et il n'avait même pas confiance en lui. Ingham eut conscience pendant ces deux heures d'être très seul, sans ses amis, sans Ina (absence qu'il ressentait également sur le plan affectif, car si elle avait été réellement *avec* lui, elle lui aurait déjà écrit à plusieurs reprises pour l'assurer de son amour), il se rendit compte qu'il n'avait rien à faire en Tunisie — il pouvait écrire son livre n'importe où —, que ce pays ne lui plaisait pas, qu'il n'y était tout simplement pas à sa place. Ces pensées l'assaillirent à un moment où il se trouvait physiquement au plus bas, vidé de ses forces, vidé de tout. Aussi grotesque que ce fût, il avait été attaqué en plein ventre, là où ça faisait le plus mal, où ça comptait, où on pouvait en mourir. A présent il était épuisé, dans l'incapacité de dormir. Il n'avait pas gardé le thé. Adams ne repassa pas à midi, comme il l'avait promis. Il avait peut-être oublié. Une heure de plus ou de moins, quelle importance pour Adams ? Et d'ailleurs, qu'aurait-il pu faire ?

Par miracle, Ingham s'endormit.

Ce fut la poignée de la porte qui le réveilla en grinçant doucement et il se souleva sur ses coudes, faible mais sur le qui-vive.

Adams, tout sourire, avançait sur la pointe des pieds, en portant quelque chose.

« Alors, ça va mieux ? Je vous ai apporté quelque chose de bon. J'ai jeté un coup d'œil chez vous juste après midi, mais vous dormiez, et j'ai pensé que vous en aviez besoin. »

Il passa dans la cuisine, silencieusement, sur ses pieds nus.

Ingham s'aperçut qu'il était couvert de sueur. Ses côtes étaient visqueuses sous sa veste de pyjama et ses draps trempés. Il se laissa retomber sur son oreiller et frissonna.

Très vite, Adams revint avec un bol fumant.

« Goûtez ça. Juste quelques cuillerées. C'est très sain, ça ne vous fera pas de mal. »

C'était du consommé brûlant. Ingham le goûta et le trouva délicieux. Il avait la saveur de la vie même, de la viande sans la graisse. Comme s'il buvait à nouveau ses propres forces, sa propre existence, qui lui avaient été mystérieusement ôtées pendant de longues heures.

« C'est bon ? demanda Adams, ravi.

— C'est *très* bon. »

Ingham le but presque en entier, puis se rallongea dans son lit. Il se sentait plein de reconnaissance pour Adams, Adams qu'il avait tant méprisé dans ses pensées. Qui d'autre s'était soucié de lui ? Il se dit, pour se mettre en garde, que cette gratitude abjecte ne durerait peut-être pas, qu'elle cesserait sans doute dès qu'il serait sur pieds. Et pourtant, il le savait, il n'oublierait jamais cette gentillesse-là, les paroles encourageantes d'Adams resteraient toujours dans sa mémoire.

« Il y en a encore dans la casserole, dit Adams avec un sourire et un geste rapide en direction de la cuisine. Faites-le réchauffer quand vous vous réveillerez. Puisque vous n'avez pas fermé l'œil de la nuit, je crois que vous feriez mieux de dormir jusqu'à ce soir. Vous avez des Entero-Vioform sous la main ? »

Il en avait. Adams lui apporta un verre d'eau fraîche, puis s'en alla. Ingham se rendormit.

Dans la soirée, Adams apporta de quoi faire des œufs brouillés, des toasts et du thé. Il prépara le dîner lui-même. Ingham se sentait beaucoup mieux. Adams partit avant vingt et une heures, pour le laisser dormir.

« Merci du fond du cœur, Francis, dit Ingham. (Il avait retrouvé son sourire.) J'ai vraiment l'impression que vous m'avez sauvé la vie.

— Bah ! Un peu de charité chrétienne ? Ça m'a fait plaisir ! Bonsoir, Howard, mon vieux. A demain ! »

DEUX jours plus tard, le mardi 4 juillet, Ingham reçut des mains d'un employé, au bureau principal de l'hôtel, une longue enveloppe expédiée par avion. La lettre était d'Ina, et il sentit au toucher qu'elle contenait au moins deux feuillets. Il voulut aller la lire dans la solitude de son bungalow, mais se rendit compte qu'il ne pourrait pas attendre, chercha un siège, puis se ravisa et prit la direction du bar. Il n'y avait personne là, pas même le barman. Il s'assit près d'une fenêtre, à la lumière, mais hors du soleil.

28 juin 19..

Cher Howard,

Enfin un moment pour t'écrire. A vrai dire j'ai pris une journée de congé, tout en apportant du travail à la maison, comme d'habitude.

Les événements du mois dernier sont assez chaotiques. Comme je ne sais ni comment ni par où commencer, je fonce la tête la première. D'abord, c'est dans ton appartement que John s'est suicidé. Je lui avais donné les clefs un jour, mais seulement pour qu'il prenne les lettres dans ta boîte (les deux clefs sont sur le même trousseau) et il a dû en profiter pour en faire fabriquer d'autres. Bref, il a pris une

84

dose trop forte de somnifères et personne n'a eu l'idée d'aller regarder chez toi pendant quatre jours — d'ailleurs, quand j'y suis allée, je n'imaginais pas un instant que je le trouverais là —, nous le croyions tous parti, peut-être pour Long Island. Evidemment, il venait de passer par un mauvais moment. Il n'avait pas perdu courage en ce qui concernait ce film que vous deviez faire en Tunisie, mais il m'avait annoncé qu'il était amoureux de moi. Ça m'avait complètement sidérée. Je ne m'en doutais absolument pas. J'ai essayé d'être gentille. Il était sérieux. Il se sentait coupable vis-à-vis de toi. J'ai peut-être été trop gentille. Mais enfin je lui ai dit que je t'aimais, toi. Il m'avait avoué ça pendant les derniers jours de mai, juste après ton départ. Il a dû prendre ces pilules dans la nuit du 10 juin, le samedi. Il avait dit à tout le monde qu'il partait pour le week-end. On peut penser qu'il a fait ça par vengeance : se suicider dans ton appartement, sur ton lit (mais pas dedans). Je ne l'avais pas encouragé, mais j'avoue que je me suis montrée gentille et compréhensive.

Un garçon vint demander à Ingham s'il désirait quelque chose. Il répondit : « Non, merci » et se leva, pour aller terminer la lettre debout sur la terrasse, au soleil.

...Donc, j'espère que tu comprends pourquoi cette histoire m'a bouleversée. Je ne crois pas qu'il ait parlé à quelqu'un de ses sentiments pour moi, du moins à ma connaissance. Un psychiatre dirait, j'en suis sûre, que son suicide avait aussi d'autres motifs (mais j'avoue que j'ignore lesquels) et que cet amour soudain pour moi (déjà étrange en lui-même) a simplement fait pencher le plateau de la balance dans le mauvais sens. Il disait qu'il se sentait coupable et *qu'il ne pouvait pas travailler avec toi à cause de ce qu'il éprouvait pour moi. Je lui avais demandé de t'écrire. Je trouvais que ce n'était pas à moi de le faire...*

Elle parlait ensuite de son frère Joey, d'un feuilleton qu'elle préparait pour le C.B.S. et qui devait bien marcher, à son avis, des affaires de John qu'elle avait emballées en compagnie d'amis à lui qu'elle ne connaissait pas avant. Elle le remerciait du gilet tunisien et l'assurait qu'il n'y avait rien de semblable dans tout New York.

Pourquoi s'était-elle occupée des affaires de John ? se demanda Ingham. John avait sûrement un tas d'amis beaucoup plus intimes qu'elle. *Je ne l'ai pas encouragé, mais j'avoue que je me suis montrée gentille et compréhensive.* Qu'est-ce que ça voulait dire, exactement ?

Ingham regagna son bungalow. Il marchait d'un pas ferme, les yeux fixés sur le sable.

« Ho ho ! Bonjour ! »

C'était Adams qui le hélait, Adams déguisé en Neptune avec son absurde trident, ses palmes aux pieds.

« Bonjour ! cria Ingham en se forçant à sourire.

— Vous avez reçu des nouvelles ? demanda Adams avec un coup d'œil pour la lettre qu'il tenait à la main.

— Pas grand-chose, hélas ! » répondit-il en agitant la lettre d'un geste négligent, et il poursuivit son chemin sans s'arrêter, sans même ralentir le pas.

Il ne respira — ce fut du moins ce qui lui sembla — qu'une fois refermée la porte de sa petite maison. Ce soleil éblouissant, cette lumière aveuglante ! Il était onze heures. La pièce aux persiennes closes lui parut sombre pendant une longue minute. Il laissa les choses en l'état.

Se suicider dans son appartement à lui ! Quoi de plus répugnant, de plus dégoûtant, se dit-il. Quelle vulgarité ! Quel mélo ! Et il savait sûrement qu'il serait découvert par Ina Pallant, puisqu'elle seule possédait la clef.

Ingham s'aperçut qu'il était en train de tourner en rond autour de sa table de travail et il se jeta sur son lit. Celui-ci n'était pas encore fait. Le garçon était en retard ce matin. Il éleva la lettre à la hauteur de ses yeux et se mit à la relire, mais ne put la terminer. L'impression qui en ressortait, c'était qu'Ina, en dépit de ses dénégations, avait encouragé John, d'une façon ou d'une autre. Sinon pourquoi en parler ? Pourquoi le nier ? *Je me suis montrée compréhensive.* Est-ce que la plupart des filles n'auraient pas répondu — à peu de choses près — pas question, mon vieux, tu ferais mieux de ne plus y penser ? Ina n'était pas une midinette, elle ne débordait pas d'instinct maternel. John lui *plaisait-il* vraiment ? En un quart d'heure, il s'était transformé aux yeux d'Ingham en une détestable chiffe molle. Il essaya vainement de trouver ce qui avait bien pu séduire Ina en lui. Sa naïveté ? Son enthousiasme juvénile ? Son assurance ? Mais ce n'était pas faire preuve d'une grande assurance que de se suicider.

Et maintenant que faire ? Inutile d'attendre une autre lettre. Inutile de rester en Tunisie.

Curieux, pensa-t-il, mais Ina ne lui avait pas dit sans sa lettre qu'elle l'aimait. Elle ne lui avait rien dit de rassurant dans ce sens. « Je lui ai dit que je t'aimais, *toi.* » Ce n'était pas très passionné. Il eut un mouvement de rancœur contre Ina, sensation tout à fait nouvelle en ce qui la concernait. Il répondrait à sa lettre, mais pas tout de suite. Ça pouvait attendre jusqu'à l'après-midi, peut-être même jusqu'au lendemain. Il aurait bien aimé pouvoir en parler à quelqu'un, mais à qui ? Qu'en dirait Adams, par exemple ?

Cet après-midi-là, malgré un bain et une courte sieste, Ingham fut incapable de travailler. Les pages précédentes coulaient bien, il savait dans quel sens il voulait poursuivre (son héros Dennison venait de s'approprier cent mille dollars et s'apprêtait à trafiquer les livres de sa société), et pourtant les mots ne lui venaient pas. Son cerveau, ou du moins la région qui servait à l'écriture, était à plat.

Il monta dans sa voiture, en emportant par précaution sa serviette et son maillot, et partit pour Sousse où il arriva à dix-sept heures. Sousse était une véritable ville, par comparaison avec Hammamet. Il y avait un navire de guerre américain ancré le long de la jetée interdite aux touristes, et des marins, des officiers en uniforme blanc erraient dans la ville, bronzés, le regard fixe, comme retranchés dans une neutralité de marbre, pensait Ingham. Il évitait de les dévisager, quoiqu'il en eût envie. Un jeune Arabe l'aborda pour lui offrir une cartouche de Camel à un prix intéressant, mais il secoua la tête.

Il regarda les vitrines. Blue-jeans de mauvaise qualité et pantalons blancs en abondance. Brusquement, il éclata de rire. Il venait d'apercevoir, agrafée à un blue-jean, l'étiquette blanche, assez habilement contrefaite, de Levi Strauss, mais ce qu'on y lisait, en caractères d'imprimerie, c'était : *This Is A Genuine Pair of Louise* (au lieu de *levis*). Cela se terminait par des points de suspension éhontés : les faussaires avaient abandonné en cours de route.

Pendant un moment, il rêva à son roman. C'était une situation qu'il connaissait et qu'il comprenait. Il savait quelle tête avait Dennison, quel était son tour de taille, ce qu'il avait dans le ventre. Son thème remontait à la plus haute antiquité, via Raskolnikov et le surhomme de Nietzsche : avait-on le droit de s'emparer du pouvoir dans certaines circonstances ? Question intéressante d'un point de vue moral. Mais Ingham, en fait, se passionnait davantage pour l'état d'esprit de Dennison, pour son existence au cours de la période pendant laquelle il menait une double vie, pour cette double vie elle-même, à laquelle il finissait par se prendre. Voilà ce qui faisait de lui un escroc presque parfait. Moralement, Dennison n'avait pas conscience de commettre un acte répréhensible, mais il savait que la société et la loi, pour des raisons qu'il n'essayait même pas de comprendre, n'approuvaient pas ce qu'il faisait. C'était pour cela, et pour cela seulement qu'il prenait quelques précautions. Ingham connaissait les liens qui unissaient Dennison aux gens qui l'entouraient, par exemple à la fille qu'il avait laissé tomber à vingt-six ans et qu'il comptait reprendre dans sa vie (mais il n'y parviendrait pas). Son roman lui paraissait plus réel, plus tangible qu'Ina, John ou n'importe quoi d'autre. C'était normal, pensait-il. Mais l'était-ce réellement ?

La vue d'un vieil Arabe en turban et pantalon rouge flasque, qui marchait appuyé sur une canne, lui arracha une exclamation étouffée. Il avait cru reconnaître Abdullah, de Hammamet. A tort, évidemment. Ces gens se ressemblaient tous d'une façon inquiétante. Ingham supposa que les touristes leur faisaient le même effet.

Il se fraya un chemin à coups de coude, en se heurtant constamment à des bras et des dos, dans une ruelle étroite et encombrée qui débouchait dans un souk. Il sentit des doigts tâter sa poche-portefeuille et leva les yeux juste à temps pour voir un jeune garçon s'esquiver au milieu des filets à provision et des burnous gonflés par le vent d'un groupe de femmes. Mais son argent était dans la poche gauche de son pantalon.

Il but une limonade glacée sur le trottoir de la rue principale, assis à une table sous un grand parasol qui le protégeait du soleil. Puis il remonta dans sa voiture et reprit la direction de Hammamet. Le paysage sec et désert le réconforta. La terre était d'un brun foncé; le lit des rivières, large, craquelé, complètement asséché. Il dut s'arrêter deux ou trois fois pour laisser des troupeaux de moutons traverser la route à grand fracas. Les bêtes, au derrière englué de boue, étaient guidées par de très jeunes garçons ou des vieilles femmes qui marchaient pieds nus, appuyées sur des cannes.

Les bungalows de l'hôtel lui parurent chichiteux ce soir-là. Le sien ne lui plaisait plus, malgré sa propreté, son confort et la petite liasse de feuillets posée sur le coin de sa table. La pièce lui rappelait ses projets de travail avec John. Elle lui rappelait les lettres heureuses qu'il avait écrites à Ina. Il prit une douche, en se disant qu'il irait dîner chez Mélik. Il n'avait pas déjeuné.

En ouvrant son placard pour prendre son blazer bleu marine, il ne le trouva pas. Un coup d'œil dans la pièce lui montra qu'il ne l'avait pas laissé sur une chaise. Il se rendit compte en soupirant qu'il avait été cambriolé. Pourtant, il avait fermé sa porte à clef, aujourd'hui. Oui, mais en omettant de fixer les persiennes de l'intérieur, comme il s'en apercevait à présent. Deux sur quatre ne l'étaient pas. Il vérifia sa pile de chemises, sur l'étagère, au-dessus de ses costumes. La neuve, en lin bleu, manquait. Et son coffret à boutons de manchettes ? Il avait disparu; un espace vide, circulaire, au milieu d'un fouillis de chaussettes propres, attestait son absence.

Par extraordinaire, on n'avait pas pris sa machine à écrire. Il poursuivit son enquête, inspecta sa valise posée au-dessus du placard, ses chaussures en bas.

Oui, on lui avait volé ses chaussures noires, la paire qu'il venait d'acheter. Qu'est-ce qu'un Arabe pourrait bien en faire ? se demanda-t-il. Mais le coffret. Il contenait les jolis boutons de manchettes anciens, en or, qu'Ina lui avait donnés avant son départ d'Amérique, et d'autres, en argent, qui lui venaient de son grand-père. Ainsi qu'une épingle à cravate en platine, cadeau de Lotte.

« Bon Dieu, murmura Ingham. Ils en tireront peut-être jusqu'à trente dollars, s'ils savent se débrouiller. »

Et ils savaient se débrouiller, évidemment. Ingham se demanda si le coupable était ce vieux cochon en pantalon rouge. Sûrement pas. Il n'aurait pas fait tout ce trajet depuis Hammamet rien que pour le cambrioler.

Et les chèques de voyage ? Ingham les rangeait dans la poche intérieure de sa valise. Ils y étaient toujours.

Il se dirigea vers le bureau des bungalows, à la recherche de Mokta.

Mokta était en train de trier des serviettes tout en s'expliquant avec la directrice en arabe. Il aperçut Ingham et lui sourit. Ingham lui fit comprendre qu'il l'attendait dehors, sous la terrasse.

Mokta apparut plus vite que ne le prévoyait Ingham. Il se passa une main sur le front pour montrer par quelle épreuve pénible il venait de passer et jeta un coup d'œil derrière lui.

« Vous désiriez me voir, monsieur ?

— Oui. Quelqu'un s'est introduit chez moi aujourd'hui. On m'a volé deux ou trois choses. Vous ne verriez pas qui a pu faire ça ? »

Ingham parlait à voix basse, quoiqu'il n'y eût personne sur la terrasse.

Mokta, scandalisé, ouvrit de grands yeux.

« Mais non, monsieur. Je savais que vous étiez absent cet après-midi. J'avais remarqué que votre voiture n'était pas là. Je ne suis pas sorti de la journée. Je n'ai vu personne tourner autour de votre bungalow. »

Ingham lui dit ce qu'on lui avait pris.

« Si vous entendez parler de ces objets, si vous les voyez passer, dites-le-moi, voulez-vous ? Je vous donnerai cinq dinars si je récupère quelque chose grâce à vous.

— Oui, monsieur. Je ne crois pas que ce soit un des garçons. Sincèrement, monsieur. Ils sont honnêtes.

— Et les jardiniers ? »

Il offrit à Mokta une cigarette, que l'autre accepta.

Mokta haussa les épaules, mais son geste n'était pas synonyme d'indifférence. La situation le préoccupait tant que son corps maigre en était tout contracté.

« Je ne les connais pas tous. Il y en a qui ont été engagés récemment. Laissez-moi faire une petite enquête. Si vous le dites à la directrice (il agita négativement les mains), c'est à nous *tous* qu'elle s'en prendra, aux garçons.

— Non, je n'en parlerai pas à la directrice. Je vous confie l'enquête. »

Il tapota l'épaule de Mokta.

Ingham prit sa voiture pour aller chez Mélik. Il était tard, il ne restait plus grand-chose au menu, mais il avait perdu tout son appétit et il ne s'incrustait que pour se sentir entouré de tous ces gens, à la conversation desquels il ne comprenait d'ailleurs rien. Il n'y avait ni Anglais ni Français ce soir. Ces discussions en arabe — auxquelles participaient seules des voix mâles — rendaient un son guttural, méchant, menaçant, mais Ingham savait que ça ne voulait rien dire. Ces gens passaient une soirée parfaitement banale. Le gros Mélik, petit et souriant, vint lui demander où son ami M. Ah*dam* était ce soir ? Mélik parlait bien le français.

« Je ne l'ai pas vu aujourd'hui. Je suis allé à Sousse. (C'était un détail sans importance, mais pouvoir le dire à quelqu'un faisait du bien, et les Arabes, Ingham le devinait à l'abondance de leurs discours, devaient se lancer bien souvent dans des confidences plus futiles encore.) Comment vont les affaires ?

— Ah ! comme ci, comme ça. La chaleur effraie les gens. Mais il vient quand même beaucoup de Français en août, quoique ce soit le mois le plus chaud de l'année. »

Ils bavardèrent pendant quelques minutes. Les deux fils de Mélik, le maigre à l'allure furtive qui ressemblait à Groucho Marx et le gras qui roulait des hanches, s'occupaient des deux ou trois tablées de clients. Une agréable odeur de pain frais montait aux narines d'Ingham. La maison voisine était une boulangerie qui fonctionnait toute la nuit. Il but deux tasses de café douceâtre, sans prendre la peine de demander qu'on le lui fît sans sucre. Il en était à sa seconde tasse quand le Danois apparut, tenant son chien en laisse, et s'immobilisa sur le seuil en fouillant la pièce du regard comme s'il s'attendait à y trouver un ami bien déterminé. Il aperçut Ingham et s'approcha de lui à pas lents, le sourire aux lèvres.

« Bonsoir. Vous êtes seul ce soir ?

— Oui. Bonsoir. Asseyez-vous. »

Il y avait trois chaises libres à la table d'Ingham.

« Comment ça va ? demanda ce dernier.

— Le travail marche bien, mais ce n'est pas très gai. »

Ingham pensa que cette définition correspondait très bien à ses propres sentiments. Jensen portait une chemise de toile très fraîche. Son visage maigre et brun était plus foncé que ses cheveux. Quand il parlait, ses dents étincelaient. Il se laissa tomber sur la chaise, un coude sur le dossier, comme un homme découragé.

« Prenez un peu de vin. *Asma !* » hurla Ingham dans le vide.

Quelquefois on entendait. Quelquefois non.

Jensen dit qu'il avait une bouteille de vin ici, mais Ingham insista pour qu'il bût le sien. Le garçon apporta un second verre.

« Le travail avance ? demanda Jensen.

— Aujourd'hui, ça n'a pas marché. Je n'étais pas en forme.

— Mauvaises nouvelles ?

— Non, mauvaise journée simplement, dit Ingham.

— L'ennui, dans ce pays, c'est que le temps est toujours le même. On le sait à l'avance. Il faut s'y habituer, l'accepter ou bien on finit par se raser à mort. (Jensen parlait en articulant ses mots comme un Anglais.) Aujourd'hui, j'ai peint un oiseau imaginaire, en plein vol. Il descend vers la terre. Demain je peindrai sur une seule toile deux oiseaux, qui voleront, l'un vers le haut, l'autre vers le bas. Ils feront penser à deux tulipes inversées... Il n'existe qu'un petit nombre de formes fondamentales, vous savez, l'œuf qui est une variation du cercle, l'oiseau qui ressemble au poisson, l'arbre avec ses branches, qui ressemble à ses propres racines et aussi aux bronches du poumon. Toutes les formes plus complexes, la clef, l'automobile, la machine à écrire, l'ouvre-boîte, ont été inventées par l'homme. Mais peut-on dire qu'elles soient belles ? Non, elles sont aussi laides que l'âme de leur inventeur. Pour qu'un objet soit beau, il faut qu'il soit stylisé, simplifié, donc qu'il ait plusieurs siècles d'existence. »

Ingham trouva le monologue de Jensen apaisant.

« Ils sont de quelle couleur, vos oiseaux ?

— Roses, pour l'instant. Et ils le seront aussi demain, je suppose, parce que j'ai une quantité de peinture rose toute prête et je ferais aussi bien de l'utiliser. (Jensen bâilla discrètement. Il donna une petite claque à son chien, qui grondait sur le passage d'un Arabe. Puis il se retourna pour jeter un bref coup d'œil à l'Arabe en question.) Vous venez prendre un café chez moi ? » demanda-t-il.

Ingham s'excusa, en invoquant la fatigue après son trajet jusqu'à Sousse et retour. En fait, ce qui le retenait, il s'en rendait compte, c'était l'idée de repasser, tout seul, par cette ruelle dans laquelle il avait vu le cadavre. L'envie lui vint de demander à Jensen s'il s'était passé quelque chose cette nuit-là, après la querelle qu'ils avaient entendue dehors, mais il se contint. Il ne désirait nullement écouter l'autre lui parler du cadavre en feignant la surprise.

Jensen commanda du café. Quand il arriva, Ingham se leva et prit congé.

De retour dans son bungalow, Ingham voulut ajouter quelque chose à la lettre qu'il avait commencée pour Ina. Un simple paragraphe, peut-être : quelques mots gentils, apitoyés, positivement nobles. Il les avait composés dans sa tête, chez Mélik. Mais il relut le passage désinvolte qu'il avait consacré à *Our Way of Life*, OWL, et à ses émissions. Il ne pouvait plus envoyer ça à Ina, même en inscrivant en haut du *post-scriptum* une heure différente, car le reste de la lettre serait trop dissemblable. Il chiffonna la page. Ina n'était probablement pas d'humeur à apprécier ce genre d'histoire en ce moment, et d'ailleurs il avait promis à Adams de n'en parler à personne. Et puis, au fond, pourquoi s'en prendre aux illusions stupides de OWL du moment qu'elles le soutenaient, qu'elles le rendaient heureux ? Le mal que faisait OWL (et peut-être faisait-il au contraire un peu de bien par son absurdité même, en ridiculisant la guerre du Vietnam) était infinitésimal par comparaison à celui dont les politiciens américains se rendaient coupables en envoyant effectivement des gens en tuer d'autres là-bas. Les illusions étaient peut-être nécessaires au bonheur. Dennison trouvait le sien dans le sentiment qu'il avait (mais il ne s'agissait pas vraiment d'une illusion) d'aider les malheureux, de faire progresser les affaires de ses amis, d'apporter joie et prospérité à plusieurs personnes. OWL formulait les mêmes objectifs. C'était curieux.

Lui, Ingham, il avait les deux pieds sur terre — du moins le croyait-il — et ça le menait où ? A la mélancolie.

John Castlewood avait vécu, lui aussi, sous l'empire d'une illusion car quel autre qualificatif pouvait convenir à « l'amour », cet état qui devenait jubilation quand on était payé de retour, et tragédie quand on ne l'était pas ? En tout cas, John s'était offert son illusion et puis, malheureusement — pfitt — il était mort. Aussi compréhensive qu'elle eût été, Ina avait dû lui opposer un refus catégorique, en fin de compte.

LE lendemain matin, Ingham fit un gros effort sur lui-même et rédigea deux pages de son roman. Conscient et satisfait d'avoir remis le train en marche, il s'arrêta pour écrire à Ina.

5 juillet 19..

Ma bien chère Ina,

Merci de ta lettre qui m'est enfin arrivée hier et qui m'a fait l'effet d'un petit pétard remplaçant les explosions généralement plus bruyantes du 14 juillet. Oui, il reste, je crois, beaucoup de choses à expliquer, encore que je me demande si je ne devrais pas renoncer à comprendre le suicide, du moins celui de John, car je ne le connaissais pas beaucoup, en réalité, et j'ai l'impression, maintenant, de ne pas l'avoir connu du tout. Je m'avoue désagréablement surpris qu'il ait choisi mon appartement pour faire ça. Puis-je me permettre d'espérer, sans paraître trop égoïste ou insensible, qu'il n'a pas fait de dégâts importants ? Cet appartement me plaisait bien jusqu'à présent.

J'aimerais que tu t'étendes davantage sur les sentiments que tu éprouvais pour lui. Jusqu'à quel point t'es-tu montrée compréhensive ? Quelle qu'ait été ton

97

attitude, il semble que ce n'ait pas été la bonne. Avais-tu de l'affection pour lui ? En étais-tu amoureuse ? L'es-tu à présent ? Evidemment, je me doute (ou alors, je suis tout à fait en dehors du coup) que tu ne lui avais fait aucune promesse, comme tu me l'as affirmé toi-même, sinon il n'aurait pas eu envie de se suicider. Ce que je n'arrive vraiment pas à comprendre, ma chérie, c'est la raison pour laquelle tu es restée si longtemps sans m'écrire. Si tu savais dans quelles conditions je vis ici : pas de vieux copains avec qui bavarder, trop chaud pour travailler sauf le matin de bonne heure et le soir, aucune nouvelle de la fille que j'aime pendant un long mois... Non, ça n'a pas été un mois agréable. Ce que tu ne m'as pas expliqué, c'est pourquoi tu as été si bouleversée, bouleversée au point de ne pas pouvoir m'écrire pendant vingt-sept jours, puis de te borner à quelques mots et à une lettre un peu plus tard. Je t'aime. J'ai envie et besoin de toi. A présent plus que jamais.

Je crois que je vais essayer de tenir le coup ici pendant une semaine encore. Je ressens la nécessité de me fixer des programmes à l'avance, sinon je serais complètement perdu... comme si je ne l'étais pas déjà. Mais le travail (mon livre) marche à peu près bien, et j'aimerais me balader un peu dans le pays quoiqu'il fasse de plus en plus chaud et que cela devienne infernal en août, à ce qu'on m'a dit. J'envoie cette lettre en express. Réponds-moi tout de suite, je t'en prie. J'espère que tu seras redevenue plus calme, ma chérie. Je donnerais beaucoup pour que tu sois ici en ce moment, avec moi, dans cette chambre assez agréable, et que nous puissions bavarder... sans compter le reste.

Tout mon amour, ma chérie,
HOWARD.

Pendant les jours qui suivirent, Mokta ne retrouva pas trace de la veste, des chaussures ni des bijoux disparus, et Ingham renonça à les revoir. Le pays était vaste. Il avait aspiré et englouti pour toujours ces objets minuscules. Mais, au fil des journées, il eut de plus en plus de mal à digérer la perte de l'épingle à cravate, cadeau de Lotte, qu'il ne portait presque jamais, et des boutons de manchettes en argent, héritage de son grand-père. La disproportion qu'il y avait entre l'importance que ces objets revêtaient pour lui et ce que le voleur en retirerait l'exaspérait. Ingham réagissait à retardement, dans ses accès de rancœur qui s'en trouvaient envenimés (et aussi parfois dans ses joies), mais, encore qu'il en eût conscience, cela ne le consolait guère. Quand il apercevait l'Arabe qui avait sûrement volé sa veste dans sa voiture et peut-être cambriolé son bungalow, l'envie lui venait de flanquer un coup de pied à ce qu'il cachait au fond de ce pantalon sordide. D'ailleurs, l'Arabe détalait à présent dès qu'il le rencontrait à Hammamet et se glissait comme un vieux crabe dans la rue ou la ruelle la plus proche. Ce coup de pied qui le démangeait serait bien excusable, pensait Ingham, et si un agent de police apparaissait — on en voyait un de temps à autre, en chemise brune et pantalon de même couleur — dans la grand-rue de Hammamet, il pourrait lui dire en toute sincérité qu'il avait pris Abdullah la main dans le sac pendant la nuit du 30 juin au 1er juillet. Il se rappelait bien cette date parce que c'était aussi au cours de cette nuit-là qu'il avait vu le cadavre, et il avait pensé un moment le signaler à la police. Il n'en avait rien fait, non seulement parce que l'idée des tracasseries qui suivraient ne lui souriait guère, mais aussi parce qu'il se doutait que tout le monde s'en fichait.

Un soir, Ingham dîna avec OWL chez Mélik et lui raconta le cambriolage dont il avait été victime quelques jours plus tôt.

« C'est sûrement un des garçons. Et je parie que je sais lequel, dit OWL.

— Ah ! oui ?

— C'est le petit brun. »

Ils étaient tous petits et bruns, sauf Mokta et Hassim.

« Celui qui s'appelle Hammed. Il a tout le temps la bouche ouverte. (OWL fit la démonstration : il ressemblait à un lapin, ou à une personne qui a un bec-de-lièvre.) Evidemment, je n'en suis pas certain, mais ce garçon ne me plaît pas. Il m'a apporté mes serviettes, une ou deux fois. Un jour, je l'ai vu rôder autour de mon bungalow : il ne faisait rien, il tournait simplement autour en regardant les fenêtres. Vous avez verrouillé vos persiennes de l'intérieur, ce soir ?

— Oui. »

Depuis le vol, Ingham le faisait chaque fois qu'il sortait.

« Ensuite, ce sera le tour de votre briquet, puis de votre machine à écrire. Il est miraculeux qu'on vous l'ait laissée, celle-là. Le voleur ne voulait sûrement emporter que des choses faciles à cacher : il a sans doute enveloppé vos chaussures et votre coffret dans sa veste.

— Qu'est-ce que vous pensez de ces gens, à propos ? De leur mode de vie à eux ?

— Ah ! Par où commencer ? (Adams gloussa.) Ils ont leur Allah et il doit être très indulgent, celui-là. Ils acceptent leur destin. Pas de gros effort, voilà leur devise. A l'école ils apprennent tout par cœur, vous savez, ils ne se donnent pas la peine de réfléchir. Comment y changer quelque chose ? Les petites malhonnêtetés font partie de la vie quotidienne. Donnez à une poignée d'entre eux le sens de la morale : ils se feront rouler par la majorité et ils redeviendront malhonnêtes pour se protéger. Vous croyez qu'on peut le leur reprocher ?

— Non », fit Ingham.

Il saisissait réellement le point de vue de OWL.

« Notre pays a eu de la chance. Nous avons si bien commencé, avec des gens comme Tom Paine, Jefferson. Quelles idées ils avaient, et ils nous les ont transmises par écrit ! Benjamin Franklin. Nous nous en sommes peut-être éloignés de temps à autre, mais au moins elles sont toujours là, inscrites dans notre Constitution... »

Adams allait-il poursuivre en déclarant que tout avait été gâché par les Siciliens, les Porto-Ricains, les Juifs polonais ? Ingham ne se sentait pas le courage de lui demander ce qui, selon lui, avait battu en brèche l'idéalisme américain. Il le laissa divaguer.

« ... Oui ! Ce pourrait être le sujet de ma prochaine émission. La corruption de l'idéalisme américain. On ne va jamais aussi loin, on ne se fait jamais autant d'*amis* que lorsqu'on dit la vérité, vous *savez*. Il y a toujours un nouvel échec à expliquer. Et, ne nous faisons pas d'illusions, nos amis en puissance — ici Adams sourit et reprit sa tête d'écureuil content —, nos amis en puissance s'intéressent plus à nos échecs qu'à nos succès. Nos échecs nous rendent plus humains. S'ils nous jalousent, c'est parce qu'ils nous prennent pour des surhommes, pour d'invincibles bâtisseurs d'empires... »

Il continua dans la même veine.

Mais par extraordinaire, pensait Ingham, ça n'avait pas l'air aussi bête que d'habitude, ce soir. Ça paraissait vrai, et presque libéral. Non, l'argument principal sur lequel Adams étayait sa thèse, savoir que le communisme ou l'athéisme étaient néfastes pour tout le monde et partout, avait quelque chose de fondamentalement faux et même de pourri. Et, se dit Ingham, une seule pomme pourrie suffisait à contaminer toutes les autres, pour citer un adage qui plairait sûrement à OWL. Tout se réduisait, hélas, à ceci : les hommes n'étaient pas aussi égaux qu'Adams voulait bien le croire, et la libre entreprise, tout en expédiant les uns vers les sommets, plongeait les autres dans cette pauvreté qu'Adams détestait tant. Mais ne pouvait-on concevoir un système socialiste qui laissât une certaine place à la libre concurrence et à la réussite individuelle ? Si, bien sûr. Ingham y rêva, tandis qu'Adams continuait à dévider son rouleau.

« Le contrôle des naissances. Voilà l'essentiel. Ça non plus, je ne crains pas de l'aborder dans mes émissions. Qui est plus conscient de ce problème que la Chine ? Et qui est plus conscient de la Chine que la Russie ? L'homme-étalon est la plaie de l'humanité. Et je n'oublie pas les Etats-Unis. Poughkeepsie est un véritable bouillon de culture; c'est là qu'on trouve, à ce qu'on m'a dit, le plus grand nombre de chômeurs, par la faute surtout des Porto-Ricains et des Noirs. Les familles les plus nombreuses, sans père la plupart du temps... »

Un bouillon de culture. Et ça continuait. Ingham, pourtant, ne trouvait rien à réfuter dans l'argumentation d'Adams. Evidemment on aurait pu citer — si on avait eu les statistiques sous la main — des familles anglo-saxonnes grosses de dix enfants, procréés par un père chômeur ou absent. Mais Ingham se contentait d'écouter.

Jensen entra, sans son chien.

« Vous vous connaissez ? s'enquit Ingham. M. Jensen. M. Adams.

— Voulez-vous vous joindre à nous ? » demanda aimablement Adams.

Et Ingham :

« Vous n'avez pas dîné ?

— Je n'ai pas envie de manger, fit Jensen en s'asseyant.

— Bien travaillé aujourd'hui ? demanda Ingham, sentant que quelque chose clochait.

— Non, pas depuis midi. (Jensen posa un bras musclé sur la table.) Je crois qu'on m'a volé mon chien. Il a disparu depuis ce matin onze heures. Je l'avais fait sortir pour le laisser pisser.

— Oh ! je suis désolé, dit Ingham. Vous avez cherché partout ?

— Dans tout le... (Jensen ravala peut-être un juron fatigué.) Dans tout le quartier. J'ai fait tout le quartier en l'appelant.

— Mon Dieu ! dit Adams. Je m'en souviens très bien, de votre chien. Je l'ai vu plusieurs fois.

— Il est peut-être encore en vie, dit Jensen, presque avec défi.

— Bien sûr, fit Adams. Je ne sous-entendais pas le contraire. Est-ce qu'il partirait facilement avec un étranger ?

— Il le transformerait plutôt en charpie, dit Jensen. Il déteste les sales Arabes et il les sent venir à un kilomètre. C'est ce qui me fait craindre qu'ils l'aient déjà tué. J'ai fait toutes les rues, les unes après les autres, en criant son nom, jusqu'à ce que les gens me fassent taire.

— Vous soupçonnez quelqu'un ? demanda Ingham. (Jensen mit si longtemps à répondre — il semblait hébété — qu'il l'interrogea une seconde fois :) Vous croyez qu'ils vont vous demander une rançon pour vous le rendre ?

— Je l'espère. Mais jusqu'ici personne ne m'en a parlé.

— Il mangerait de la viande empoisonnée, à votre avis ?

— Je ne crois pas. Ce n'est pas le genre de chien qui irait dévorer du poisson pourri sur la plage. »

Jensen s'exprimait avec autant d'éloquence et de netteté que d'habitude.

Ingham était désolé pour lui. Il croyait le chien disparu, mort. Il jeta un coup d'œil du côté d'Adams. Celui-ci essayait de trouver une suggestion pratique à offrir, il s'en rendit compte.

« Demain matin, je trouverai sa tête devant ma porte, dit Jensen. Ou peut-être sa queue. (Il rit, grimaça, et Ingham vit ses dents du bas.) Un café, demanda Jensen au gros garçon qui s'était approché de la table. Enfin, on verra bien, dit-il. Je regrette d'être aussi mélancolique ce soir. »

Ils burent leur café.

Adams déclara qu'il devait rentrer. Ingham demanda à Jensen s'il voulait aller boire un verre ailleurs ou prendre un autre café. Adams refusa de les accompagner.

« Qu'est-ce que vous pensez du Fourati ? suggéra Adams. Au moins, c'est gai. »

Ça ne l'était pas particulièrement, il disait ça en l'air.

Ils montèrent dans la voiture d'Ingham, qui déposa Adams à l'hôtel et repartit avec Jensen en direction du Fourati. Jensen était en jeans, mais très propre, comme d'habitude, et ça lui allait bien. Le bar du Fourati était illuminé. Derrière, des gens dansaient sur une terrasse, au son d'un orchestre de trois musiciens dont un système d'amplificateurs soulignait implacablement les fausses notes. Ingham et Jensen allèrent s'installer au bar, en parcourant des yeux les tables, au nombre de dix ou douze. Ingham se sentait vide, sans but, mais pas seul. S'il dévisageait les autres clients, c'était simplement parce qu'il les voyait pour la première fois, parce qu'il ne s'agissait pas d'Arabes mais de Français, d'Américains, d'Anglais, d'Allemands dont les traits signifiaient quelque chose pour lui. Son regard rencontra celui d'une fille brune, en robe blanche sans manches. Au bout d'une seconde ou deux, il baissa les yeux sur son verre : un rhum avec de la glace.

« Un peu collet monté, tous ces gens, dit-il en élevant la voix à cause de la musique.

— Il y a beaucoup d'Allemands, d'habitude, répliqua Jensen en sirotant sa bière. Un jour, j'ai vu un garçon superbe ici. C'était en mars. Je crois qu'il fêtait son anniversaire. Il devait avoir dans les seize ans. Français. Il m'a regardé. Je ne lui ai pas parlé, je ne l'ai jamais revu. »

Ingham hocha la tête. Ses yeux se dirigèrent de nouveau vers la femme en robe blanche. Elle avait des bras lisses et bruns. Tout à coup, elle lui sourit. Elle était accompagnée d'un homme blond aux tempes grisonnantes, un Anglais peut-être, d'une femme grassouillette de quarante ans environ, et d'un garçon plus jeune aux cheveux bruns. Son mari ? Ingham prit la résolution de ne plus regarder du côté de sa table. Comme on pouvait être stupide par des chaleurs pareilles !

« Encore un verre ? proposa-t-il.

— Du café. »

Le barman, seul derrière son comptoir, avait du mal à satisfaire toutes les commandes et le café mit un certain temps à arriver.

Derrière le bar pénétrait à présent par la fenêtre ouverte sur leur gauche la musique retentissante d'un orchestre arabe qui divertissait les gens dans les jardins faiblement éclairés de l'hôtel. Bon Dieu, quel vacarme ! pensa Ingham. Il espérait simplement que ces quelques minutes avaient un peu égayé Jensen et détourné ses pensées de son chien. Il était sûr qu'on ne reverrait jamais Hasso. Il imaginait Jensen retournant à Copenhague seul, un peu aigri. A quoi d'autre s'attendre ?

Il invita Jensen dans son bungalow. Evidemment, l'autre accepta. Mais ce soir, c'était par solitude, Ingham s'en rendait compte, ça n'avait rien à voir avec le sexe.

« Vous avez une nombreuse famille au Danemark ? » demanda-t-il.

Ils longeaient à pied la route sablonneuse qui menait au bungalow, en s'éclairant à la lampe de poche que Jensen gardait toujours dans la poche de derrière de son pantalon.

« Simplement mon père, ma mère et ma sœur. Mon frère aîné s'est suicidé à quinze ans. La mélancolie danoise, vous savez.

— Vous leur écrivez souvent ? »

Ingham ouvrit la porte. Il eut un moment de nervosité avant d'avoir allumé la lumière et constaté qu'il n'y avait personne dans la pièce.

« Oh ! assez. »

Ingham devina que ses questions sur la famille de Jensen ne contribuaient nullement à lui remonter le moral.

« C'est une chambre agréable, dit Jensen. Simple. J'aime ça. »

Ingham apporta le scotch, les verres et la glace. Ils s'assirent tous deux sur son lit, pour utiliser la table de chevet. Ingham avait conscience de leur tristesse mutuelle, due à des causes différentes. Il ne parlerait pas d'Ina à Jensen, et il ne ferait pas non plus allusion au cambriolage, qui lui semblait sans grande importance. Et peut-être la tristesse de Jensen venait-elle non seulement de son chien, mais aussi d'autre chose qu'il n'avait nullement l'intention de confier à Ingham. Que faire dans ces conditions pour se rendre la vie un peu plus supportable ? se demandait Ingham.

Rien d'autre que rester assis dans la même pièce, à un mètre de distance ou davantage ? Et en silence, malgré la langue commune ?

Au bout d'un quart d'heure, Ingham se sentait de plus en plus mal à l'aise et s'ennuyait ferme, encore que Jensen se fût mis à parler d'un voyage qu'il avait fait dans une ville abandonnée, à l'intérieur des terres, avec des amis américains, quelques mois plus tôt. Ils dormaient à la belle étoile et ils souffraient du froid; ils avaient rencontré des tempêtes de sable, violentes au point de leur arracher presque leurs vêtements. Son chien les accompagnait. L'attention d'Ingham s'égara. Brusquement, il se dit qu'Ina avait aimé Castlewood, qu'elle avait couché avec lui. Bon Dieu, peut-être même dans son propre appartement ! Non, il allait trop loin. John vivait seul. Et lui qui la croyait si solide : solide physiquement, d'une façon très agréable et séduisante, solide dans son attitude vis-à-vis de lui, dans son amour pour lui. Ingham s'avoua qu'il s'était fait des illusions, qu'il était allé jusqu'à penser qu'Ina l'aimait plus qu'il ne l'aimait, elle. Quel crétin ! Il faudrait relire sa lettre, cette Bon Dieu de lettre ambiguë, ce soir, après le départ de Jensen. Il savait qu'il avait bu plus que de raison, et son verre était encore à moitié plein, mais il réfléchirait quand même à cette lettre et un éclair d'intuition lui permettrait peut-être de mieux la comprendre, de deviner ce qui s'était passé en réalité. Pourquoi cette hypocrisie, ce mensonge de la part d'Ina si elle avait couché avec John ? C'était le genre de fille qui ne mâchait pas ses mots, qui appelait un chat un chat. Elle lui avait raconté en toute franchise les deux ou trois liaisons qui dataient d'après son mariage.

Jensen partit juste avant une heure et Ingham le déposa devant sa rue, près de chez Mélik, quoiqu'il eût poliment proposé de rentrer chez lui à pied. En remontant dans sa voiture, Ingham entendit dans la ruelle la voix de plus en plus lointaine de Jensen qui criait : « Hasso ! Hasso ! » Un coup de sifflet, un juron en danois, un jappement de colère. Il se rappela le cadavre, dans cette même rue. Rue étroite, mais pleine de passion.

Ingham relut la lettre d'Ina. Elle ne lui apprit rien de plus. Il se coucha vaguement en colère, et nettement malheureux.

CE fut deux ou trois jours plus tard, dans la matinée, qu'Ingham aperçut sur la plage la fille brune du Fourati.

Elle était étendue sur une chaise longue à côté d'un autre transat, vide celui-là. Un petit garçon essayait de lui vendre le contenu de son panier.

« Mais non, merci. Pas d'argent aujourd'hui ! » disait-elle, souriante mais visiblement un peu agacée.

Ingham venait de prendre son bain de midi et fumait une cigarette en se promenant au bord de l'eau, son peignoir sur le bras. A en juger par l'accent de la fille, elle devait être anglaise ou américaine.

« Vous avez des ennuis ? demanda-t-il.

— Pas exactement. J'ai simplement du mal à me débarrasser de lui. »

Elle était américaine.

« Moi non plus, je n'ai pas d'argent, mais une cigarette fera l'affaire. »

Il en prit deux dans son paquet. Le gamin, qui vendait sans doute des coquillages, s'en empara et s'enfuit sur ses pieds nus.

« J'y avais pensé, aux cigarettes, mais je ne fume pas et je n'en ai pas sur moi. »

Elle avait les yeux très foncés, le teint lisse et

bronzé, les cheveux également lisses et tirés en arrière. Un mot vint immédiatement à l'esprit d'Ingham quand il la regarda : *amande.*

« Je vous croyais au Fourati, dit-il.

— C'est là que j'habite. Mais un ami m'a invité à déjeuner ici. »

Ingham tourna les yeux en direction de l'hôtel, d'où l'ami en question allait surgir d'un instant à l'autre. Il y avait une serviette jaune et blanche et des lunettes de soleil sur la chaise vide, à côté d'elle. Soudain Ingham sut — c'était presque une certitude — qu'il verrait cette fille ce soir, qu'il l'emmènerait dîner et qu'ils coucheraient ensemble, quelque part.

« Vous êtes depuis longtemps à Hammamet ? »

Les questions habituelles. Le protocole.

Elle y séjournait depuis quinze jours et continuait sur Paris. Elle venait de Pennsylvanie. Elle ne portait pas d'alliance. Ingham lui donnait vingt-cinq ans. Enfin — et il était temps, car un homme en maillot de bain et chemise sport, suivi d'un garçon qui portait un plateau, venait de franchir la porte de l'hôtel et s'approchait d'eux — il lui demanda :

« Si nous buvions un verre ensemble avant votre départ ? Vous êtes libre ce soir ?

— Oui. Merci.

— Je passerai vous prendre au Fourati. Vers dix-neuf heures trente ?

— D'accord. Oh ! je m'appelle Kathryn Darby. D-a-r-b-y.

— Et moi, Howard Ingham. Enchanté. A ce soir. »

Il lui fit adieu de la main et s'éloigna en direction de son bungalow.

L'ami, accompagné du garçon, était encore à quatre ou cinq mètres. Ingham ne l'avait pas regardé après le premier coup d'œil et ne savait pas s'il avait trente ans ou soixante. Ingham travailla bien cet après-midi-là. Peu après dix-sept heures, OWL passa pour l'inviter à prendre un verre dans son bungalow.

« Impossible ce soir, dit Ingham. J'ai rendez-vous avec une dame au Fourati. Si vous veniez plutôt chez moi demain ?

— Avec une dame. Eh bien, c'est épatant ! (OWL se transforma de nouveau en écureuil rayonnant.) Amusez-vous bien. Oui, demain ce sera parfait. Six heures trente. »

A dix-neuf heures trente, vêtu d'une veste blanche qu'il avait fait laver et repasser par Mokta dans l'après-midi, Ingham était à la réception du Fourati et appelait Miss Darby au téléphone. Ils s'installèrent à une table du jardin pour boire un Tom Collins.

Elle travaillait pour son oncle dans un cabinet d'avoués. Elle était secrétaire et apprenait en matière de droit un tas de choses qui, disait-elle, ne lui serviraient jamais de rien car elle n'avait nullement l'intention de passer un diplôme. Il y avait en elle une chaleur, une gentillesse — mais peut-être fallait-il simplement attribuer cela à un tempérament extraverti — dont Ingham était assoiffé. Il s'y mêlait aussi de la naïveté et un certain sens du décorum. Ingham pensait qu'elle ne devait pas coucher avec n'importe qui ni le faire très souvent, mais que ça lui arrivait sans doute de temps en temps et que, si elle le trouvait à son goût, c'était tant mieux car elle était très jolie.

Ils dînèrent au Fourati.

« Je suis très heureux de cette soirée avec vous, dit Ingham. Je me sentais seul ici le mois dernier. Je ne fais pas d'efforts pour rencontrer des gens parce que j'ai du travail. Ça ne m'empêche pas de souffrir de la solitude de temps en temps. »

Elle lui posa quelques questions sur son travail. Peu après, Ingham lui racontait que la personne avec laquelle il devait faire un film ne l'avait pas rejoint. Il lui dit aussi que la personne en question s'était suicidée, tout en évitant de prononcer le nom de John. Il ajouta qu'il avait décidé de rester quelques semaines de plus pour travailler à son roman.

Kathryn (elle lui avait précisé l'orthographe de son nom) fit preuve d'une compréhension qui toucha Ingham plus que ne l'avait fait la sympathie, pourtant aussi sincère, d'Adams.

« Quel choc pour vous ! Même si vous n'étiez *pas* très liés ! »

Ingham changea de sujet en lui demandant si elle avait visité d'autres villes en Tunisie. Elle répondit par l'affirmative et lui décrivit avec un plaisir évident ses voyages, ainsi que les emplettes destinées à être envoyées ou rapportées dans son pays. Elle passait ses vacances seule, mais avait pris l'avion pour la Tunisie en compagnie d'amis anglais, de retour d'Amérique, qui venaient de repartir la veille pour Londres.

Ingham caressa vaguement l'idée de l'accompagner à Paris, de passer quelques jours avec elle, puis chassa cette pensée absurde. Il lui demanda si elle aimerait aller prendre un dernier verre et un café dans son bungalow. Elle accepta. Là-bas, elle refusa l'alcool, mais Ingham fit de petites tasses de café très fort. Elle fut enchantée de la proposition qu'il lui fit de prendre un bain (avec une de ses chemises pour maillot). La plage était déserte; la lune, à sa moitié.

De retour dans le bungalow, comme elle s'enveloppait dans une grande serviette blanche, il lui dit :

« J'aimerais beaucoup passer la nuit avec vous. Vous voulez bien ?

— J'aimerais aussi », répondit-elle.

Ça s'était passé très simplement, somme toute.

Ingham lui donna son peignoir en éponge. Elle disparut dans la salle de bain.

Ensuite elle monta, nue, dans le lit, et Ingham se

glissa à côté d'elle. Il y eut des baisers charmants, qui fleuraient le dentifrice. Ingham s'intéressait davantage à ses seins. Il se coucha doucement sur elle. Mais, au bout de cinq minutes, il se rendit compte qu'il ne s'excitait pas suffisamment pour lui faire l'amour. Il évita volontairement d'y penser pendant un moment, et continua de l'embrasser dans le cou, puis cette constatation s'imposa de nouveau à lui. Et ce fut peut-être d'y penser qui se révéla fatal. Elle le toucha brièvement, peut-être par accident. Il y avait des choses qu'il aurait pu lui demander de faire, mais il s'en sentait incapable. Pas à cette fille : non, sûrement pas. Enfin, il se coucha sur le côté, en la serrant contre lui, mais il ne se passa rien. Il ne se passerait rien, Ingham le pressentait. C'était embarrassant. C'était drôle. Il n'avait jamais connu ça, en tout cas quand il désirait vraiment faire l'amour et s'y préparait, comme c'était le cas aujourd'hui. Ina... elle lui déclarait même qu'il l'épuisait, et ça le rendait plutôt fier. Il dit quelques mots à Kathryn, des compliments, mais sincères. Qu'est-ce qui n'allait pas ? D'où cela venait-il ? Du bungalow lui-même ? Il ne pensait pas.

« Vous faites bien l'amour », dit-elle.

Il faillit pouffer de rire.

« Vous êtes très séduisante. »

Le contact de sa main sur sa nuque était plaisant, rassurant, mais ne l'excitait que vaguement et il se demanda jusqu'à quel point elle lui en voulait, jusqu'à quel point il l'avait déçue.

Soudain, elle éternua.

« Vous avez froid !

— C'est ce bain. »

Il descendit du lit, passa dans la cuisine, versa du scotch dans un verre, rentra et enfila difficilement son peignoir sans le poser.

« Vous le voulez sec ?

— Oui. »

Vingt minutes plus tard, il la reconduisait au Fourati. Il lui avait demandé si elle voulait rester toute la nuit, mais elle avait refusé. Son attitude vis-à-vis de lui ne marquait aucun changement... hélas ! il n'en aurait pas été de même s'il lui avait fait l'amour.

« Nous dînons ensemble demain soir ? proposa Ingham. Si ça vous plaisait, nous pourrions faire la cuisine chez moi. Ça vous changerait.

— Demain soir, j'ai promis à quelqu'un d'autre. Voulez-vous pour le déjeuner ?

— Je ne prends jamais de rendez-vous pour le déjeuner quand je travaille. »

Ils optèrent pour le surlendemain, à dix-neuf heures trente.

Ingham rentra et enfila aussitôt sa culotte de pyjama. Il s'assit sur le bord de son lit. Il se sentait profondément déprimé. Impossible de sonder complètement sa dépression sans se laisser couler jusqu'au fond, se dit-il. Il se rendait compte qu'il avait beaucoup changé au cours du dernier mois. En quoi exactement ? Il le saurait au cours des prochains jours, pensait-il. Ce n'était pas le genre de question auquel il suffisait de réfléchir pour répondre.

Kathryn Darby était plus intelligente que Lotte, se dit-il, il ne sut à la suite de quel enchaînement de pensée. Ce qui ne sous-entendait pas obligatoirement un brillant intellect. Il s'était trompé en fixant son choix sur Lotte, trompé de beaucoup et pour longtemps. Lotte l'avait quitté pour un autre homme, parce qu'elle s'ennuyait avec lui. Il s'agissait d'un type qui était souvent venu à leurs réceptions de New York, un publiciste, ouvert, spirituel, le genre d'hommes que les femmes adorent, se disait Ingham à l'époque, sans jamais les prendre au sérieux. Et puis, sans le moindre préambule, il avait appris que Thomas Jeffrey venait de demander la main de Lotte, ou quelque chose d'approchant, et, mieux encore, que Lotte était d'accord pour la lui accorder. Jamais un événement d'une importance égale ne s'était déroulé aussi vite dans la vie d'Ingham. Il en gardait l'impression de ne même pas avoir eu le temps de se battre. « Tu ne fais attention à moi qu'au lit », avait dit Lotte plus d'une fois. C'était vrai. Elle ne s'intéressait pas à ses livres ni à ceux des autres, et elle avait une façon bien à elle, parfois amusante d'ailleurs, de démolir une phrase intelligente, dite par lui ou par quelqu'un d'autre, en lâchant dans la conversation un cliché quelconque, parfaitement en dehors du sujet, quoique bien intentionné. Il en souriait souvent. Mais sans méchanceté. A cette époque-là, il adorait Lotte et jamais une femme n'avait eu tant d'empire sur lui, physiquement. Mais, de toute évidence, cela ne suffisait pas pour la rendre heureuse. Non, il ne pouvait pas la blâmer. Elle sortait d'une famille riche, avait été mal élevée, gâtée, et ne s'intéressait en fait à rien du tout, sauf au tennis, qu'elle avait abandonné petit à petit, peut-être par paresse.

Pourrait-il s'en tirer mieux, si Lotte lui donnait une seconde chance ? Mais elle était mariée à présent. Et cette seconde chance, la désirait-il ? Bien sûr que non. Pourquoi y avoir pensé ?

Ingham se coucha, toujours déprimé, mais indifférent, insensible même au parfum de Kathryn Darby, qui traînait toujours sur son oreiller.

« HASSO, dit Jensen, est probablement quelque part à deux mètres sous le sable. Ou même à un mètre seulement. »

Ecroulé sur le comptoir du café de la Plage, il avait l'air abattu, brisé. Il buvait de la *boukhah* et donnait l'impression d'en avoir déjà absorbé pas mal.

Il était midi. Ingham avait poussé jusqu'à Hammamet en voiture pour acheter un ruban de machine et, après avoir essayé trois magasins qui paraissaient vendre de tout, s'était avoué vaincu.

« Vous ne pourriez pas faire savoir que vous êtes prêt à donner une récompense à qui le retrouvera ? suggéra-t-il.

— C'est la première chose que j'ai faite. Je l'ai dit à deux ou trois gosses. Ils le répéteront à tout le monde. Ce qu'il y a, c'est que le chien est *mort*. Ou alors, il reviendrait. »

La voix de Jensen se fêla. Il se laissa aller en avant sur ses bras nus et Ingham sentit avec gêne qu'il était au bord des larmes.

Une vague de chagrin l'envahit par sympathie et ses yeux le piquèrent.

« Je suis désolé. Vraiment. Quels salauds ! »

Jensen eut un reniflement de mépris qui pouvait passer pour un rire et vida son verre.

« D'habitude, ils vous jettent par une fenêtre la tête de l'animal. Au moins, jusqu'ici, ils m'ont épargné ça.

— Vous croyez qu'ils vous en veulent pour quelque chose ? Vos voisins, je veux dire ? »

Jensen haussa les épaules.

« Pas à ma connaissance. Je ne me suis jamais disputé avec eux. Je ne fais pas de bruit. Je paie régulièrement mon propriétaire... à l'avance, même. »

Ingham hésita, puis demanda :

« Vous pensez quitter Hammamet ?

— Je vais attendre encore quelques jours. Et puis après, Bon Dieu, oui, je partirai. Mais je vais vous dire une chose : l'idée que les *ossements* de Hasso sont enfouis sous ce damné sable me rend malade ! Je suis bien content que les juifs leur aient flanqué une dérouillée ! »

Ingham jeta un coup d'œil inquiet autour de lui, mais comme d'habitude il y avait un vacarme terrible et d'ailleurs les clients ne comprenaient probablement pas l'anglais. Le barman et un autre type regardaient de temps en temps Jensen parce qu'il était bouleversé, mais il n'y avait pas d'hostilité dans leur regard.

« Tout à fait d'accord avec vous, dit Ingham.

— Ça n'est pas bon pour moi de les haïr comme je le fais, reprit Jensen, un poing fermé et l'autre serré sur le petit verre vide, si bien qu'Ingham se demanda l'espace d'un instant s'il n'allait pas le lancer à travers la pièce. Ce n'est pas bon.

— Vous feriez bien de manger quelque chose. Je vous proposerais volontiers de dîner avec moi ce soir, mais j'ai un rendez-vous. Que diriez-vous de demain soir ? »

Jensen accepta. Ils se retrouveraient au café de la Plage.

Ingham retourna dans son bungalow; il se sentait malheureux, comme s'il ne s'était pas donné assez de mal pour aider Jensen. Il n'avait aucune envie de voir Kathryn Darby le soir et il se disait qu'il se serait moins ennuyé, que peut-être même il aurait été plus heureux avec Jensen.

Cet après-midi-là, il reçut, outre une lettre de sa mère (ses parents avaient pris leur retraite en Floride), un courrier express d'Ina. Elle lui disait :

10 juillet 19..

Cher Howard,

Il est exact que je te dois des explications, et je vais essayer de te les donner. Tout d'abord, la raison pour laquelle j'ai été si bouleversée. Je me suis crue un moment amoureuse de John et, pour tout te dire, j'ai couché deux fois avec lui. Tu es en droit de me demander : pourquoi? Eh bien, en premier lieu, je n'ai jamais pensé que tu m'aimais follement : je veux dire profondément, de tout ton cœur. Il est possible d'aimer modérément quelqu'un, tu sais. L'amour, ce n'est pas toujours la grande passion, et ce n'est pas non plus toujours une base solide pour un mariage. John m'attirait. Il était absolument fou de moi, ce qui est assez bizarre, je te l'accorde, étant donné que nous nous connaissions déjà depuis un an ou deux et que cet amour lui est venu subitement. Je ne lui ai rien promis. Il était au courant de ton existence, tu le sais, et je lui ai dit que tu m'avais demandé de t'épouser, que j'avais plus ou moins accepté, que nous nous étions mis d'accord là-dessus, sans faire de phrases, à notre façon à nous. Je pensais que, si j'essayais de garder la tête froide vis-à-vis de John (il était extraordinairement émotif), nous arriverions, lui et moi, à savoir si nous étions réellement faits l'un pour l'autre. Il représentait à mes yeux un monde différent; il avait la tête pleine d'images, qu'il traduisait en mots avec une clarté étonnante...

Et moi, pensa Ingham, est-ce que je n'en suis pas tout aussi capable ? Est-ce qu'Ina le jugeait plus mauvais écrivain que John n'était cameraman ?

... Puis j'ai commencé à pressentir en John une certaine faiblesse, une fêlure. Aucun rapport avec ses sentiments pour moi. Ça, c'était du solide. Il y avait quelque chose dans son caractère qui ne me plaisait pas, et même qui me faisait peur. Cette faiblesse, je ne pouvais pas la lui reprocher, et je ne l'ai d'ailleurs jamais fait, mais, après l'avoir perçue, j'ai compris que ça ne marcherait jamais entre John et moi. J'ai essayé de rompre le plus doucement possible. Malheureusement, ça n'est jamais aussi simple. Le moment vient toujours où il faut prononcer les phrases définitives, parce que, sans cela, l'autre se refuse à comprendre. Et quand je dis rompre, n'oublie pas que toute cette affaire n'avait duré qu'une dizaine de jours. Hélas, mon départ a achevé ce pauvre John. Il s'est débattu pendant cinq jours, au cours desquels je l'ai aidé de mon mieux. Puis, pendant le dernier week-end, il m'a dit qu'il ne désirait pas me voir. Je le croyais chez lui. Il était mort quand je l'ai trouvé. Je ne te décrirai pas le choc horrible que j'ai eu en le voyant ainsi. Il n'y a pas de mots pour ça.

Alors, mon cher Howard, qu'en penses-tu ? Je suppose que tu vas me laisser tomber. Je n'aurais pas le cœur de te le reprocher... et d'ailleurs ça me servirait à quoi ? J'aurais très bien pu garder cette histoire pour moi. Personne n'est au courant, sauf Peter, peut-être, si John le lui a raconté. Je t'aime toujours. Mais tes sentiments à mon égard, je les ignore. Quand

tu seras revenu, et je suppose que ça ne va pas tar-
der, nous pourrons nous revoir si tu en as envie. Ça
dépend uniquement de toi.

Je travaille toujours, mais je suis morte de fatigue.
(Si ton employeur te demande le sang de tes veines,
donne-lui aussi ton cadavre.) J'emporte des choses à
faire chez moi. Je pense que ça se tassera un peu en
août et c'est à ce moment-là que je prendrai mes
deux semaines de congé.

Veux-tu m'écrire vite, même si ta lettre doit être un
peu désagréable ?

Tendrement,
INA.

La première réaction d'Ingham fut un léger mépris. Quelle erreur de la part d'Ina ! Lui qui la croyait si intelligente. Et, dans cette lettre, elle lui demandait plus ou moins pardon, elle le suppliait presque de la reprendre, ou du moins elle espérait qu'il la reprendrait. Complètement idiot, cette histoire, se dit-il. Ça n'était même pas aussi important que le chien de Jensen.

Ina avait raison. Il ne l'aimait pas follement, mais il s'appuyait sur elle, il comptait sur elle, d'une façon très profonde et essentielle. Il s'en apercevait à présent, depuis qu'il se savait trahi par elle. « Trahi » : ce mot lui était venu spontanément à l'esprit et il le détestait. S'il réagissait ainsi, ce n'était pas qu'il fût assez collet monté pour en vouloir à Ina d'avoir couché avec quelqu'un d'autre pendant son absence, mais parce qu'elle avait apparemment vécu cette histoire d'une façon si sentimentale. Elle cherchait « quelque chose de durable et de vrai », comme toutes les femmes de la terre, sans doute, et elle avait cru le trouver chez cette chiffe molle de John Castlewood.

Comme il aurait préféré qu'Ina, dans sa lettre, lui

eût raconté qu'elle avait bêtement tiré un coup avec Castlewood, sans y attacher aucune importance, et que lui avait pris la chose au sérieux. Son aventure était d'une banalité, d'une sottise...

Il lui fallait un scotch, un scotch pour faire passer tout ça. Il ne restait qu'un doigt de liquide dans la bouteille. Il la vida avec un peu d'eau, sans se casser la tête à chercher un glaçon, puis fourra son porte-feuille dans la poche de son short et partit pour l'épicerie des bungalows. Il était 17 h 45. Il allait boire un coup avant son rendez-vous avec Kathryn. Et celle-là, c'était une emmerdeuse ou pas ?

En se dirigeant vers le magasin, Ingham regarda deux chameaux qui marchaient au bord de la grand-route. Un galopin bronzé en burnous montait le premier. Les deux animaux étaient attachés ensemble. Une charrette tirée par un âne, qui transportait un chargement de petit bois sur lequel trônait un Arabe aux pieds nus, s'arrêta sur le talus et quelqu'un en descendit. Ingham reconnut avec stupéfaction le vieil Abdullah, avec son pantalon rouge. Que faisait-il ici ? Il le vit jeter un coup d'œil à droite, puis à gauche, et enfin traverser la route, tout recroquevillé sur lui-même, avant de prendre la direction de Hammamet. La charrette venait de là, et elle reprit sa route. Les buissons et les arbres de l'hôtel dissimulèrent l'Arabe aux yeux d'Ingham. Il entra dans l'épicerie et acheta des œufs, du scotch et de la bière. Abdullah, se dit-il, allait peut-être voir le propriétaire du bazar pour touristes qu'il y avait à quelques mètres plus bas, sur la route. Ou alors, l'un des Arabes qui vendaient des légumes et des fruits entre l'hôtel et Hammamet. Mais sa présence dans les parages l'agaçait. Il avait conscience de vivre l'une des pires journées de sa vie, et par conséquent l'une des plus épineuses.

Ingham conduisit directement Kathryn au café de

la Plage de Hammamet pour y prendre un apéritif avant le dîner. Elle y était déjà allée une ou deux fois avec ses amis anglais. « Nous adorions ça, mais c'était quand même un peu bruyant. Du moins pour eux. » Kathryn était plus décontractée, apparemment : le vacarme et la saleté du bistrot lui plaisaient visiblement.

Ingham chercha des yeux Jensen, en espérant le voir, mais il n'était pas là.

En sortant du café de la Plage ils allèrent chez Mélik, de l'autre côté de la rue. On travaillait dans la boulangerie voisine. Un jeune boulanger arabe, en short et chapeau de papier, nonchalamment adossé à la porte, contempla Kathryn avec intérêt. L'odeur rassurante et délicieuse du pain frais était toujours là. Chez Mélik, un brouhaha terrible les accueillit. Il y avait deux, sinon trois tablées de clients qui jouaient de la flûte et d'instruments à cordes. Le canari, dans sa cage suspendue à une poutre horizontale, accompagnait gaiement la musique. Ingham se rappela cette soirée au cours de laquelle Adams lui avait tenu interminablement la jambe pendant que le canari dormait la tête sous l'aile et que lui-même rêvait d'en faire autant. Il n'y avait sur la terrasse, outre Kathryn, qu'une seule femme. Comme Ingham l'avait prévu, la soirée fut un peu barbante, encore que les sujets de conversation ne leur fissent pas défaut. Kathryn lui parla de la Pennsylvanie, qu'elle aimait beaucoup, surtout à la saison des citrouilles, quand les feuilles commençaient à tomber. Ingham se disait qu'elle épouserait sûrement un brave Pennsylvanien, quelqu'un de solide, un avocat peut-être, et qu'elle aménagerait dans une maison avec jardin. Mais elle ne prononça aucun nom, ne fit aucune allusion à un fiancé quelconque. Elle avait quelque chose d'indépendant qui séduisait fort Ingham. Et sa beauté ne faisait au-

cun doute. Mais coucher avec elle ce soir était la dernière chose qu'Ingham aurait pu faire, la dernière
chose qu'il désirât au monde. Un dernier verre au
Fourati, et la soirée fut terminée.

La nourriture et la boisson avaient plongé Ingham
dans une agréable torpeur. Sa colère et sa nervosité
avaient disparu, superficiellement du moins, et il en
était reconnaissant à Miss Kathryn Darby, de Pennsylvanie.

De retour dans son bungalow, il relut la lettre
d'Ina, en espérant pouvoir le faire en toute indifférence, sans la moindre rancœur. Il n'y réussit pas
tout à fait. Il jeta la lettre sur la table, se pencha en
arrière et dit :

« Mon Dieu, ramenez le chien de Jensen. Je vous en
prie ! »

Puis il se coucha. Il n'était pas encore minuit.

Il n'aurait su dire ce qui l'avait réveillé, mais brusquement il se souleva sur un coude et tendit l'oreille.
Il faisait très noir dans la pièce. Le bouton de la
porte grinça. Ingham sauta à bas de son lit et alla se
poster instinctivement derrière sa table de travail, qui
était au milieu de sa chambre. Il faisait face à la
porte. Oui, elle s'ouvrait. Il se tassa sur lui-même.
Bon Dieu, il avait oublié de fermer à clef, il s'en souvenait à présent. Il vit une silhouette un peu courbée
se profiler dans la lumière laiteuse du réverbère
planté dehors, dans l'allée des bungalows. Quelqu'un
entrait.

Ingham saisit sa machine à écrire sur la table et la
lança de toutes ses forces, avec une poussée violente
du bras droit, comme un joueur de basket qui essaie
de faire un panier (mais cette fois-ci la cible se situait
plus bas). La tête enturbannée soutint le choc de
plein fouet. La machine à écrire dégringola avec un
fracas douloureux, l'intrus poussa un hurlement, fit

trois pas en arrière et tomba sur la terrasse. Ingham bondit vers la porte, écarta la machine à écrire du pied et claqua le battant. La clef était sur l'appui de la fenêtre, à sa droite. Il la trouva, chercha la serrure à tâtons et ferma la porte.

Puis il s'immobilisa, l'oreille tendue. Il craignait qu'il n'y eût d'autres personnes dehors.

Toujours dans le noir, Ingham passa dans la cuisine, prit la bouteille de scotch sur la pierre de l'évier, faillit la renverser mais la rattrapa à temps et but une longue goulée. Si jamais il avait eu besoin d'un verre, c'était bien à présent. Une seconde gorgée, et il enfonça d'un coup de paume le bouchon grinçant, replaça la bouteille sur l'évier, regarda dans les ténèbres en direction de sa porte, écouta. L'homme qu'il avait frappé était Abdullah, il le savait. Ou du moins il en était sûr à quatre-vingt-dix pour cent.

Il y eut un bruit de voix étouffées, qui se rapprocha. Les voix étaient assourdies, excitées, et Ingham entendit qu'elles parlaient l'arabe. Un étroit rayon de lumière balaya ses persiennes closes et disparut. Ingham se raidit. Est-ce que c'était les copains du type... ou les garçons de l'hôtel qui enquêtaient ?

Puis il entendit des pieds nus claquer sur la terrasse, un grognement, le bruit de quelque chose qu'on traînait. Cette saleté d'Arabe, bien sûr. On l'emportait. Qui ? Il l'ignorait.

Il entendit chuchoter le nom de Mokta.

Les pas s'éloignèrent, s'évanouirent. Ingham resta dans la cuisine pendant deux minutes encore. Il était incapable de dire s'ils avaient parlé de Mokta, ou si Mokta se trouvait avec eux, s'ils s'étaient adressés à lui. Ingham s'élança dans leur direction, pour les interroger. Mais comment être *sûr* qu'il s'agissait bien des garçons d'hôtel ?

Il poussa un profond soupir, une espèce de frisson.

Enfin, il entendit de nouveau un bruit de pas feutrés dans le sable, un bruit doux comme du coton. Quelque chose claqua par terre. On essuyait les dalles avec un chiffon. On essuyait le sang, Ingham le savait. Une légère nausée le prit. Le pas furtif s'éloigna. Ingham attendit, se força à compter jusqu'à vingt. Puis il posa la lampe de son bureau par terre, de façon à ce que la lumière ne filtrât pas à travers les persiennes, et l'alluma. Il s'intéressait à sa machine à écrire.

La partie inférieure du châssis était enfoncée. Ingham fit la grimace en le voyant, à cause surtout de son aspect surprenant et moins du choc qu'avait subi le front du vieil Arabe. La barre d'espacement elle-même était de travers et une extrémité se dressait à la verticale. Quelques touches tordues restaient coincées. D'un geste automatique, Ingham essaya de les débloquer, mais en vain. Il y avait un creux d'au moins six ou sept centimètres dans le châssis. La réparation ne pouvait se faire qu'à Tunis, c'était sûr.

Ingham éteignit sa lampe et se glissa de nouveau entre ses draps, rejeta celui du dessus parce qu'il faisait trop chaud. Il resta allongé pendant près d'une heure sans dormir, mais n'entendit pas d'autres bruits. Il ralluma la lumière, porta sa machine à écrire dans son placard et la posa par terre à côté de ses chaussures. Il ne voulait pas que Mokta ou un autre garçon la vît le lendemain matin.

INGHAM se demandait avec intérêt ce que serait l'attitude de Mokta quand il lui apporterait son petit déjeuner. Mais ce fut un autre garçon qui entra avec le plateau à 9 h 10, un garçon qu'Ingham avait vu une ou deux fois, sans se rappeler son nom.

« Merci, dit Ingham.

— A votre service, m'sieur. »

Le garçon sortit, calme, indéchiffrable.

Ingham s'habilla pour aller à Tunis. La machine à écrire entrait encore dans sa mallette. L'idée lui vint d'amener sa voiture devant le bungalow pour la poser dedans, car il ne se sentait pas tranquille en pensant que l'un des garçons risquait de la lui voir porter dans l'allée. Mais c'était absurde, se dit-il. Comment saurait-on avec quoi le vieux avait été frappé ?

A 9 h 35, Ingham ferma la porte de son bungalow derrière lui. Il avait rangé sa voiture tout en haut de l'allée, presque devant la maison d'Adams, parce que la veille il avait eu l'intention de frapper à sa porte si la lumière était allumée, mais elle ne l'était pas. La voiture était à gauche, sous un arbre, et il y en avait deux autres à sa droite, dans une position parallèle. Ingham se demanda si le vieil Arabe, ne voyant pas sa voiture, en avait déduit qu'il était absent. Mais comment aurait-il pu connaître le numéro de son bunga-

Un éclair d'inquiétude passa brièvement dans les yeux souriants de Mokta, mais Ingham l'avait vu. Mokta entra dans le bureau avec son tas de serviettes. Il en ressortit aussitôt.

« Vous voulez une bière ? demanda Ingham.

— Avec plaisir, m'sieur, merci. Mais je ne pourrai pas m'asseoir. »

Il contourna le bâtiment en courant pour aller chercher sa bière par la porte de service. Il revint rapidement avec la bouteille.

« Je me demandais comment il fallait s'y prendre pour louer un appareil de climatisation.

— Oh ! c'est très simple, m'sieur. J'en parlerai à la directrice, elle le dira au gérant. C'est une affaire d'un ou deux jours. »

Mokta souriait aussi largement que d'habitude. Ingham, sans en avoir l'air, observa ses yeux gris. Ils se détournaient sans cesse, non par malhonnêteté, pensa Ingham, mais parce que Mokta se tenait constamment sur le qui-vive, guettait toujours quelque chose, un appel de ses supérieurs, par exemple.

« Eh bien, vous seriez gentil de le faire. J'aimerais en avoir un. »

Ingham hésita. Il ne voulait pas demander de but en blanc ce que les garçons avaient fait du corps inconscient ou du cadavre de l'Arabe. Mais pourquoi Mokta n'abordait-il pas de lui-même le sujet ? Il était forcément au courant, même s'il ne se trouvait pas avec les autres devant son bungalow la nuit précédente.

Ingham offrit à Mokta une cigarette, qu'il accepta.

Mokta trouvait peut-être l'endroit trop exposé pour parler, se dit Ingham. Son regard effleurait le sien, puis se détournait. Ingham se gardait de le dévisager, car il ne voulait pas l'embarrasser. Sans doute Mokta attendait-il d'être interrogé. Il se sentait incapable de le faire. Pourquoi l'autre ne lui disait-il pas quelque chose de ce genre : « Oh ! m'sieur, quelle *catastrophe* cette nuit ! Un vieux mendiant qui a essayé de pénétrer dans votre bungalow ! » Ingham avait l'impression d'entendre ces mots, mais l'autre ne les prononçait pas. Au bout d'un moment, il se sentit très mal à l'aise.

« Il fait chaud, aujourd'hui. Je suis allé à Tunis ce matin, dit-il.

— Ah ! oui ? Il fait toujours plus chaud à Tunis. Mon Dieu, je suis bien content de travailler ici ! »

Après avoir accepté une autre cigarette pour la route, Mokta repartit avec les deux bouteilles de bière et Ingham retourna dans son bungalow. Il parcourut les notes qu'il avait prises pour le chapitre en cours de rédaction de son roman et en prit d'autres pour le prochain. Il aurait pu répondre à la dernière lettre d'Ina, celle qui donnait des explications, mais il n'avait pas envie de penser à elle en ce moment. Cette réponse demanderait réflexion, s'il ne voulait pas lui dire des choses qu'il risquait de regretter par la suite. Ingham agrafa ses notes et les posa sur un coin de son bureau.

Il écrivit à sa mère une courte lettre dans laquelle il lui expliquait que sa machine était en réparation à Tunis. Il lui apprenait aussi le suicide de John Castlewood, un garçon qu'il ne connaissait pas très bien. Il ajoutait qu'il travaillait à un roman et qu'il allait essayer, quoique déçu par l'annulation du projet de film, de profiter au maximum de son séjour en Tunisie. Ingham était un enfant unique. Sa mère aimait à être au courant de ses activités mais ne fourrait pas son nez dans ses affaires et ne s'inquiétait pas pour rien. Quant à son père, il s'intéressait également à lui, mais écrivait moins encore que sa mère. Ingham ne recevait pratiquement jamais une lettre de lui.

Il disposait encore d'une demi-heure avant son

rendez-vous avec OWL. Il avait très envie d'aller se promener sur la plage, passé le bungalow d'Adams, dans la direction de Hammamet, pour examiner le sable sous les arbres. Il aurait voulu trouver un bout de terrain bouleversé, en forme de tombe; il aurait voulu être sûr. Mais il se rendait compte qu'il suffisait de balayer doucement le sable avec la main ou le pied pour faire disparaître toutes traces. Aucune espèce de sol ne conservait moins longtemps les empreintes que le sable : la brise la plus légère les effaçait et, quant à l'humidité que les coups de pelle de la nuit dernière avaient pu amener au jour, le soleil l'aurait séchée. D'ailleurs, il ne désirait guère qu'on le vît fouiner dans le sable. Et que valait-il, cet Arabe ? A peu près rien, probablement. Telle fut, hélas, la pensée peu chrétienne qui lui vint à l'esprit. Il ferma son bungalow à clef et se rendit chez OWL.

L'accueil d'Adams fut cordial, comme d'habitude.

« Entrez ! Asseyez-vous ! »

Ingham apprécia la fraîcheur de la pièce. C'était comme un verre d'eau froide pour quelqu'un qui a chaud et soif. On s'en imprégnait. Qu'est-ce que ce serait en août, se dit-il. Ce qui lui rappela qu'il devait s'en aller bientôt.

Adams lui apporta un scotch avec de la glace et de l'eau.

« Je me suis fait piquer par une méduse cet après-midi, dit-il. Ils appellent ça *habuki*. C'est la pleine saison, en juillet. On ne les voit pas dans l'eau, vous savez, sauf quand il est trop tard. Ha ha ! Elle m'a eu à l'épaule. Un garçon est allé me chercher de la pommade, mais ça ne m'a pas fait beaucoup de bien. Je suis rentré pour prendre un peu de bicarbonate de soude. C'est encore le meilleur remède.

— Elles sortent à une heure particulière de la journée ?

133

— Non. C'est la saison, voilà tout. A propos...
(Adams, vêtu d'un short kaki repassé de frais, s'assit
sur le sofa.) J'en ai appris un peu plus sur ce hurlement de la nuit dernière. Ça s'est passé juste devant
chez vous.

— Ah oui ?

— Ce garçon, Hassim, celui qui est un peu plus
grand que les autres, c'est lui qui me l'a dit. Il paraît
que Mokta les accompagnait quand ils sont allés voir
ce qui était arrivé. Vous voyez de qui je veux parler ?

— Oui. Au début, c'était lui qui nettoyait mon bungalow.

— D'après Hassim, un vieil Arabe est venu rôder
par ici, s'est cogné contre quelque chose et a perdu
connaissance. Ils l'ont trouvé sur la terrasse et ils
l'ont transporté ailleurs. (Adams gloussa, ravi, comme
quelqu'un qui vit dans un endroit où il ne se passe
jamais rien, pensa Ingham.) Ce qui m'intéresse, c'est
que Mokta, lui, prétend qu'ils n'ont trouvé personne,
quoiqu'ils aient cherché pendant une heure. Il y en a
un des deux qui ment. Il se peut que le vieil Arabe se
soit effectivement assommé tout seul, mais il est également possible que les garçons l'aient battu ou
même tué et qu'ils se refusent à l'admettre.

— Mon Dieu ! fit Ingham, en toute sincérité, car
son imagination lui présentait les garçons en train de
faire justement cela. Vous croyez vraiment qu'ils auraient pu le tuer par accident, en lui flanquant une
correction ?

— Ça n'aurait rien d'extraordinaire. S'il s'agissait
simplement d'un rôdeur qu'ils auraient découvert et
jeté dehors, pourquoi s'en cacheraient-ils ? Il y a un
mystère là-dessous, comme je vous l'ai dit ce matin.
Vous n'avez rien entendu, vous ?

— Si, j'ai entendu le hurlement, mais je ne me doutais pas que ça se passait si près de chez moi. »

Ingham avait conscience de mentir tout comme les garçons de l'hôtel. Et si Adams apprenait par l'un d'eux que la bosse était en fait une vilaine blessure, une fracture du crâne par exemple, et que l'Arabe était mort quand ils l'avaient trouvé ?

« Autre chose encore, dit Adams. En règle générale, quand il y a tentative de vol, l'hôtel étouffe l'affaire. C'est mauvais pour le commerce. Si un cambrioleur a essayé de s'introduire dans un bungalow, il est normal que les garçons n'en aient rien dit, parce que c'est à eux qu'il appartient d'ouvrir l'œil et d'écarter les rôdeurs. Il y a un veilleur de nuit, bien sûr, comme vous le savez, mais il dort tout le temps et il ne fait jamais sa ronde. ».

C'était vrai. Dès vingt-deux heures trente, le veilleur de nuit s'endormait sur sa chaise au dossier droit, appuyée contre le mur.

« Ça arrive souvent, ce genre de choses ?

— Oh ! depuis un an que je suis ici, je ne me souviens que d'un seul cas. En novembre dernier, on a surpris deux jeunes Arabes en train de rôder dans l'enceinte de l'hôtel. Il y avait beaucoup de bungalows vides à l'époque et le personnel était moins nombreux. C'est aux meubles qu'ils en voulaient et ils avaient fracturé une ou deux portes. Personnellement je ne les ai pas vus, mais j'ai entendu dire que les garçons les avaient battus avant de les jeter sur la route. Ils sont sans pitié quand ils se bagarrent, vous savez. (Adams ramassa les deux verres, quoique Ingham n'eût pas tout à fait achevé le sien.) Vous avez des nouvelles de votre fiancée ? demanda-t-il du fond de la cuisine. Ina, c'est bien ça ? »

Ingham se leva.

« Elle m'a écrit. C'est elle qui a découvert le cadavre de John Castlewood. Il avait pris des somnifères.

— Non ! Dans son appartement à lui ?

— Oui. »

Ingham n'avait pas dit à Adams que cela s'était passé entre ses propres murs. Il s'en félicita.

« Elle ne va pas vous rejoindre ?

— Oh non. Ce serait un long voyage. Je compte repartir pour New York dans une semaine ou deux.

— Pourquoi si vite ?

— Je ne supporte pas très bien la chaleur... Mais vous n'aviez pas quelque chose à me montrer ?

— Ah ! si. Je vais vous le faire entendre. C'est très court ! dit Adams, un doigt levé, mais je crois que ça vous intéressera. Venez dans ma chambre. »

Encore ces Bon Dieu de bandes, pensa Ingham. Il s'était dit avec espoir qu'Adams avait peut-être découvert une vieille amphore au fond de la mer ou pris un poisson d'espèce rare. Il n'aurait pas cette veine.

La cérémonie recommença : valise sur le lit et manipulation respectueuse du magnétophone.

« C'est ma dernière, chuchota Adams. Elle doit passer mercredi prochain. »

Il y eut un sifflement et la voix s'éleva.

« Bonsoir, mes amis du monde entier. Ici Robin Goodfellow qui vous parle d'Amérique, terre de... (Adams appuya sur le bouton qui faisait tourner la bande à vitesse accélérée, en expliquant qu'il s'agissait de son introduction habituelle. La voix jacassa, grésilla et reprit :)... ce qu'on pourrait appeler la démocratie. Il est exact que les Israéliens ont remporté une victoire écrasante. D'un point de vue militaire, ils méritent d'être félicités pour avoir vaincu un ennemi très supérieur en nombre. Deux millions sept cent mille Juifs contre cent dix millions d'*Arabes*. Mais qui a frappé le premier, en réalité ? Je laisse à vos gouvernements le soin de vous l'apprendre. S'ils sont honnêtes, ils vous diront que c'est Israël. (Long silence. Flottement.) Il s'agit là d'un fait historique. Ce n'est pas terrible, ce n'est pas fatal pour le prestige d'Israël, il n'y a pas là de quoi... (la voix parut chercher un terme adéquat, bien qu'Adams, Ingham en était sûr, ne prît jamais la parole avant d'avoir écrit, revu et corrigé son texte)... de quoi *noircir* Israël, du moins aux yeux des pays qui lui sont favorables. Mais ce n'est pas tout ! Non content d'avoir remporté un véritable triomphe, fait des milliers de réfugiés parmi les Arabes et annexé des territoires, les Israéliens témoignent à présent de ce nationalisme arrogant qui caractérisait l'Allemagne nazie et qui l'a conduite à sa ruine. Je vous le dis, même en tenant compte des provocations dont Israël a été victime, des menaces qui ont été proférées contre ses enfants et ses biens, des incidents de frontière — et on pourrait aussi en citer qui sont à son discrédit —, il serait tout à l'honneur d'Israël de se montrer magnanime à l'heure de la victoire et *par-dessus tout* d'éviter cet orgueil outrancier, ce chauvinisme qui ont mené à leur perte des pays autrement plus importants que lui...

— La phrase est peut-être un peu longue », chuchota Adams.

Ingham étouffa un rire.

« Non, non, ça va.

— ... ne pas oublier qu'en Israël la moitié de la population a eu l'arabe pour langue maternelle. Cela ne signifie pas que ces gens soient tous des Arabes. Les Israéliens se vantent d'avoir transmis de fausses instructions en arabe aux avions et aux chars jordaniens, ce qui est, selon eux, un exploit intellectuel. Ils se vantent d'être devenus des agriculteurs émérites, à présent qu'il n'existe plus de loi leur interdisant toute profession autre que celle de prêteur. Aux Etats-Unis, aucune loi ne leur interdit de pratiquer l'agriculture et pourtant il y a très peu de cultivateurs parmi eux. Dans l'ensemble, les juifs israéliens ont d'autres origines que les juifs américains, lesquels sont beaucoup moins proches des Arabes, des Orientaux. L'antipathie israélo-arabe menace de se transformer en une longue et impitoyable guerre civile qui dressera Arabes contre Arabes, férocité contre férocité. Le bon sens doit l'emporter. La *magnanimité* doit l'emporter... (Adams sauta encore un passage)... s'asseoir fraternellement à la table de conférence et discuter...

— Bon, fit Adams en arrêtant la bande, ça ira comme ça. Le reste est simplement une récapitulation. Qu'est-ce que vous en pensez ?

— Je suppose que les Russes seront d'accord, puisqu'ils sont anti-Israël, dit enfin Ingham.

— Le *gouvernement* russe est *antiaméricain*, déclara Adams comme s'il informait Ingham d'une chose que l'autre ignorait.

— Oui, mais... (De nouveau, l'esprit d'Ingham s'enlisa. Les Russes étaient-ils tellement antiaméricains, après tout, sauf en ce qui concernait le Vietnam ?) L'arrogance des Israéliens n'est peut-être que temporaire, vous savez. Ils ont quand même le droit de pavoiser un peu après la victoire qu'ils ont remportée. »

Adams se mit à gesticuler, avec une énergie qu'Ingham ne lui avait jamais vue.

« Temporaire ou non, elle est dangereuse. C'est un mauvais signe. »

Ingham hésita, mais ne put s'empêcher de dire :

« Vous ne croyez pas que l'Amérique fait preuve, elle aussi, d'une certaine arrogance en supposant que son mode de vie à *elle* est le seul valable, que le monde entier devrait s'en inspirer ? Et en tuant des gens pour le leur faire adopter, que ça leur plaise ou non ? Est-ce que c'est de l'arrogance, ça, ou est-ce que ça n'en est pas ? »

Ingham éteignit sa cigarette sans la fumer jusqu'au

bout et se jura de ne plus dire un mot sur ce sujet. C'était ridicule, exaspérant, stupide.

« L'Amérique, dit Adams, s'efforce de balayer les dictatures pour donner aux gens la liberté de vote. »

Ingham ne répondit pas. Il continua d'écraser doucement sa cigarette dans le cendrier. Adams était troublé, il le voyait bien. Ce pouvait être la fin de leur amitié, se dit-il, ou du moins de toute sympathie mutuelle. Mais il s'en fichait. Il ne se sentait pas d'humeur à prononcer quelques paroles conciliantes. Et ce qu'il y avait de terrible, pensait-il, c'était que le discours d'Adams sur le nationalisme israélien n'était pas complètement dénué de vérité. Les pays dont Israël dépendait lui avaient eux-même conseillé de rendre une partie des territoires occupés, et il s'y refusait. Ils étaient aussi agaçants les uns que les autres, les Israéliens et les Arabes. Ceux qui n'appartenaient ni à l'un ni à l'autre des deux partis faisaient mieux de se taire. A défendre les uns ou les autres, on risquait toujours de se faire sauter dessus. Ça n'en valait pas la peine. Ingham se dit qu'il n'y pouvait rien. Il n'était pas quelqu'un d'influent.

« Je ne sais que penser de ces sacrés Arabes, déclara-t-il enfin. Pourquoi diable ne travaillent-ils pas davantage ? Excusez-moi, mais à mon avis, dans un pays pauvre qui veut sincèrement échapper à la misère, il ne devrait pas y avoir des centaines de jeunes gens qui se prélassent dans les cafés du matin jusqu'au soir.

— Ah ! il y a du vrai dans ce que vous dites, fit Adams en retrouvant son sourire.

— Alors, j'avoue que, des deux pays, c'est Israël qu'un Occidental admire le plus, parce que les juifs ne sont pas toujours en train de se tourner les pouces. Il paraît même qu'ils ne se reposent pratiquement jamais.

— Ici c'est le climat, c'est la religion, psalmodia Adams, les yeux au plafond.

— La religion, peut-être. Norman Douglas conclut son livre sur la Tunisie par une idée qui sort de l'ordinaire. D'après lui, les gens croient que le désert a fait de l'Arabe ce qu'il est, mais en réalité c'est l'Arabe qui a fait le désert. Il a laissé la terre se détériorer. Quand les Romains étaient en Tunisie, il y avait des puits, des aqueducs, des forêts, un début d'agriculture. (Ingham aurait pu continuer ainsi pendant longtemps. Sa propre passion l'étonnait.) Autre chose encore, dit-il pendant qu'Adams rangeait son matériel. Oh ! merci de m'avoir fait écouter votre bande. Je sais qu'on peut trouver les Arabes intéressants, étudier leur religion fataliste, admirer leurs mosquées et tout ça, mais est-ce que ce n'est pas du vent, de la bagatelle pour touristes, quand on pense que pendant ce temps toutes ces sottises freinent leur évolution ? A quoi bon se pâmer sur... sur une pantoufle brodée, par exemple, ou admirer leur résignation devant le destin si une quantité d'entre eux mendie, vole, nous exploite, nous ?

— Je suis tout à fait d'accord, dit Adams en fermant son placard. Vous avez raison, s'ils se fient au destin, pourquoi demandent-ils l'aumône aux touristes occidentaux qui ne croient pas au destin, mais simplement au travail, à l'effort ? Ah ! il y a des religions... (Adams, dégoûté, laissa sa phrase inachevée.) Donnez-moi votre verre que je le remplisse. Oui, quand on pense à l'argent français et américain qui entre ici à flots !

— A moitié seulement, le verre, dit Ingham. (Il suivit Adams dans le living-room agréable, puis dans la cuisine aux chromes immaculés.) Puisque nous parlons de religions bizarres, vous ne croyez pas que notre délicieux Occident est bien coupable, lui aussi ?

140

Voyez tous les gosses qui viennent au monde simplement parce que l'église catholique n'autorise pas la contraception. C'est *elle* qui devrait prendre la responsabilité pleine et entière de tous ces enfants. Mais non, à l'Etat de s'en charger, voilà ce qu'elle répond. (Ingham éclata de rire.) Par la mule du Pape ! Il ferait bien d'aller la traîner un peu du côté de l'Irlande : il verrait ce qui s'y passe ! »

Adams tendit à Ingham son verre, scrupuleusement rempli à moitié.

« C'est vrai ! Je n'en parle pas dans mon émission parce que ça ne s'applique pas tellement aux gens qui vivent derrière le Rideau de Fer, mais au fond... Tenez, je viens de recevoir une lettre d'un ami juif installé aux Etats-Unis. Il se sent très juif, tout à coup. Avant, il était russe, ou américain d'origine russe. Voilà ce que j'appelle du chauvinisme. Allons nous asseoir. »

Ils s'installèrent dans le living-room, à leurs places habituelles.

« Vous voyez ce que je veux dire ? » s'enquit Adams.

Ingham voyait. Et ce qu'il voyait ne lui plaisait guère, parce qu'il savait que c'était vrai. Il aurait pu rétorquer que la réputation d'antisémitisme des Russes n'était plus à faire, mais sans doute s'agissait-il là d'une attitude exclusivement imputable au gouvernement soviétique et non aux habitants des pays sous contrôle communiste, auxquels Adams s'intéressait.

« Et cette jeune femme du Fourati ? demanda Adams. Elle est agréable ? »

Il posa cette question sur un ton d'indifférence et de politesse étudiées, presque digne d'un espion, pensa Ingham, qui lui répondit avec autant de prudence :

« Oui, j'ai dîné avec elle hier soir. Elle est originaire de Pennsylvanie. Elle s'en va mercredi. »

Ils mangèrent des œufs brouillés, du salami frit et une salade verte, le tout préparé par Adams dans sa cuisine. Un concert donné à la radio par un orchestre de Marseille servit de fond sonore à leur conversation, et aussi aux vociférations des garçons dans l'office des bungalows. Adams déclara que ce vacarme n'avait rien d'inhabituel. C'était une soirée tranquille. Mais Ingham se méfiait un peu d'Adams, à présent. Il n'aimait pas ce regard méditatif que l'autre posait sur lui. Il ne voulait pas le laisser apprendre que sa machine à écrire était en réparation, de crainte qu'il ne devinât qu'il l'avait jetée à la tête de l'Arabe. Il se dit qu'il arriverait bien, tout en restant poli, à ne pas inviter Adams chez lui pendant toute la semaine suivante. Ou bien, si Adams venait, il lui dirait qu'il prenait quelques jours de repos. L'autre supposerait sans doute que la machine se trouvait dans le placard.

INGHAM se réveilla de bonne heure le lendemain matin, qui était un dimanche, avec la perspective de tout une journée à passer sans machine à écrire, sans courrier, sans même la consolation d'un bon journal. Les journaux du dimanche (anglais et non américains) — deux ou trois exemplaires du *Sunday Telegraph*, de l'*Observer* et du *Sunday Times* — arrivaient le mardi ou le mercredi au bâtiment principal de l'hôtel et quelques clients avaient l'exaspérante habitude de les emporter dans leurs chambres où ils les gardaient.

Evidemment : il y avait son roman : une centaine de pages qui faisaient une pile rassurante sur son bureau. Mais il ne voulait pas y penser dans l'immédiat, car il savait ce qu'il écrirait quand il aurait récupéré sa machine.

Il fallait aussi répondre à la lettre d'Ina. Ingham s'était décidé en faveur d'une réponse calme, réfléchie (un ton aimable, pas le moindre reproche), dans laquelle il dirait qu'il était d'accord avec elle, qu'en effet ce qu'ils éprouvaient l'un pour l'autre était peut-être trop vague, trop tiède pour mériter le nom d'amour (à supposer que l'amour fût définissable), et que sa toquade pour John le prouvait bien. Il comptait bien ajouter qu'il ne lui en voulait pas du tout et qu'il serait certainement enchanté de la revoir après son retour aux Etats-Unis.

Toutefois, cette lettre qu'il rédigeait dans sa tête n'était que diplomatique, prudente, destinée à sauver la face, il s'en rendait parfaitement compte. La petite aventure d'Ina avec John l'avait piqué au vif. Simplement, son amour-propre lui interdisait de l'avouer. Et il pensait qu'il n'avait rien à perdre en écrivant une lettre diplomatique, que sa fierté n'en souffrirait pas.

Mais il n'avait pas envie de passer une heure de cette matinée relativement fraîche à rédiger sa lettre à la main. Après le petit déjeuner — servi par Mokta — il prit sa voiture et partit pour Hammamet.

Cette fois encore, après s'être garé près de chez Mélik, il chercha des yeux le vieil Arabe, qui traînait toujours de ce côté le dimanche matin. Il n'était pas là. Ingham but un verre de rosé bien frais à la Plage. Il guettait les regards appuyés que des clients pouvaient poser sur lui, mais ne remarqua rien d'anormal. L'idée lui était venue qu'il risquait une vengeance, au cas où l'on apprendrait qu'il avait blessé ou tué le vieillard. Rien n'empêchait les garçons de l'hôtel d'en parler. Mais il ne vit ni ne sentit rien d'hostile. Les représailles prendraient peut-être la forme d'un pneu lacéré, d'un pare-brise cassé. Il ne pensait pas à un attentat dirigé contre sa personne.

Il acheta une bouteille de *boukhah* à côté du café et s'engagea dans la ruelle qui menait chez Jensen. Il regarda l'endroit où il avait vu l'homme à la gorge tranchée. Le soleil y déroulait une bande de lumière et pourtant il ne vit pas trace de sang. Puis, au moment où il allait se détourner, il remarqua quand même, sur le sol dur, une tâche brunâtre à peine visible sous la poussière. C'était bien ça. Mais il fallait être au courant pour savoir que c'était du sang, se dit-il. D'ailleurs il se trompait peut-être. Quelqu'un n'aurait-il pas laissé tomber une bouteille de vin à cet endroit-là deux ou trois jours plus tôt ? Il poursuivit son chemin.

Jensen était là, mais il mit assez longtemps à ouvrir la porte car Ingham, déclara-t-il, l'avait réveillé. Il s'était levé de bonne heure, puis recouché après quelques heures de travail. Il se réjouit à la vue de la *boukhah*. Cependant il restait mélancolique depuis la disparition de Hasso. Il semblait amaigri. Visiblement, il ne s'était pas rasé depuis quarante-huit heures. Ils se servirent tous deux de *boukhah*.

Ingham s'assit sur le lit défait de Jensen. Il n'y avait pas de draps : simplement une mince couverture.

« Toujours pas de nouvelles de Hasso ?

— Non. »

Jensen, courbé en deux, se débarbouillait au-dessus d'une cuvette en métal blanc posée par terre. Puis il se coiffa.

Ingham constata qu'il n'avait fait aucun préparatif de départ. Il ne voulait pas l'interroger là-dessus.

« Je peux avoir un peu d'eau ? demanda-t-il. Ça vous emporte la bouche, ce truc-là. »

Le sourire timide, naïf qui lui venait toujours sans raison particulière se dessina sur les traits de Jensen.

« Et quand on pense que c'est distillé à partir d'un fruit aussi sucré que la figue ! » dit-il avec aigreur.

Il sortit et réapparut avec un gobelet plein d'eau. Le verre n'était pas propre, mais l'eau semblait claire. D'ailleurs, Ingham n'était pas d'humeur à s'en soucier.

« Ma machine à écrire est en réparation jusqu'à samedi prochain, déclara-t-il. Je me demandais si vous aimeriez faire un petit voyage avec moi quelque part. Peut-être jusqu'à Gabès. C'est à trois cent quatre-vingt-quatorze kilomètres de Tunis. Nous prendrions ma voiture. »

Jensen parut surpris et déconcerté.

« Je pensais à un voyage de deux ou trois jours. Davantage si ça vous dit.

— Oui... c'est une bonne idée.

— Nous pourrions faire une excursion à dos de chameau. Louer un guide, peut-être — c'est moi qui me charge des frais — et dormir à la belle étoile dans le désert. Gabès a beau être au bord de la mer, c'est une oasis, vous savez. Je me suis dit qu'un changement de décor vous remonterait peut-être le moral. Moi, en tout cas, ça me ferait du bien. »

Au cours de la demi-heure qui suivit, deux ou trois verres de *boukhah* aidant, Jensen se ragaillardit progressivement, comme une bougie soufflée par le vent que l'on abrite au creux de la main.

« Je peux offrir des couvertures et un petit réchaud. Un thermos, une lampe électrique... qu'est-ce qu'il nous faut encore ?

— Nous allons traverser Sfax, qui a l'air d'une agglomération importante sur la carte, et nous pourrons y acheter ce qui nous manque. J'aimerais bien aller jusqu'à Tozeur, mais ça me paraît un peu loin. Vous connaissez ? (Jensen ne connaissait pas Tozeur.) C'est une vieille oasis célèbre, à l'intérieur des terres, de l'autre côté du Chott. Ma carte indique la présence d'un aérodrome, à Tozeur. »

Ingham, inspiré par la *boukhah*, faillit proposer de s'y rendre en avion, mais se retint.

Jensen montra à Ingham son dernier tableau, une toile de deux mètres, punaisée à des morceaux de bois qu'il avait probablement découverts quelque part. Elle lui donna un choc. Peut-être, se dit-il, parce qu'elle était très bonne. Elle montrait un Arabe éventré, écartelé comme un animal à la vitrine d'une boucherie. L'Arabe n'était pas mort du tout, il hurlait, ses entrailles rouges et blanches dégringolaient jusqu'au bas de la toile.

« Mon Dieu ! murmura involontairement Ingham.

— Ça vous plaît ?

— Oh *oui* ! » fit Ingham.

Ils décidèrent de partir le lendemain matin. Ingham passerait prendre Jensen à dix heures moins le quart, dix heures. Pour l'instant, Jensen était éméché, mais heureux en tout cas.

« Vous avez du dentifrice ? » demanda Ingham.

Jensen en avait. Ingham se rinça la bouche avec ce qui restait d'eau dans son verre et, sur l'insistance de Jensen, le cracha par la fenêtre qui donnait sur la petite cour, sous les toilettes. La *boukhah* laissait un arrière-goût assez fort dans la bouche, et Ingham avait l'impression que l'odeur devait se sentir à trois mètres.

Il se rendit au Fourati. Les convenances, pensait-il, lui ordonnaient d'inviter Miss Kathryn Darby à dîner ce soir et, si elle n'était pas libre, il aurait au moins été poli. Elle s'en allait le mercredi et il comptait être absent ce jour-là. Miss Darby n'était pas là, mais Ingham laissa un message dans lequel il disait qu'il viendrait la chercher à dix-neuf heures trente pour l'amener dîner; si elle avait d'autres obligations, elle pourrait peut-être lui déposer un mot au *Reine* vers dix-sept heures.

Sur quoi il retourna dans son bungalow, prit un bain, déjeuna de ce qu'il trouva dans son réfrigérateur et fit un somme.

Au réveil, il n'était nullement incommodé par les effets de la *boukhah*; il prit dans son placard la plus petite de ses deux valises et entreprit gaiement de faire ses bagages en prévision de la balade vers le sud. Il ferait encore plus chaud qu'ici, sans nul doute.

A 16 h 45, Mokta frappa à la porte. Miss Darby n'était pas libre ce soir. Ingham donna un pourboire à Mokta.

« Oh ! merci, m'sieur. »

Le sourire charmant qui illuminait ses traits lui donnait, aux yeux d'Ingham, un air plus européen qu'arabe.

« Je m'en vais pour trois jours, déclara ce dernier. J'aimerais que vous surveilliez un peu mon bungalow. Je vais tout fermer à clef, même les placards.

— Oui, m'sieur. Vous faites une excursion intéressante ? Vous allez à Djerba ?

— A Gabès.

— Oh ! Gabès ! répéta-t-il, comme s'il connaissait parfaitement. Je n'y suis jamais allé. C'est une grande oasis. (Il passa d'un pied sur l'autre, sourit, agita les bras d'un air plein de bonne volonté, mais il n'y avait rien à faire pour lui.) A quelle heure partez-vous ? Je viendrai vous aider à faire vos bagages ?

— Merci, ce n'est pas la peine. Je n'emporte qu'une valise... Avez-vous appris quelque chose de plus sur le rôdeur qui est venu traîner par ici dans la nuit de vendredi ? »

Le visage de Mokta se vida de toute expression et sa bouche s'entrouvrit légèrement.

« Il n'y a pas eu de rôdeur, m'sieur.

— Ah ! bon ! M. Adams m'a dit que Hassim lui avait affirmé le contraire. Que les garçons l'avaient amené je ne sais où. Que ça se passait près de mon bungalow. »

Ingham avait honte de son mensonge, mais Mokta mentait autant que lui en niant l'existence du rôdeur.

Les mains du jeune homme papillonnèrent.

« Les garçons bavardent, m'sieur. Ils inventent des histoires. »

148

Ingham préféra ne pas pousser plus avant l'interrogatoire.

« Je vois. Eh bien, espérons qu'il n'y aura pas de rôdeurs pendant mon absence.

— Ah ! je l'espère aussi. Merci, au revoir, m'sieur. »

Encore un sourire, un salut, et il s'en alla.

Ingham pensa qu'il ne reverrait sans doute jamais Miss Darby, ce qui n'avait aucune importance, ni pour elle ni pour lui. Cela lui rappela un passage du livre de Norman Douglas qui lui avait plu et il le rechercha. Douglas parlait d'un vieux jardinier italien qu'il avait rencontré par hasard, quelque part en Tunisie. Il en disait, à la page marquée par Ingham :

... Il avait beaucoup voyagé dans le Vieux et le Nouveau Monde; je reconnaissais encore une fois en lui l'âme simple du marin ou du vagabond qui apprend, au fil de son errance, à parler et à réfléchir sainement; qui, loin de s'encombrer de plus en plus lourdement pour le voyage de la Vie, a la sagesse d'abandonner jusqu'aux bagages avec lesquels il était parti [1].

Ingham trouvait en ce moment beaucoup de charme à cette idée. Miss Darby ne représentait certainement pas l'un de ces bagages encombrants, mais Ina si, peut-être. Supposition assez horrible, en un sens, car il l'avait considérée — pendant un an au moins — comme partie intégrante de sa propre existence. Il s'était appuyé sur elle. Et, se connaissant comme il se connaissait, Ingham savait qu'il n'avait pas encore pleinement réagi à sa lettre, que cela viendrait un peu plus tard. Ce qu'il y avait de bizarre, et de réconfor-

---

1. *Fountain on the sand*, de Norman DOUGLAS, 1re édition, 1912, Penguin, 1944.

tant, c'était que l'Afrique l'aiderait à tenir le coup... si sa réaction à retardement devait être pénible. Il avait à la fois l'impression étrange, inexplicable de flotter comme une particule étrangère (ce qu'il était) dans l'immensité de l'Afrique, et de pouvoir tout supporter mieux grâce à l'Afrique.

Il décida de ne plus penser à la lettre qu'il devait écrire à Ina, et qu'il lui enverrait dans quelques jours. Elle attendrait bien cinq ou six jours, et même dix en comptant le temps qu'il faudrait pour arriver. Elle l'avait fait attendre pendant tout un mois, elle.

Ingham alla dire au revoir à OWL.

OWL était en train de laver ses palmes dans l'évier de la cuisine. Il les secoua proprement, comme une femme qui défroisse un torchon, et les posa à la verticale sur l'égouttoir. Elles évoquaient à la fois, dans l'esprit d'Ingham, les palmes du phoque et les pieds répugnants de leur propriétaire.

« Je m'en vais pour deux ou trois jours, déclara-t-il.

— Ah ! bon. Où ça ? »

Ingham le lui dit. Il ne parla pas de Jensen.

« Vous abandonnez votre bungalow ?

— Non. Je n'étais pas sûr de pouvoir le retrouver ensuite.

— Vous avez raison. Vous buvez quelque chose ?

— Une bière avec plaisir, si vous en avez.

— J'en ai six canettes, bien glacées, dit gaiement Adams en en prenant une dans son réfrigérateur. (Il se prépara un scotch.) Vous savez, j'ai découvert un petit quelque chose aujourd'hui, ajouta-t-il pendant qu'ils passaient dans le living-room. Je crois... je suis à peu près sur... (Il jeta un coup d'œil du côté des fenêtres, comme s'il se méfiait d'une indiscrétion, mais, à cause de la climatisation, tout était fermé, même les persiennes, sauf celles qui se trouvaient derrière le fauteuil d'Ingham, parce qu'il n'entrait pas de soleil par là.) Je sais qui c'était, le rôdeur de l'autre nuit. Abdullah. Le vieil Arabe qui marche avec une canne. Celui qui vous avait volé votre veste ou je ne sais quoi.

— Ah ! bon ? C'est un garçon qui vous l'a dit ?

— Non, j'en ai entendu parler en ville », déclara Adams, l'air content de lui, comme s'il appartenait aux services secrets et venait de déterrer un renseignement important.

Le cœur d'Ingham avait cessé de battre l'espace d'un instant. Il espérait ne pas être d'une pâleur trop visible; en tout cas, il se sentait blême.

« A la Plage, poursuivit Adams, j'ai surpris la conversation de deux Arabes accoudés au bar, qui parlaient d' « Abdull ». Des Abdullah, il y en a des quantités, mais j'ai vu le barman leur faire signe de se taire, à cause de moi. Ils savent que je suis descendu au *Reine*. J'en ai compris suffisamment pour savoir qu'il était « parti » ou qu'il avait « disparu ». J'aurais bien aimé les interroger, parce que ça m'avait rappelé quelque chose. Mais impossible de me mêler à leur conversation, évidemment. En tout cas, je me suis souvenu que j'avais aperçu Abdullah par ici le vendredi soir, devant le magasin de curiosités qui est à côté de l'hôtel. C'était en allant dîner à Hammamet, vers vingt heures. Comme je n'avais jamais vu ce type rôder par ici, ça m'a frappé. Et j'ai remarqué qu'il n'était pas en ville, ni hier ni aujourd'hui. Voilà trois fois que je vais à Hammamet ces jours-ci et il n'y est plus depuis vendredi. C'est *étrange*. »

Adams regarda Ingham, en inclinant légèrement la tête sur le côté. Il y eut un silence de quelques secondes.

« Mais est-ce que personne ne va signaler sa disparition ? demanda Ingham. La police ne va pas faire quelque chose ?

— Oh !... ses voisins s'apercevront peut-être qu'il n'est plus là. Je suppose qu'il dormait quelque part, avec cinq ou six autres personnes probablement. Je doute qu'il ait une femme ou une famille. Mais ses voisins iront-ils à la police ? (Adams réfléchit un instant.) Ça m'étonnerait. Ils sont fatalistes. *Mektoub !* Si Abdullah a disparu, c'est la volonté d'Allah ! Voilà ! Nous sommes loin du mode de vie américain, pas vrai ? »

LE lendemain matin, à l'heure dite, Jensen attendait sur le talus, à la sortie de sa ruelle, une valise marron à ses pieds. Il portait un pantalon en coton vert pâle, repassé de frais. Ingham s'arrêta de l'autre côté de la route, devant chez Mélik, et Jensen le rejoignit. Ingham l'aida à poser sa valise à l'arrière de la voiture. Malgré la présence de son sac à dos et de tout l'attirail qui y était accroché — réchaud et casseroles — la place ne manquait pas.

« Vous savez, Anders, vous devriez vous mettre en short, dit Ingham. Il va faire chaud, en voiture. Autant ménager ce joli pantalon. »

Il s'exprimait le plus gentiment possible car, il ne savait pourquoi, il craignait toujours de vexer Anders.

« Vous avez raison, dit Jensen, comme un petit garçon bien élevé qui veut plaire aux grandes personnes. Je vais aller me changer dans les lavabos de Mélik. »

Il ouvrit la valise, y prit un short coupé dans un vieux levis et gravit l'escalier du restaurant.

Ingham attendit, debout devant sa voiture, et alluma une cigarette.

Jensen revint au bout d'un moment. Il avait de longues jambes brunes couvertes de poils dorés. Il plia soigneusement son pantalon dans sa valise.

Ingham prit la route du bord de mer, en direction

du sud. Il faisait encore frais. La limpidité du ciel bleu et vide semblait promettre une récompense, des plaisirs à venir. Il leur fallut à peu près un quart d'heure pour arriver au village de Bou Ficha et autant pour atteindre Enfidaville, agglomération un peu plus importante. Jensen consulta la carte. La route était bonne jusqu'à Sousse. Ils ne s'y arrêtèrent même pas pour prendre un café, mais continuèrent en coupant par l'intérieur des terres, vers Sfax où ils comptaient déjeuner. Jensen débitait à toute vitesse des noms de villes :

« Ensuite Msaken... Bourdjine... Amphithéâtre ! Hé, non, ce n'est pas une ville, ça, c'est un monument. Il y en a un, romain sans doute.

— Je suis étonné, dit Ingham, qu'il reste si peu de vestiges des Romains, des Grecs, des Turcs et des autres. Carthage m'a déçu. Je croyais trouver quelque chose de plus grand.

— Oh ! tout a dû être pillé des centaines de fois », fit Jensen avec résignation.

A Sfax, où ils déjeunèrent dans un restaurant très convenable avec terrasse, Jensen fit une grosse impression à un gamin d'une douzaine d'années. En tout cas, ce fut ainsi qu'Ingham vit les choses. Il n'avait surpris aucun geste d'invite de la part de Jensen. Le gamin restait adossé à un poteau métallique, à deux ou trois mètres d'eux, et roulait de grands yeux noirs en souriant largement. Enfin, il adressa la parole à Jensen, qui lui répondit dans un murmure, sur un ton lassé, quelques mots en arabe. Le gamin pouffa.

« Je lui ai demandé si j'avais une tête à avoir un millime dans mon portefeuille, expliqua Jensen. Allez, file. »

Ingham éclata de rire. Le gamin était assez beau, mais sale.

« Ils ne vous embêtent pas, vous ? » s'enquit Jensen.

Ingham s'était fait aborder une fois, à Tunis, mais il répondit :

« Jusqu'à présent, non.

— Quels petits crampons ! » fit Jensen, comme s'il parlait d'un vice pas bien méchant dont il était affligé et n'arrivait pas à se débarrasser.

Ingham pensa que Jensen trouverait peut-être un ou deux garçons pendant ce voyage. Il se dit que cela lui remonterait sans doute le moral.

« Ils demandent combien, d'habitude ?

— Oh ! (Jensen rit.) On peut les avoir pour un paquet de cigarettes. Ou même un demi-paquet. »

Il était à peine dix-huit heures quand ils arrivèrent à Gabès, après une étape sur la côte, à Cekhira, pour nager. Ils prirent ce bain au moment le plus chaud de l'après-midi, peu après quinze heures. Dans la voiture, qui venait de traverser en cahotant une étendue de terrain sablonneux pour arriver jusqu'à la plage, il faisait déjà une chaleur infernale et, quand ils en descendirent, ils eurent l'impression de passer d'un four brûlant à un autre, plus chaud encore et plus grand. Ingham enfila son maillot de bain le plus rapidement possible, debout derrière la voiture. Il n'y avait pas un être vivant en vue. Qui aurait pu supporter une chaleur pareille ? Ils coururent vers la mer et plongèrent dedans. Ingham trouva l'eau rafraîchissante, encore qu'elle ne fût pas assez froide au goût de Jensen. Celui-ci nageait à merveille et il pouvait rester si longtemps sous l'eau qu'à un moment Ingham s'inquiéta; il se baignait en short. Quand ils regagnèrent la voiture, les poignées des portières étaient trop brûlantes pour qu'on pût les toucher à main nue. Ingham dut ôter son maillot et s'en servir pour les agripper. Dans la voiture, Jensen, qui avait gardé son short mouillé, s'assit sur une serviette.

155

A Gabès, Ingham vit pour la première fois le désert, qui s'étalait derrière la ville en direction de l'ouest, plat et jaune orangé dans la lumière du soleil couchant. Quoique l'agglomération fût importante, les bâtiments n'étaient pas serrés les uns contre les autres comme à Sousse ou à Sfax. Il y avait des espaces vides à travers lesquels on apercevait au loin des palmiers aux frondes agitées par la brise. Il n'y faisait pas aussi chaud qu'Ingham ne l'avait craint. Ils trouvèrent un hôtel de deuxième classe, assez respectable cependant pour être indiqué dans le *Guide Bleu*. Jensen se montrait assez chatouilleux en ce qui concernait le partage des frais et Ingham ne voulait pas l'engager dans des dépenses excessives. Ce qui serait drôle, pensait-il, ce serait qu'en réalité Jensen fût tout à fait à son aise et eût simplement décidé de vivre à la dure pendant quelque temps. Ce qui pouvait aller, supposait-il, jusqu'à l'achat au départ, d'une valise marron à bon marché, laquelle aurait, au bout d'un laps de temps assez long, à peu près la même allure que celle de Jensen. Quoi qu'il en fût, d'ailleurs, Ingham s'en moquait. Jensen était pour lui un bon compagnon de route, qui ne se plaignait de rien, s'intéressait à tout et acceptait tout ce qu'on lui proposait.

Seule la chambre d'Ingham était équipée d'un w.-c. et d'une douche. Jensen vint prendre la sienne chez lui. Ensuite ils allèrent se promener dans la ville. Ici aussi, on vendait du jasmin dans la rue. Cette odeur douceâtre était devenue, pour Ingham, l'odeur même de la Tunisie — son maquillage, en tout cas — tout comme certains parfums évoquaient pour lui certaines femmes. *Le Dandy*, dans le cas de Lotte. Quant à Ina, il ne se rappelait plus le nom du sien, quoiqu'il lui en eût acheté une ou deux fois à New York. Son odeur lui échappait complètement. La mémoire olfactive était peut-être primitive et antérieure aux mots, capable de remonter très loin dans le passé, mais, apparemment, on ne pouvait pas se rappeler une odeur aussi facilement qu'un mot ou que le passage d'un poème.

Ils entrèrent dans un bar. Encore la *boukhah*. Ensuite, Ingham commanda un scotch. Le transistor posé sur une étagère, quoique minuscule, vociférait au point de rendre la conversation difficile. La musique gémissante déroulait ses volutes comme si elle ne devait jamais finir, ponctuée de temps à autre par une voix de chanteur ou de chanteuse : impossible de le savoir. Quand cette voix se taisait, les accords métalliques et insinuants des instruments à cordes prenaient le relais comme pour la soutenir par une exclamation bien sentie : « *Ouais, c'est bien ce que je disais depuis le début !* » Mais de *quoi* se plaignaient-ils ? Ingham avait envie de rire.

« Seigneur ! » dit-il à Jensen, en secouant la tête.

Jensen lui répondit par un petit sourire; il semblait capable d'exclure le bruit.

Leurs pieds baignaient dans un mélange de mégots, de sciure et de crachats.

« Allons ailleurs », dit Ingham.

Jensen était d'accord.

Ils finirent par trouver un restaurant pour dîner. Ingham n'arriva pas à manger son calamar, ou autre plat du même genre, qu'il avait commandé à la suite d'une erreur de vocabulaire, mais il eut tout au moins la satisfaction d'en faire don à un chat reconnaissant.

Le lendemain matin ils payèrent leur note et demandèrent au gérant de l'hôtel si l'on pouvait se procurer des chameaux.

« Ah ! mais bien sûr, messieurs. »

Le gérant leur indiqua des prix. Il connaissait un chamelier, et savait où le trouver.

Ils partirent avec leurs valises à la recherche des chameliers. Cela leur prit un certain temps, parce que Jensen décida d'attendre l'un d'entre eux, qui devait rentrer vers dix heures ou dix heures et demie, d'après les autres. Les chameliers, croisant leurs sandales pointues, s'adossaient nonchalamment au corps arrondi de leurs chameaux couchés sur le sable, les pattes rentrées comme les chats. Les animaux avaient l'air plus intelligents que leurs maîtres, pensa Ingham. Leurs traits révélaient une intelligence troublante, une sagesse sans rapport aucun avec celle que l'on pouvait acquérir à l'école. Tous les chameaux les regardaient, Jensen et lui, avec une curiosité amusée, comme pour dire : « Tiens, voilà encore deux gogos ! » Il eut vaguement honte de cette pensée si peu romantique.

Le chamelier attendu arriva sur un animal; il en traînait trois autres derrière lui. Jensen conclut l'affaire : six dinars par tête jusqu'au lendemain matin.

« Ils font toujours tout un plat de ce que les chameaux coûtent à nourrir, expliqua-t-il à Ingham, mais ce n'est pas tellement cher, en fin de compte. »

Ingham n'était pas monté sur un chameau depuis une certaine visite au zoo quand il était enfant. Il redoutait assez le roulis et tâchait de se préparer à une chute possible — de près de trois mètres sur le sol — afin de ne pas se faire trop de mal si cela lui arrivait. Au bout de quelques centaines de mètres, il se dit que ce n'était finalement pas si terrible, mais le mouvement ondulatoire imposé par la démarche du chameau lui donnait l'impression d'être un peu ridicule. Il aurait préféré galoper, penché en avant comme Lawrence d'Arabie.

« Hé, Anders, hurla-t-il, où allons-nous ?

— A Chenini. C'est la petite ville que nous avons repérée hier soir sur la carte. »

Jensen montait devant.

« Est-ce que ce n'est pas à dix kilomètres ?

— Je crois que si. (Jensen parla au guide, qui allait le premier, et se retourna vers Ingham.) On ne peut pas marcher toute la journée dans le désert, vous savez. Il faudra nous abriter quelque part de 11 à 16. »

Le désert s'élargissait autour d'eux.

« Où ça ? demanda Ingham sans inquiétude.

— Oh ! il n'y a qu'à lui faire confiance. Il se dirige sûrement en droite ligne vers un abri. »

C'était vrai, mais il allait être midi quand ils arrivèrent dans un petit hameau — quelques maisons groupées en plein désert — et Ingham fut heureux de s'arrêter. Il s'était couvert la tête d'un mouchoir. Jensen portait une vieille casquette de toile. Le hameau avait un nom, mais Ingham l'oublia dès qu'il l'eut appris. Il y avait un restaurant-épicerie où l'on vendait du Pepsi-Cola rangé dans une glacière, mais celle-ci ne contenait pas de glace, seulement de l'eau tiède. Le déjeuner se composa de pois chiches et de saucisses immangeables. Jensen et Ingham mangèrent devant une minuscule table ronde; leurs chaises métalliques s'enfonçaient obliquement dans le sable. Ingham n'arrivait pas à imaginer pourquoi ni comment des gens vivaient ici, encore qu'il y eût une espèce de route, une ombre de piste utilisable sans doute par une jeep ou une land-rover, qui reliait le hameau au reste du monde. Après le déjeuner, ils burent de la *boukhah*. Jensen en avait ramassé une bouteille quelque part. Il ne leur restait plus qu'à dormir pendant une heure ou deux, déclara-t-il.

« A moins que vous n'ayez envie de lire. Je vais peut-être faire un dessin. »

Il alla chercher son carnet de croquis dans sa valise.

Il y eut encore deux autres haltes au cours de la

journée. Jensen eut une véritable conversation avec le chamelier, sur la question de l'endroit où ils passeraient la nuit, dit-il à Ingham. L'autre connaissait un bouquet de palmiers, qui n'était d'ailleurs pas une oasis. Ils y arrivèrent juste avant dix-neuf heures. Le soleil venait de se coucher. L'horizon était orange, le paysage vide, mais le vieux carton et les boîtes de conserves qui traînaient sous les arbres indiquaient qu'il s'agissait là d'un coin où les chameliers aimaient à conduire leurs clients. Ingham n'était pas difficile. Il trouvait tout ça merveilleux. Vénus brillait dans le ciel.

Jensen avait acheté des haricots en boîte et des sardines le matin, en allant de l'hôtel à l'endroit où se réunissaient les chameliers. Ingham aurait volontiers mangé ce repas froid, mais Jensen installa son réchaud. Il invita le chamelier, qui refusa poliment et sortit d'on ne savait où sa propre nourriture. Il ne voulut pas non plus accepter la *boukhah*.

Avant de manger, le chamelier se pencha dans la lumière déclinante sur un petit livre.

Jensen jeta un coup d'œil de son côté et dit à Ingham :

« Il faut de l'imagination pour savourer un verre d'alcool. C'est sûrement le Coran qu'il est en train de lire. Vous savez, ou bien ils boivent comme des dingues, ou bien ils pratiquent avec fureur la... comment dites-vous ça ?

— La tempérance. Il ne fraternise pas, hein ?

— Il se dit peut-être qu'il ne peut pas me rouler parce que je parle un peu l'arabe. Mais j'ai surtout l'impression qu'il est triste à cause de quelque chose que j'ignore.

— Vous croyez ? »

Ingham pensait que l'état d'esprit des Arabes ne variait guère d'un jour à l'autre, qu'aucun événement extérieur ne les affectait beaucoup. Après le dîner, pris dans la même casserole et mangé à la cuillère, Jensen et Ingham s'allongèrent sur leurs couvertures, face à la direction dans laquelle le soleil s'était couché, et fumèrent une cigarette. Ils avaient placé entre eux la bouteille de *boukhah* en l'enfonçant dans le sable pour l'empêcher de tomber. Ingham buvait surtout de l'eau, à la cantine de Jensen. Les étoiles se montraient, de plus en plus nombreuses, et leur profusion même les transformait en poussière d'or. Il n'y avait pas d'autre bruit que celui du vent, qui agitait quelquefois les feuilles des palmiers.

Au moment où il s'apprêtait à parler, Ingham vit une étoile filante. Elle parcourut une longue trajectoire dans le ciel : une vingtaine de centimètres, pensa-t-il, si le ciel avait été un tableau placé assez près d'eux.

« Vous vous rappelez ma première visite chez vous, il y a trois semaines environ ? dit-il. En regagnant la grand-route, je suis tombé sur un cadavre. Dans la ruelle, après le tournant. Il était couché par terre.

— Non ! » fit Jensen, sans grande surprise.

Ingham parlait à voix basse.

« J'ai trébuché sur lui. Alors j'ai craqué une allumette. Il avait la gorge tranchée. Il était déjà froid. Vous n'en avez pas entendu parler, ensuite ?

— Non, pas du tout.

— Qu'est-ce qu'il est devenu, ce cadavre, à votre avis ? Il a bien fallu que quelqu'un le transporte ailleurs. »

Jensen but une gorgée au goulot de la bouteille.

« Oh ! Je suppose qu'on a commencé par l'envelopper dans une couverture pour le cacher. Ensuite, on l'aura hissé sur un âne et enterré quelque part dans le sable. S'il y avait une raison de tenir sa mort secrète, bien sûr, ce qui est généralement le cas quand un homme a été assassiné. Excusez-moi un instant. »

Jensen se leva et disparut sous les palmiers. Ingham enfouit sa tête dans ses bras. Le chamelier s'était installé sous un tas d'étoffes, à côté d'une de ses bêtes, et dormait peut-être à présent. Il ne pouvait pas entendre et d'ailleurs il ne comprenait probablement pas l'anglais, mais Ingham le trouvait encore trop près pour son goût. En voyant Jensen revenir, il se leva.

« Allons faire une petite promenade », dit-il.

Jensen prit sa lampe électrique. Il faisait très noir quand ils s'éloignèrent du réchaud. Le rayon de la lampe dansait sur les rides irrégulières du sable, devant eux. Dans son imagination, Ingham transforma ces rides en montagnes, hautes de plusieurs centaines de mètres, puis Jensen et lui en géants qui marchaient sur la lune; ou alors ils gardaient leur taille réelle et déambulaient sur une nouvelle planète peuplée de minuscules êtres pour lesquels ces rides étaient des montagnes. Ils allaient à pas lents, et ils se retournèrent d'un même mouvement pour voir à quelle distance des palmiers ils se trouvaient. Les arbres n'étaient plus visibles, mais le réchaud luisait comme une étincelle.

Ingham prit son courage à deux mains.

« J'ai failli me faire cambrioler dans mon bungalow, il y a quelques jours.

— Ah ! oui ? Qu'est-ce qui s'est passé ?

— Je dormais et je me suis réveillé en entendant la porte s'ouvrir. J'avais oublié de fermer à clef. Quelqu'un est entré. J'ai pris ma machine à écrire et je la lui ai jetée à la tête, de toutes mes forces. Je l'ai atteint en plein front. (Ingham s'arrêta, et Jensen aussi. Ils se regardaient sans se voir. Jensen braquait sa lampe sur leurs pieds.) Ce qu'il y a, c'est que... je me demande si je ne l'ai pas tué. Je crois qu'il s'agissait d'Abdullah. Vous savez, ce vieux type en turban et pantalon rouge. Celui qui m'avait volé quelque chose dans ma voiture.

— Oui, je vois, dit Jensen avec attention, comme s'il attendait la suite.

— Je... j'étais allé me poster derrière ma table, voyez-vous, en l'entendant entrer. J'ai saisi le premier objet qui m'est tombé sous la main, ma machine à écrire. Il a poussé un hurlement et il s'est écroulé. J'ai couru fermer la porte. Au bout d'une minute ou deux, les garçons de l'hôtel sont venus le chercher. (Il marqua une pause, plus longue. Jensen ne disait rien.) Le lendemain, j'ai interrogé l'un d'eux, Mokta. Il m'a dit qu'il n'était au courant de rien, ce qui est faux, je le sais. Moi, je crois que l'Arabe était mort et qu'ils l'ont emporté quelque part pour l'enterrer. En tout cas, je n'ai pas revu Abdullah depuis. »

Jensen haussa les épaules. Ingham devina le geste sans le voir réellement.

« Il se refait peut-être une santé quelque part. (Jensen eut un petit rire.) Ça date de quand ?

— De la nuit du 14 au 15 juillet. Un vendredi. Il y a onze jours. Je voudrais bien être sûr, voyez-vous. Il a pris un rude coup sur le front. Le châssis de ma machine était enfoncé. C'est pour ça qu'elle est en réparation.

— Ah ! voilà. »

Jensen pouffa.

« Et vous, vous avez vu Abdullah, récemment ?

— Je n'y ai pas fait attention. Vous savez, il ne se risque pas dans ma rue, tellement il est haï par les gens qui l'habitent.

— C'est vrai ? dit faiblement Ingham. (Il se rendit compte qu'il n'appréciait pas tellement ce renseignement. Il ne se sentait pas très solide sur ses jambes.) Retournons là-bas. Il y a un autre détail qui me fait penser qu'il s'agissait bien d'Abdullah. Ce soir-là, je l'ai vu rôder près de l'hôtel vers dix-huit heures. Et Adams aussi m'a dit qu'il l'avait aperçu devant le magasin de curiosité, sur la route. Le même jour. »

Ingham savait que ces précisions barbaient Jensen, mais il ne pouvait pas s'empêcher de les lui donner.

« Vous avez raconté ça à Adams ? demanda Jensen, et Ingham devina qu'il souriait.

— Non, je lui ai menti.

— Comment ça ?

— Eh bien... Adams sait que c'était Abdullah. Il le sait depuis deux ou trois jours, grâce à une conversation qu'il a entendue au café de la Plage. Des Arabes parlaient de lui en disant qu'il avait disparu ou je ne sais quoi. Et puis, il y a eu ce hurlement dans la nuit. Et un des garçons lui a raconté qu'on avait surpris un rôdeur sur ma terrasse.

— Mais qu'est-ce que vous lui avez dit comme mensonge ?

— Que j'avais entendu un hurlement, mais que je n'étais au courant de rien. Je ne lui ai même pas avoué que j'avais quitté mon lit.

— Vous avez bien fait », déclara Jensen en s'arrêtant pour allumer une cigarette.

Ingham aurait voulu lui demander : *Que va-t-il se passer, à votre avis, s'il est mort ?* Il préféra le laisser prendre la parole le premier.

Jensen resta si longtemps silencieux qu'Ingham crut un instant qu'il n'allait rien dire, ou qu'il pensait à quelque chose d'autre... peut-être parce qu'il trouvait l'histoire trop banale pour s'y intéresser.

« Si j'étais à votre place, je n'y penserais plus, déclara-t-il enfin. On ne pourra jamais savoir ce qui s'est passé. »

C'était vaguement réconfortant. Ingham se rendit compte qu'il avait grand besoin d'être rassuré.

« J'espère que vous l'avez eu, dit Jensen d'une voix lente. C'était une ordure, cet Arabe-là. Ça me ferait plaisir de penser que vous l'avez tué. Ça compenserait un peu ce qui est arrivé à mon chien... un peu seulement. Cet Abdullah ne valait pas mon chien. »

Ingham se sentit subitement beaucoup mieux.

« C'est vrai. »

Ils se recouchèrent, à plat ventre, le visage caché dans les manches de leurs chandails pour avoir plus chaud. Jensen avait éteint la flamme du réchaud.

ILs ne rentrèrent à Hammamet que le vendredi 28 juillet. Ils avaient visité la ville de Medinine et l'île de Djerba. Ils avaient passé une nuit « à la dure » dans un petit village sans hôtel, dormi dans une pièce au-dessus du restaurant où ils venaient de dîner. Ingham, comme Jensen, ne s'était rasé qu'un jour sur deux. A Metouia, vieille ville proche de Gabès où ils s'arrêtèrent au retour pour prendre un café, Jensen trouva un garçon de quatorze ans qui lui plut et s'éloigna avec lui, après avoir demandé à Ingham s'il voulait bien l'attendre un instant. Il revint au bout de dix minutes seulement, le sourire aux lèvres, avec un petit tapis de laine à motif noir et rouge. Il raconta à Ingham que le garçon l'avait amené chez lui, mais qu'il n'y était guère possible de s'isoler, qu'il l'avait forcé à accepter cinq cents millimes et que le gamin avait volé le tapis derrière le dos de sa mère pour lui faire un cadeau, lui aussi. Ce tapis était, paraît-il, l'œuvre de sa mère, mais le boutiquier à qui elle les vendait ne les lui payait pas cinq cents millimes. « C'est un gentil garçon, dit Jensen. Je suis sûr qu'il aura donné l'argent à sa mère. » Il gardait un souvenir agréable de cette histoire. Qu'avait pensé cette femme en le voyant entrer chez elle avec son fils ?

166

Mais est-ce que cela n'arrivait pas deux ou trois fois par jour ? Et d'ailleurs, quelle importance ?

Quand Ingham rouvrit la porte de son bungalow, tout ce bleu et ce blanc impeccable lui parut avoir sa personnalité propre; on eût dit que les meubles se tenaient sur leurs gardes, qu'ils lui réservaient des surprises déplaisantes. Absurde, se dit-il. Il n'avait tout simplement rien vu de confortable depuis cinq grands jours. Mais son antipathie pour le bungalow persista. Il y avait cinq ou six enveloppes, dont deux seulement l'intéressaient : un contrat de son agent pour une édition norvégienne du *Jeu des « Si »*, et une lettre d'un ami de New York, Reggie Muldaven. Reggie, journaliste à la pige, marié, père d'une petite fille, travaillait à un roman. Il demandait à Ingham combien de temps il comptait rester en Tunisie et ce qu'il y faisait depuis le suicide de Castlewood. *Comment va Ina ? Je ne l'ai pas vue depuis près d'un mois, et encore ce jour-là je n'ai fait que l'apercevoir dans un restaurant...* Pourtant, Reggie connaissait bien Ina, suffisamment en tout cas pour lui téléphoner et bavarder avec elle. Ingham aurait pu jurer que, s'il n'en disait pas davantage, c'était uniquement par délicatesse. Que ses amis et lui étaient au courant des relations de John et d'Ina. Les gens voulaient toujours connaître les raisons d'un suicide et ils n'arrêtaient pas de poser des questions avant de les apprendre.

Ingham défit ses bagages, prit une douche et se rasa. Il se mouvait avec lenteur, en pensant à autre chose. Il devait passer prendre Jensen à vingt heures, pour dîner avec lui dans la salle à manger de l'hôtel. Il était dix-huit heures trente.

Il se rappela la réponse qu'Ina attendait toujours. Une fois rhabillé, il s'assit et se mit à écrire, non qu'il en éprouvât l'envie, mais parce qu'il ne voulait pas sentir cette obligation peser plus longtemps sur lui.

28 juillet 19..

Chère Ina,

Oui, ta lettre a été une surprise pour moi. Je ne me doutais pas que les choses étaient allées si loin, dirons-nous. Mais je ne t'en tiens pas rigueur. Ma machine étant en réparation, je n'écris pas avec autant d'aisance que d'habitude.

Je ne vois pas pourquoi nous cesserions de nous rencontrer si nous le désirons tous les deux. Et, en me mettant à ta place, je comprends que j'aie pu te paraître tiède. J'ai agi avec prudence, c'est certain. J'ai un passé, tu le connais, et il ne m'a pas été facile de m'en débarrasser : je parle des dix-huit mois qui se sont écoulés jusqu'au moment où je t'ai rencontrée et où je me suis mis à t'aimer. Ce qui date de quand ? D'un an à peu près. Quand je pense aux vingt mois qui ont passé depuis mon divorce, j'ai l'impression d'avoir vécu un long cauchemar sans sommeil (j'ai souffert d'insomnies pendant près d'un an, tu le sais, et même après t'avoir connue), mais je tremble à la pensée de ce que cela aurait été si je ne t'avais pas eue. Tu m'as ramené parmi les vivants, tu m'as remonté le moral, mieux que je ne saurais le dire. Tu m'as fait comprendre que je pouvais encore compter dans la vie de quelqu'un et que quelqu'un pouvait encore compter pour moi. Je t'en serai toujours reconnaissant. Peut-être même m'as-tu sauvé la vie, qui sait, car, tout en restant capable de travailler, je me laissais glisser mentalement, je maigrissais et cætera. Combien de temps aurais-je pu tenir le coup ?

Ce n'était pas mal, se dit Ingham, et en tout cas c'était sincère. Il continua :

168

Je rentre tout juste d'un voyage de cinq jours en voiture dans le Sud. Gabès (oasis), excursions à dos de chameau, île de Djerba. Le désert et encore le désert. Il a une influence sur la pensée des hommes. Je crois qu'il les aide à voir les choses plus clairement, ou de moins près. Plus simplement, peut-être. Ne prenons pas cette histoire trop au sérieux. Je ne veux pas que tu te sentes coupable à cause de ce qui est arrivé. Pardonne-moi, mais l'autre soir je riais en me disant : « John a sacrifié son amour pour Ina sur l'autel du lit d'Howard. » Je ne sais pas pourquoi, cette phrase me donnait envie de rire aux éclats.

Il fut interrompu par un coup frappé à la porte. C'était OWL.

« Tiens, bonjour ! dit Ingham, avec autant de cordialité qu'OWL en mettait d'habitude à le saluer.

— Bonjour ! Depuis quand êtes-vous rentré ? J'ai vu votre voiture.

— Depuis dix-sept heures. Venez boire un verre.

— Non, vous êtes en train de travailler.

— J'écris seulement une lettre. (Ingham persuada Adams d'entrer et se rappela aussitôt après l'absence de sa machine.) Asseyez-vous quelque part. N'importe où. »

Il passa dans la cuisine. Heureusement le réfrigérateur n'était pas débranché et il y avait de la glace.

« De quel côté êtes-vous allé ? » demanda Adams.

Ingham le lui dit, lui raconta leur nuit glaciale dans le désert, quand ils s'étaient levés à cinq heures du matin pour se réchauffer en tapant des pieds.

« A propos, j'étais avec Anders Jensen, le Danois.

— Ah ! oui ? Il est bien, ce type ? »

Ingham ne savait pas ce qu'Adams entendait par « bien ». Il voulait peut-être parler, entre autres, des idées politiques de Jensen.

« C'est un bon compagnon de voyage. Il n'a toujours pas retrouvé son chien. Il est sûr que les Arabes l'ont tué et ça le rend un peu amer. Je ne peux pas l'en blâmer. »

Il était dix-neuf heures trente. Ingham remplit le verre d'Adams, puis le sien.

« Je retrouve Anders à vingt heures et nous dînons ensemble à l'hôtel. Vous voulez vous joindre à nous, Francis ? »

Le visage de OWL s'éclaira :

« Oui, merci, avec plaisir. »

Ingham et Jensen rejoignirent Adams au bar de l'hôtel peu après vingt heures. Ils prirent un scotch. Ingham remarqua que la caisse indiquait un chiffre inquiétant : 480,00. Un coup de poing du barman et le chiffre passa à 850,00. Il se pencha et vit que la caisse avait été fabriquée à Chicago. Elle enregistrait en millimes et l'on avait ôté le signe qui représentait les dollars.

Jensen et OWL bavardèrent agréablement. Ingham avait demandé à Jensen si tout était en ordre chez lui, et Jensen avait répondu que oui, à cela près qu'il restait toujours sans nouvelles de son chien. Il en avait parlé à ses voisins arabes, avec lesquels il était en bons termes.

Jensen dévorait, encore qu'il se tînt parfaitement à table, même dans cette atmosphère-là. Ils prirent du *kebab* tunisien : des rognons en brochettes. Ingham commanda une seconde bouteille de rosé. La Française blonde était toujours là avec son petit garçon, mais toutes les autres têtes avaient changé depuis son dernier passage dans cette salle à manger.

« Toujours pas trace d'Abdullah, dit Adams à Ingham, en profitant d'un trou dans la conversation.

— Eh bien, *tant mieux*, fit Jensen avec fermeté.

— Ah ! vous êtes au courant ? » s'enquit Adams.

Ingham et Jensen se faisaient face. Adams était assis entre eux, à un bout de la table, et sa présence gênait un peu les garçons.

« Howard m'a raconté l'histoire », dit Jensen.

Ingham bougea sur sa chaise et lui envoya délibérément un coup de pied sous la table, mais, comme Adams leva rapidement les yeux vers lui à ce moment-là, il se demanda s'il ne l'avait pas frappé, lui, à la place.

« Oui, vous savez que ça s'est passé juste devant le bungalow de Howard, déclara Adams à l'adresse de Jensen. Moi, je crois que ce type s'est fait tuer. »

Jensen eut un coup d'œil amusé pour Ingham.

« Et alors ? Ça fait un voleur de moins. Il y en a encore autant qu'on en veut dans la ville.

— Heu... (Adams voulut se montrer beau joueur et tenta de sourire.) C'était quand même un être humain. On ne peut pas...

— Ça, c'est à voir, dit Jensen. Quelle est la qualité qui fait de quelqu'un un être humain ? Le fait de marcher sur deux jambes et non sur quatre pattes ?

— Il n'y a pas que ça, dit Adams. Et le cerveau ?

— Je crois, répondit calmement Jensen en se beurrant encore une tartine, qu'Abdullah se servait exclusivement du sien pour trouver le moyen de mettre la main sur ce qui ne lui appartenait pas. »

Adams parvint à s'arracher un gloussement.

« Ce n'est pas ça qui l'empêchait d'être humain !

— Vous trouvez ? Moi pas.

— Si nous partions de cette optique-là, nous pourrions tuer tous ceux qui nous embêtent, dit Adams. Ce n'est quand même pas à recommander.

— Ce qu'il y a de bien, c'est que la plupart du temps ils se font tuer tout seuls, d'une manière ou d'une autre. Savez-vous qu'Abdullah ne pouvait même pas entrer dans la petite rue où j'habite ? Les Arabes le chassaient à coups de pierre. C'est une perte, à votre avis, cette espèce de tas de haillons ambulant, ce... (Jensen ne trouva pas le mot qu'il cherchait.) Merde », dit-il enfin.

D'un coup d'œil, Ingham voulut faire comprendre à Jensen qu'il ne fallait quand même pas aller trop loin. Jensen, bien entendu, en avait parfaitement conscience, mais Ingham sentait pratiquement son sang bouillir de l'autre côté de la table.

« *Tous* les hommes sont perfectibles, à condition qu'on leur indique une nouvelle façon de vivre, déclara OWL.

— Excusez-moi, mais je crois que je ne verrai pas ça de mon vivant, dit Jensen, et tant que je suis sur terre, je préfère me fier à mes propres yeux, à ma propre expérience. Quand je suis arrivé ici, il y a environ un an, j'avais tout une garde-robe. Des valises, des boutons de manchettes, un beau chevalet. Je louais une maison particulière à Sidi Bou Saïd, ce petit village si pittoresque, immaculé avec ses bâtiments bleu et blanc (Jensen accompagna ses paroles d'un mouvement poétique de la main), célèbre pour ses cages à oiseaux délicatement ouvragées, pour ses cafés où il est impossible de se procurer un verre d'alcool même en vendant son âme : une ville où on ne peut pas acheter une bouteille de vin dans un magasin. Eh bien, ils m'ont complètement nettoyé là-bas, ils ont même emporté un tas de meubles qui appartenaient à mon propriétaire. Ils m'ont volé toutes mes toiles. Je me demande bien ce qu'ils en ont fait. Après ça, j'ai décidé de vivre en beatnik : je me suis dit qu'en agissant ainsi je ne me ferais peut-être plus cambrioler.

— Oh ! quel dommage ! dit Adams avec sympathie. Votre chien... il ne gardait pas la maison ?

— Hasso était à l'époque chez un vétérinaire de Tunis. Quelqu'un lui avait jeté de l'eau bouillante sur le dos. Il souffrait beaucoup et je voulais m'assurer que ses poils repousseraient... Oh ! non, je ne crois pas que ces poules mouillées se seraient introduites chez moi en présence de Hasso. Ils savaient qu'il était parti pour quelques jours.

— Mon Dieu ! » fit Ingham.

Cette histoire le déprimait. Inutile, sans doute, de demander à Jensen s'il avait découvert l'identité de son voleur. On ne l'apprenait jamais.

« On ne peut pas se battre contre la marée ni la changer, dit Jensen avec un soupir. Il faut renoncer, se laisser porter par le flot. Et pourtant je suis assez humain — oui, assez *humain* — pour me réjouir quand j'apprends qu'un de ces types a reçu la monnaie de sa pièce. C'est d'Abdullah que je parle. »

OWL avait l'air un peu abattu.

« Oui. Enfin, il a peut-être effectivement été achevé par les garçons de l'hôtel. Mais (coup d'œil en direction d'Ingham) ils ne se sont levés ce soir-là qu'après avoir entendu le hurlement. Je crois qu'on lui a porté un coup, j'ignore avec quoi, et que ce coup lui a été fatal. »

A présent, ce n'était plus une bosse, mais un coup. Une stupide envie de rire, due peut-être à la tension, obligea Ingham à serrer les dents.

« Qui sait s'il ne s'est pas fait poignarder par un de ses compatriotes ? suggéra Jensen avec un petit rire. Ils étaient peut-être à deux sur le même bungalow ! »

Il s'assit de biais sur sa chaise, passa un bras par-dessus le dossier et pouffa de rire. Il regardait Adams.

Adams parut surpris.

« Qu'est-ce que vous savez là-dessus ? Vous êtes au courant de quelque chose ?

— Si c'était le cas, je crois que je ne vous le dirais pas, répliqua Jensen. Et savez-vous pourquoi ? Parce que ça n'a-aucune-importance. (Tout en prononçant ces deux derniers mots, il tassait sa cigarette sur la table. Puis il l'alluma.) Nous sommes là à nous interroger sur la mort d'Abdullah comme si c'était le président Kennedy. Il n'est pas intéressant à ce point, selon moi. »

Adams se tut, mais Ingham sentit que c'était là un silence plein de rancœur. Jensen rêvait, l'air sombre, et ne parlait que par monosyllabes, quand il ne restait pas absorbé dans ses songes. Ingham regrettait qu'il eût donné à ses griefs personnels l'apparence d'un ressentiment dirigé contre Adams. Et il se doutait que ce dernier le soupçonnait d'en avoir raconté à Jensen, au sujet de cette nuit, plus qu'à lui-même. En outre, Adams savait qu'Ingham approuvait en gros les idées de Jensen sur l'existence, et ces idées ne correspondaient guère à sa propre nature.

Ils partirent pour la Plage dans la voiture d'Ingham. Celui-ci avait cru qu'Adams préférerait leur dire bonsoir en quittant la salle à manger du *Reine*, mais il n'en avait rien fait. Ce fut au tour de Jensen d'offrir à boire.

« Il est bien amer, ce jeune homme. Quel dommage que tous ces ennuis lui soient arrivés ! » dit Adams pendant que Jensen commandait les consommations au bar.

Ils s'assirent autour d'une table. Comme d'habitude, la conversation était difficile. Le vin et la bière faisaient parfois exploser autour d'eux des cris et des rugissements stupéfiants.

« Je suis sûr qu'il reprendra le dessus, quand il sera rentré au Danemark. »

Ingham s'était dit que Jensen inviterait peut-être Adams à venir regarder ses tableaux chez lui, mais il ne le fit pas. Adams aurait accepté, il en était sûr. Ils partirent après une seule tournée.

« A bientôt ! dit Ingham à Jensen sur la route.

— D'accord. Merci beaucoup pour le dîner. Bonsoir, Francis.

— Bonsoir, bonsoir », fit Adams.

Silence pendant le trajet du retour. Ingham sentait tourner les rouages du cerveau d'Adams. Il se gara près du bungalow de ce dernier. Adams lui demanda s'il voulait entrer pour prendre un dernier verre.

« Non merci. Je suis un peu fatigué ce soir.

— J'aimerais bien avoir une petite conversation avec vous. »

Ingham le suivit. Le bureau des bungalows était calme et plongé dans l'ombre. La porte de service, qui donnait dans la cuisine, restait ouverte pour laisser entrer l'air frais. Les garçons dormaient, à dix ou douze, dans la pièce voisine, sur la gauche. Ingham refusa le verre mais s'assit, au bord du sofa cette fois, les coudes sur les genoux. Adams alluma une cigarette et se mit à faire lentement les cent pas.

« Excusez-moi, mais j'ai l'impression que vous ne m'avez pas dit toute la vérité à propos de cette nuit. Si vous m'en voulez de vous poser cette question, tant pis, j'en serai désolé. (Il sourit, mais ce n'était pas son bon sourire habituel.) J'ai été sincère avec vous au sujet de mes émissions, vous savez. Personne d'autre que vous n'est au courant, en Tunisie. Si je vous l'ai dit, c'est parce que vous êtes un écrivain, un intellectuel et un honnête homme. »

Il inclina la tête sur le côté pour donner plus de poids à ses paroles. Ingham détestait se faire traiter d'intellectuel. Il garda le silence : trop longtemps, il le sentit.

« Tout d'abord, dit Adams avec une infinie douceur, il est étrange que vous n'ayez pas ouvert votre porte ou tout au moins écouté cette nuit-là, après avoir entendu le cri. Et comme ça se passait sur votre terrasse... que voulez-vous que j'en pense ? »

Ingham se laissa aller en arrière sur le sofa. Il disposait d'un coussin confortable pour s'y adosser, mais il ne se sentait pas à son aide. Il avait l'impression de livrer un duel stupide. Ce qu'Adams disait était vrai. Il ne pouvait pas continuer à mentir sans que cela devînt par trop visible. Que n'aurait-il pas donné pour se retrancher, même provisoirement, derrière une espèce d'immunité diplomatique, pour remettre sa réponse au lendemain ! Ce qui l'ennuyait fort, c'était que l'importance de ce qu'il pouvait dire lui échappait. Par exemple, s'il avouait la vérité, Adams irait-il trouver la police ? Et qu'arriverait-il ensuite ?

« Je ne vous en veux pas de m'interroger, commença-t-il. (Mais rien n'était plus faux, comme il s'en aperçut dès qu'il eut prononcé cette phrase. Il aurait pu continuer dans ce style : *Ne m'en veuillez pas, vous, si je me réserve le droit... Après tout, vous n'appartenez pas à la police*). Ça s'est passé comme je vous l'ai dit. Vous pouvez me traiter de lâche pour ne pas avoir ouvert la porte. »

Adams retrouva son sourire mafflu; sa tête de petit écureuil au poil luisant.

« Je ne vous crois pas, voilà tout. Excusez-moi, reprit-il avec plus de douceur encore. Vous pouvez avoir confiance en moi. Je veux *savoir*. »

Ingham sentit une chaleur lui monter aux joues. C'était un mélange de colère et de gêne.

« Je vois très bien que vous me cachez quelque chose, dit Adams. Vous vous sentiriez mieux si vous me racontiez tout. Je le sais. »

Ingham faillit se lever et lui flanquer son poing dans la figure. Pour qui se prenait-il ? Pour son confesseur ? Vieille fouine, avec ses airs de sainteté !

« Je regrette, mais je ne vois pas ce qui m'oblige à

vous dire quoi que ce soit. Pourquoi me posez-vous toutes ces questions ? »

Adams gloussa.

« Non, Howard, rien ne vous oblige à parler. Mais vous ne pouvez pas rejeter votre héritage américain sous prétexte que vous passez quelques semaines en Afrique.

— Mon héritage américain ?

— Vous ne vous en débarrasserez pas non plus en faisant semblant de rire. Vous n'avez pas été élevé comme ces Arabes.

— Je n'ai jamais prétendu le contraire. »

Adams passa dans la cuisine. Ingham se leva et le suivit.

« Vraiment, je ne veux rien boire, merci. Je peux me servir de vos toilettes ?

— Allez-y, c'est la porte à droite », dit Adams, heureux de pouvoir lui offrir quelque chose.

Il alluma la lumière.

Ingham n'était encore jamais entré dans la salle de bain d'Adams. La position des toilettes l'obligeant à se tenir face à la glace, il préféra, pour ne pas se voir, ouvrir l'armoire à pharmacie et regarder ce qu'elle contenait, tout en faisant ce pourquoi il était venu. Dentifrice, crème à raser, aspirine, Entéro-Vioform, un tas de petites bouteilles pleines de pilules jaunes. Le tout rangé avec un soin de vieille fille. Les tubes portaient des noms de marques américaines : Colgate, Squibb, etc. Ce ne serait pas Jensen qui s'encombrerait de toutes ces saletés, se dit Ingham, et il tira la chasse avant de sortir d'un air rassuré. C'était ça, sans doute, l'héritage américain. Sinon, qu'entendait-il exactement par là ?

Adams était assis sur la chaise à dossier droit, derrière son bureau, mais il se tourna pour faire face à Ingham, qui avait repris sa place sur le sofa.

« Si je suis tellement sûr de mon fait, commença-t-il d'un ton affable, avec un petit sourire qui ne dissimulait pas l'expression terriblement vigilante de ses yeux bleuâtres, c'est parce que j'en ai parlé aux gens qui habitent le bungalow, juste derrière vous. Ce sont des Français. La cinquantaine environ. Cette nuit-là, ils ont entendu le cri, puis un objet lourd est tombé avec un fracas métallique et une porte a claqué. La vôtre. C'est certainement vous qui l'avez fermée. »

Ingham haussa les épaules.

« Pourquoi pas le locataire d'un autre bungalow ?

— Ils sont très affirmatifs en ce qui concerne la direction du bruit. (Adams usait du même ton positif et têtu que dans ses émissions.) Est-ce que vous l'avez frappé avec un objet qui a fait un fracas métallique en tombant ? »

Ingham ne ressentait plus qu'une légère chaleur aux joues. Il avait l'impression d'être aussi imperturbable qu'un cadavre.

« Est-ce que vos questions ont un *but* précis ? Pourquoi m'interrogez-vous ?

— Je veux toujours connaître la vérité. Je crois qu'Abdullah est mort. »

Et ce n'est pas Kennedy, pensa Ingham. Devait-il s'en tenir à son histoire, se laisser tourmenter par Adams (l'autre solution consistant apparemment à quitter Hammamet) ou avouer la vérité, subir la honte d'avoir menti, mettre Adams au défi de faire quelque chose et se donner au moins la satisfaction de parler ? Il choisit le second de ces deux partis. Mais ne ferait-il pas mieux d'attendre jusqu'au lendemain ? Il avait pas mal bu et la décision qu'il venait de prendre n'était peut-être pas la bonne.

« Je vous ai raconté ce qui s'est passé, Francis », dit-il.

Il sourit à Adams. Un petit sourire, mais un sourire

178

tout de même. Cette histoire commençait à l'amuser et pourtant il ne détestait pas Francis J. Adams. Son sourire s'élargit car une idée venait de lui passer par la tête : et si quelqu'un de très riche — mais d'obédience communiste — finançait les émissions hebdomadaires de OWL pour le seul plaisir d'en rire ? Quelqu'un qui ne vivait pas en Russie ? Car il était certain que les émissions de OWL rendaient grand service aux Russes. Le·sérieux d'Adams lui faisait trouver cette possibilité d'autant plus hilarante.

« Qu'est-ce qui vous amuse tant ? s'enquit Adams, sur un ton agréable d'ailleurs.

— Oh ! tout. L'Afrique nous fait voir les choses à l'envers. Vous ne pouvez pas le nier. A moins que vous ne soyez... immunisé contre ça ? »

Ingham se leva. Il avait envie de partir.

« Non, je ne suis pas immunisé contre ça. L'Afrique est à l'opposé de notre... éthique personnelle, dirons-nous. Elle ne la change pas, elle ne la détruit pas. Oh ! non. Si seulement vous vouliez bien vous en rendre compte, vous vous apercevriez qu'elle nous oblige à nous cramponner d'autant plus solidement à nos principes dont la valeur a été prouvée, à l'idée que nous nous faisons du bien et du mal. C'est notre ancre dans la tempête. Notre épine dorsale. Impossible de nous en défaire, même si l'envie nous en vient. »

Une ancre contre une épine dorsale ! Qu'est-ce que c'était que cette foutaise ? Ingham ne trouva rien à répondre mais, comme il voulait rester poli jusqu'au bout, il dit :

« Vous avez probablement raison. Il faut que je m'en aille, Francis. Je vais vous dire bonsoir.

— Bonsoir, Howard. Et dormez bien. »

Il n'y avait rien de sarcastique dans ce « dormez bien ». Ils se serrèrent la main.

LE lendemain était un samedi, jour où Ingham pouvait récupérer sa machine à écrire. A dix heures moins le quart, il passa à la poste pour expédier la lettre destinée à Ina. Puis il se rendit chez Jensen, en évitant cette fois de regarder l'endroit où il avait trouvé le cadavre de l'Arabe.

Jensen n'était pas levé, mais sa tête apparut enfin à la fenêtre.

« Je vais vous ouvrir ! »

Ingham s'avança dans la petite cour cimentée.

« Je pars pour Tunis chercher ma machine à écrire. Je peux vous rapporter quelque chose ?

— Non merci. Je ne vois rien. »

Ingham se rappela que Jensen avait acheté des fournitures pour son travail à Sousse.

« Je me demandais si je pourrais trouver à Hammamet un logement à louer, comme vous. Vous n'en connaissez pas ? »

Il fallut quelques secondes à Jensen pour enregistrer la question.

« Vous voulez dire deux pièces quelque part ou une maison ?

— Deux pièces. Quelque chose d'arabe. Un peu comme ce que vous avez, vous.

— Je vais demander. D'accord, Howard. Je demanderai ce matin. »

Ingham dit qu'il repasserait à son retour de Tunis. Il voulait raconter à Jensen sa conversation de la veille au soir avec Adams.

Sa machine était prête. On avait conservé le vieux châssis dont la peinture brune, écaillée aux coins, laissait apparaître l'acier. Ingham était tellement ravi qu'il ne protesta pas contre le montant de la facture, un peu excessif pourtant, à son avis : sept dinars, soit un peu plus de quatorze dollars. Il essaya la machine sur un bout de papier, dans le magasin. Elle était exactement pareille à elle-même et marchait aussi bien qu'avant. Il remercia le gérant et regagna sa voiture, heureux de se sentir de nouveau bien lesté.

Il n'était pas midi et demi quand il rentra à Hammamet. Il avait acheté des journaux, *Time* et *Playboy*, des boîtes d'huîtres fumées, de jambon cuit et de potages Cross & Blackwell. Jensen, dans la ruelle, s'employait à redresser avec le pied une poubelle tordue, la sienne probablement.

« Entrez, dit-il. J'ai mis de la bière au frais pour nous. »

Il avait diposé les canettes dans un seau d'eau. Ils s'installèrent dans la chambre.

« Il y a une maison, par ici, à deux cent cinquante mètres, déclara Jensen en indiquant la direction de Tunis, mais elle est vide et je serais bien étonné que le propriétaire y mette des meubles, même s'il jure qu'il va le faire. Un évier, mais pas de water. Des ouvriers qui rôdent encore dans le coin. Quarante dinars par mois. Je suis sûr qu'on pourrait le faire descendre à trente, mais ça ne me dit rien qui vaille. Autre chose : les deux pièces de l'étage en dessous, ici, dans mon immeuble, sont libres. Trente dollars par mois. Il y a un petit fourneau, le même que le mien à peu près, un évier et un semblant de lit. Vous voulez voir ? J'ai demandé la clef au vieux Gamal, mon propriétaire. »

Ingham descendit avec Jensen. C'était la porte de droite, à côté des toilettes à la turque qui formaient une avancée par rapport au mur. La pièce la plus vaste donnait sur la rue, par une fenêtre assez haute en forme d'ogive. En face, une porte ouvrait sur une chambre carrée, avec deux fenêtres sur la petite cour... laquelle offrait l'avantage d'être à l'abri des regards, comme Ingham l'avait déjà remarqué. Il y avait là un évier de taille appréciable et un fourneau à deux feux posé sur une table basse en bois. Quant au lit, ses matériaux de base étaient apparemment un battant de porte et un maigre matelas, posés sur trois caisses à fruits. Les murs, sans doute blancs à l'origine, étaient gris de crasse et marron par endroits, là où la peinture s'était écaillée. Une couverture kaki toute froissée gisait sur le lit-porte. Il y avait par terre un cendrier débordant de mégots.

« Quelqu'un couche ici en ce moment ? demanda Ingham.

— Oh ! un neveu de Gamal, je crois. Il aura vite fait de le flanquer dehors puisqu'il ne paie rien. Ça vous va ou vous trouvez ça trop chichiteux ? s'enquit Jensen en balayant la pièce de la main, d'un air facétieux.

— Je crois que ça me va. Vous savez où je pourrais acheter une table ? Et une chaise ?

— Ça doit se trouver. Je vais mettre mes voisins en chasse. »

L'affaire était conclue. Ingham se sentait plein d'optimisme. La porte de la chambre était munie d'un cadenas posé sur une chaîne, de sorte qu'on pouvait le fermer de l'intérieur ou de l'extérieur. Quant à la clef de la porte d'entrée, il aurait la même que Jensen. Ils partageraient l'horrible water, mais, comme Jensen le faisait observer, celui-ci fermait au moins, grâce à la porte posée par lui-même. Ingham se dit que la présence toute proche de Jensen lui permettrait de se sentir plus en sécurité. S'il arrivait quelque chose, si quelqu'un s'introduisait chez lui, il pourrait toujours l'appeler au secours. Il déclara qu'il emménagerait le lundi et chargea Jensen de remettre quinze dinars à Gamal pour confirmer l'accord. Puis il repartit pour le *Reine*.

Ce serait bien sa veine, pensait-il, si, en transportant sa machine à écrire de la voiture au bungalow, il tombait sur OWL. Il alla même jusqu'à se dire qu'il commencerait par examiner les alentours avant de descendre et que, s'il voyait OWL, il remettrait à plus tard le transport de la machine, mais il eut honte de sa couardise et, une fois arrivé dans l'enceinte de l'hôtel, il se gara à sa place habituelle, ouvrit sa portière sans jeter le moindre coup d'œil derrière lui, et sortit la mallette. Puis il referma sa portière et se dirigea vers son bungalow. OWL n'était pas dans les parages.

Il pensa qu'en fixant son départ au lundi, il aurait le temps de prévenir l'hôtel, de trouver une table et une chaise, peut-être même d'écrire quelques pages de son roman. Par une coïncidence étrange, un titre lui était venu à l'esprit la veille au soir, après sa troublante conversation avec Adams : *La Lézarde*. C'était bien meilleur que ses deux idées précédentes. Il avait lu quelque part, avant son départ d'Amérique, qu'en règle générale la main du faussaire tremble très légèrement au début et à la fin de sa fausse signature, parfois dans des proportions trop faibles pour que ce soit perceptible autrement qu'au microscope. L'idée de lézarde exprimait aussi l'effondrement de Dennison, la lente désagrégation de sa double personnalité à mesure qu'approchait l'heure de sa chute. Ce serait une lézarde profonde quoique insoupçonnée, comme une montagne qui s'effrite de l'intérieur, et reste apparemment intacte pendant longtemps — jusqu'à la catastrophe finale, en fait — car Dennison n'éprouvait aucun remords, ou en tout cas n'en avait pas consience, et ne redoutait nullement le danger.

Ingham alla parler à la direction de l'hôtel et demanda qu'on lui préparât sa note jusqu'au dimanche inclus. Puis il retourna dans son bungalow et répondit, sur un ton assez gai, à la lettre de Reggie Muldaven. Il lui dit qu'il ne savait pas très bien où Ina en était, et qu'elle ne mettait pas beaucoup d'empressement à lui écrire ces derniers temps. Il ajouta qu'il travaillait à un roman. Et, bien sûr, il déplora le suicide de Castlewood. A dix-huit heures, il alla nager. Il se sentait extrêmement heureux, sans savoir précisément pourquoi. Tout d'abord, il était fort agréable d'avoir un peu d'argent, de pouvoir régler par chèque, tous les mois, le loyer d'un appartement assez coûteux à New York, d'habiter un hôtel confortable et de ne pas s'inquiéter du prix. L'argent n'était pas tout, comme dirait OWL (peut-être ou peut-être pas ?), mais Ingham savait combien il est irritant d'être toujours un peu à court.

Il retrouva Jensen à la Plage vers vingt heures, comme prévu, et ils prirent un verre avant d'aller chez Mélik. Jensen déclara que ses voisins avaient promis de trouver une table pour le lendemain. Quant à la chaise, ce serait plus difficile : il faudrait fouiller le souk, ou sinon en acheter ou en emprunter une à Mélik. Jensen, lui, n'en avait qu'une.

« Ne nous asseyons pas à côté de clients anglais, dit Ingham en gravissant les marches du restaurant. Je voudrais vous parler. »

Ils s'installèrent à la même table que deux Arabes en manches de chemises, qui ne cessaient de bavarder entre eux.

« Vous vous rendez compte ? dit Ingham. Adams a remis ça, hier soir. D'après lui, les gens du bungalow qui est juste derrière le mien ont entendu quelqu'un hurler, un objet tomber et une porte se fermer. En claquant. Vous voyez OWL en train d'interroger les voisins ? Comme l'inspecteur Maigret ? »

Jensen sourit.

« Comment l'appelez-vous ?

— OWL. *Our Way of Life.* L'idéal américain. Il passe son temps à le prêcher, vous n'avez pas remarqué ? Le Bien, Dieu et la Démocratie. C'est ce qui sauvera le monde. »

Le couscous avait l'air meilleur que d'habitude, plus riche en viande.

« Je lui ai répété que je n'avais rien entendu, à part ce hurlement, poursuivit Ingham. Que je n'avais pas ouvert ma porte. »

Jensen n'accordait visiblement pas plus d'importance à la mort de l'Arabe qu'à celle d'une puce et, de ce fait, Ingham se sentait capable d'en parler plus légèrement, ou même de mentir à ce propos avec plus d'aisance. Jensen secouait la tête d'un air amusé, comme s'il s'étonnait qu'on pût consacrer une partie de son temps à une affaire si futile.

Ingham voulut continuer à le faire rire.

« Adams essaie de m'avoir par la douceur. A la Porfyrivitch. Ou bien à la manière des enquêteurs anglais : « Je sais que vous ne dites pas toute la vérité,
« Howard. Vous vous sentiriez mieux si vous le fai-
« siez, vous savez. »

— Qu'est-ce qu'ils en disent, les Français qui habitent derrière vous ?

— Ils sont partis. Ils ont été remplacés par un couple d'Allemands. Le mari et la femme, je suppose... Figurez-vous, Anders, qu'hier soir j'ai bien failli dire la vérité à OWL ! Après tout, quelle importance, comme vous le dites vous-même ? Qu'est-ce qu'il pourrait faire ? Se pavaner parce qu'il a trouvé la solution du mystère ? Ça ne me tracasserait pas beaucoup, je crois.

— Il ne pourrait rien faire, rien du tout. Vous pensez à la machine judiciaire ? Quelle blague. Ce pays n'a pas la moindre envie de confronter ses voleurs et ses touristes... dans un tribunal, je veux dire. Les Américains sont bizarres. »

Le lendemain, Ingham porta une valise dans son nouveau logement et alla acheter quelques objets dans le souk en compagnie de Jensen : deux serviettes éponge, un balai, des casseroles, une petite glace pour accrocher au mur, quelques verres, des tasses et des soucoupes. Les voisins avaient réussi à trouver une table pas très grande, mais solide et à la bonne hauteur. Quant à la chaise, Jensen persuada Mélik d'en donner une pour un dinar cinq cents millimes.

Ingham emménagea le lundi matin. Il avait nettoyé les étagères de la cuisine, qui étaient raisonnablement propres. Il ne se sentait plus du tout maniaque. C'était comme s'il avait brusquement renoncé à toutes ses idées sur la propreté — poussée à la perfection, tout au moins — et aussi sur le confort. Une caisse lui servait de table de nuit. L'ampoule suspendue au plafond l'obligeait à déplacer son lit s'il voulait lire couché. Sa seconde couverture, roulée en boule, lui tenait lieu d'oreiller. Jensen lui avait dit que la fille des voisins, une adolescente, se chargeait de laver et de repasser le linge.

Jensen le laissa choisir trois de ses toiles. Il ne prit pas l'Arabe éventré, d'abord parce qu'Anders semblait en apprécier la présence chez lui et ensuite parce que ce tableau le troublait. Il emprunta la forteresse espagnole, peinte à gros traits, sur un arrière-plan de sable clair, de mer et de ciel; un petit garçon en djel-

186

laba, les yeux ronds et l'air abandonné, assis sur le seuil d'une maison blanche; et enfin l'un des chaos orange, dont il goûtait la composition tout en ignorant ce qu'il représentait.

Quoiqu'il eût envoyé à Ina et à son agent sa nouvelle adresse — 15, rue El-Hout — il allait tous les jours chercher son courrier à la réception du *Reine* et au bureau des bungalows. Un jour il rencontra Mokta et lui offrit une bière. Mokta fut surpris et amusé d'apprendre où il s'était installé. Il connaissait la rue.

« Il n'y a que des Arabes ! dit-il.

— C'est *intéressant*. (Ingham lui rendit son sourire.) On ne peut plus simple.

— Ah ! je veux bien le croire ! »

L'appareil de climatisation qu'Ingham avait commandé n'était jamais venu et, comme Mokta ne lui en parlait pas, il ne le mentionna pas non plus.

Le mercredi, Ingham invita Adams à prendre un verre. Il donna à un garçon de chez Mélik deux cents millimes en échange d'un petit plateau de glaçons. Adams regardait tout autour de lui avec intérêt en parcourant les ruelles étroites. Les Arabes avaient presque cessé de dévisager Ingham, mais quelques-uns d'entre eux recommencèrent pour Adams.

Ingham avait transformé sa table de travail en buffet. Sa machine à écrire et son manuscrit, ses papiers et son dictionnaire s'alignaient proprement par terre dans un coin.

« Eh bien, c'est la simplicité même ! dit Adams en riant. Il n'y a pratiquement pas de meubles.

— C'est vrai. Ne vous cassez pas la tête à me féliciter pour le décor. Je n'attends pas de compliments. »

Il extirpa des cubes ce qui restait de glace, en mit un peu dans les deux verres et replaça les cubes sur le plateau de métal parce que c'était plus frais.

« Comment allez-vous vous en tirer sans réfrigérateur ? demanda Adams.

— Oh ! j'achète les choses par petites boîtes et je les finis. Je ne prends que deux œufs à la fois. »

Adams contemplait le lit.

« Cheers, dit Ingham en lui tendant son verre.

— Cheers. Où est votre ami ? »

Ingham lui avait expliqué que Jensen habitait au-dessus.

« Il va descendre dans quelques minutes. Il est probablement en train de travailler. Asseyez-vous. Sur le lit, si vous voulez.

— Vous avez une salle de bain ?

— Il y a quelque chose dans la cour. Des toilettes. »

Ingham espéra qu'Adams ne demanderait pas à les voir. Il se rendait compte que, quelques instants plus tôt, il ne s'en serait pas soucié. Adams s'assit.

« Vous pouvez travailler ici ? s'informa-t-il d'un ton perplexe.

— Oui. Pourquoi pas ? Aussi bien qu'au bungalow.

— Il faut vous nourrir suffisamment. Et manger des aliments *sains*. Eh bien... (Il leva son verre.) J'espère que vous vous plairez ici. »

Son regard se dirigea vers le chaos orange de Jensen. C'était le seul des trois tableaux qui fût signé. Il sourit et inclina la tête sur le côté.

« Cette toile me donne chaud rien qu'à la regarder. Qu'est-ce que ça représente ?

— Je ne sais pas. Il faudra demander à Anders. »

Jensen descendit. Ingham lui donna un scotch.

« Vous avez des nouvelles de votre chien ? s'enquit Adams.

— Non. »

La conversation fut terne, mais amicale.

Adams demanda pour combien de temps Ingham

avait loué ces deux pièces et ce qu'elles lui coûtaient. Il ne restait plus de glace pour la seconde tournée. Jensen but son deuxième verre assez rapidement et s'excusa, en disant que son travail l'attendait en haut.

— Votre fiancée vous a écrit ? demanda Adams.

— Non. Elle a eu tout juste le temps de recevoir ma lettre. Je pense qu'elle lui est arrivée aujourd'hui. »

Adams jeta un coup d'œil à sa montre et Ingham se rappela brusquement qu'on était mercredi, qu'il devait rentrer pour son émission. Il en fut un peu soulagé, car il n'avait aucune envie de dîner avec OWL.

« Je suis allé à Tunis hier, déclara celui-ci. J'ai vu un vilain mot écrit en arabe sur la boutique d'un tailleur... une boutique juive, probablement.

— Ah ! oui ? »

Adams gloussa.

« Je ne savais pas ce que ça voulait dire, mais j'ai demandé à un Arabe. Il m'a ri au nez. C'est un mot qu'on ne peut pas répéter.

— J'ai bien peur que les juifs ne passent par de sales moments », dit Ingham d'une voix faible.

L'affiche intitulée « La colère arabe » dont il avait vu la reproduction dans l'*Observer* un dimanche était propre à glacer le sang : un océan de bouches hurlantes, de poings levés, prêts à tout écraser.

Adams se leva.

« Il faut que je rentre. C'est mercredi, vous savez. (Il s'approcha de la porte.) Howard, mon garçon, je me demande combien de temps vous supporterez tout ça. »

Il était assez près de la porte ouverte pour avoir vu les toilettes d'où Jensen venait de sortir sans refermer derrière lui, comme d'habitude.

« Je ne trouve pas ça terrible, surtout par ce temps.

— Mais ce n'est guère confortable. Attendez d'avoir envie d'une limonade bien glacée... ou simplement d'une bonne nuit de sommeil ! Vous me donnez l'impression de vouloir vous punir en vous mettant à vivre comme les indigènes. Vous vous conduisez comme un homme qui n'a pas le sou, ce qui n'est pas le cas. »

Voilà donc où il voulait en venir.

« J'aime bien changer de temps en temps.

— Il y a quelque chose qui vous tracasse. »

Ingham ne répondit pas. Ina le tracassait peut-être, vaguement. Mais pas Abdullah, si c'était à lui qu'Adams pensait.

« Ce n'est pas une pénitence convenable pour un homme civilisé, pour un écrivain civilisé, dit Adams.

— Une pénitence ? (Ingham éclata de rire.) Pourquoi voulez-vous que je fasse pénitence ?

— C'est à vous d'examiner le fond de votre cœur, dit Adams d'un ton plus sec, mais sans cesser de sourire. A mon avis, vous vous apercevrez bientôt que cette existence primitive est une perte de temps. »

Et qui était-il pour parler de temps perdu, pensa Ingham, lui qui passait des heures entières à courir après les poissons sans jamais les attraper ?

« Je ne crois pas, puisque je travaille. »

Aussitôt il s'en voulut d'avoir prononcé ces mots. Quel besoin avait-il de se justifier auprès d'Adams ?

« Cette façon de vivre ne vous convient pas. Vous allez à contre-courant. »

Ingham haussa les épaules. Le pays tout entier n'allait-il pas à contre-courant par rapport à lui ? N'était-il pas à l'étranger ? Et qu'y avait-il de mal à cela ?

« Je vais vous raccompagner, dit-il aimablement. On se perd facilement par ici. »

Au cours de la semaine suivante, les pensées d'Ingham par rapport à son roman prirent une tournure nouvelle et meilleure. Il était sûr que, malgré l'inconfort de ses deux pièces — il souffrait surtout du manque de place pour accrocher ses vêtements — son changement de décor avait provoqué en lui un choc salutaire. Dennison, étant bizarre intellectuellement, ne devait pas s'effondrer quand on découvrirait son escroquerie. Et les gens qu'il avait aidés, qui étaient tous devenus grâce à lui des personnes importantes, arrivées, venaient à son aide, lui remboursaient tout ce qu'il leur avait donné. En outre, comme Dennison investissait depuis vingt ans l'argent qu'il volait, sa fortune avait triplé. Par conséquent, ses employeurs furibonds, s'ils avaient perdu les bénéfices que leurs sept cent cinquante mille dollars leur auraient rapportés, au cours de ces années, pouvaient quand même récupérer le capital. Que pouvait y faire la justice ? Par conséquent, ce titre, *La Lézarde*, ne convenait pas. Il s'adaptait presque mais, la main de Dennison ne tremblant jamais, du moins d'une façon perceptible, Ingham sentait que ça n'allait pas. Il comptait faire en sorte que le lecteur doutât moralement de la culpabilité de Dennison. Compte tenu de tout le bien que celui-ci avait fait en préservant l'unité des ménages, en aidant des entreprises à se créer ou à se maintenir à flot, en payant les études de plusieurs jeunes gens, sans compter les sommes qu'il avait versées à des œuvres de charité... qui pouvait traiter Dennison d'escroc ?

Ingham regretta de se séparer du titre.

Entre les paragraphes, il arpentait la pièce, vêtu de son peignoir en éponge bleu qu'il trempait dans l'eau froide, tordait et enfilait sur un caleçon. C'était ce qu'on pouvait porter de plus frais. Et c'était aussi moins ridicule, dans ce quartier, qu'un short et une chemise à manches courtes. On ne voyait jamais d'Arabes en short, se disait Ingham, et nul ne pouvait savoir mieux qu'eux ce qui tenait le moins chaud. Jensen le blaguait : « Vous allez bientôt vous acheter un burnous ? »

En règle générale, Jensen descendait dîner avec lui, ou c'était lui qui montait chez Jensen. Cela ne faisait guère de différence : ils partageaient la vaisselle, la nourriture, on trouvait la même chère chez l'un ou chez l'autre. L'un des deux devait débarrasser sa table avant le repas. Ingham aimait à dîner avec quelqu'un tous les soirs, c'était une petite joie qui le soutenait dans son travail et, avec Jensen, il n'avait à se donner de mal ni pour la cuisine ni pour la conversation. Certains soirs, le Danois ne prononçait pratiquement pas un mot.

Ingham connaissait d'étranges moments quand, absorbé par la rédaction de son roman, il se levait et faisait les cent pas dans la pièce, avec ses sandales plates qu'il détestait tant, mais qui ne lui tenaient pas chaud aux pieds. Un transistor gémissait quelque part, une voix féminine grondait un enfant en arabe, un colporteur vantait ses marchandises et, de temps en temps, Ingham apercevait son visage sévère dans la glace accrochée au mur, près de la porte de la cuisine. Il avait bruni et maigri; il avait changé. En ces instants-là (comme pendant sa crise intestinale au bungalow), il se sentait seul, sans amis, sans emploi, coupé de tout le monde, incapable de parler ou de comprendre la langue principale du pays dans lequel il vivait. Et, comme il devenait alors plus qu'à moitié Dennison, il apercevait en lui-même quelque chose qui ressemblait à l'éclair informulé d'une question : « Qui suis-je, en réalité ? Est-ce qu'on existe, ou alors dans quelle mesure existe-t-on sans amis, sans famille, sans liens d'aucune sorte, quand on n'a d'importance pour personne ? » C'était une expérience presque religieuse. C'était se fondre dans le néant et s'apercevoir à ce moment-là qu'on n'avait jamais eu aucune consistance. C'était une vérité fondamentale. Ingham se rappelait avoir lu quelque part l'histoire d'un homme, originaire de la Méditerranée orientale, que l'on avait arraché à son village. Cet homme était ce que sa famille, ses amis et ses voisins pensaient de lui et rien de plus, le reflet de leur opinion à son sujet et, en leur absence, il avait succombé à une dépression nerveuse. Le bien et le mal, supposait Ingham, n'étaient autres que ce qu'en disaient les gens parmi lesquels on vivait. Il y avait plus de vérité là-dedans que dans toutes les élucubrations de OWL sur l'héritage américain.

D'après OWL, les principes dans lesquels l'homme avait été élevé le suivaient partout. Etait-ce vrai ? Dans quelle mesure subsistaient-ils, dans quelle mesure pouvait-on agir sur eux, à partir du moment où ils ne correspondaient plus à ceux des gens dont on était entouré ? Et, comme ce genre de réflexion n'était pas si éloigné du sujet de son roman, Ingham revenait vers sa machine à écrire et se remettait aussitôt à taper.

Puis, le vendredi, une lettre d'Ina arriva par exprès. Ingham ne pensait plus à elle, ou du moins il ne comptait pas sur un courrier de sa part, mais il s'aperçut alors (il le calcula presque automatiquement, par habitude) qu'elle aurait pu lui écrire depuis plus de cinq jours si elle avait répondu immédiatement à la lettre dans laquelle il lui indiquait sa nouvelle adresse. Elle lui disait :

8 août 19..

Très cher Howard,

Ton changement d'adresse a été une surprise pour moi. Tu donnes l'impression de vouloir rester là-bas pendant quelque temps encore et c'est sans doute ce qui m'a étonnée. Tu parles d'un mois, en tout cas. A propos, je suis contente que ton livre marche bien.

J'ai le cafard et je ne tiens pas en place. Il n'y a rien à faire contre ça. Alors j'ai pensé que je pourrais prendre l'avion et te rejoindre. J'ai deux semaines de congé, et je suis à peu près sûre de pouvoir obtenir une rallonge de huit jours. J'ai très envie de te voir et, si nous nous battons comme chien et chat, si nous tombons d'accord tous les deux pour penser qu'il faut rompre, je n'aurai plus qu'à continuer sur Paris. Mais tu n'as pas l'air de vouloir quitter le pays, et j'ai terriblement besoin de te voir. J'ai réservé une place dans le vol 807 de la Pan-Am, qui arrive à Tunis le dimanche 13 août à 10 h 30, heure locale. C'est un avion de nuit. Si tu veux que je t'apporte quelque chose, télégraphie.

J'espère que la nouvelle de mon arrivée ne sera pas un choc trop inattendu pour toi. Je me sentais parfaitement incapable d'aller passer mes vacances dans le Maine ou au Mexique en me persuadant que ça me faisait plaisir. J'aimerais beaucoup trouver quelque chose d'amusant à te dire. Il y a une phrase que l'on entend beaucoup prononcer à New York ces temps-ci

*et que tu ne connais peut-être pas encore : « J'ai
beaucoup d'amis arabes. »*

*Je pense te retrouver à l'aérodrome de Tunis. Si tu
ne peux pas venir me chercher, je me débrouillerai
bien pour aller jusqu'à Hammamet.*

Mon chéri, je t'aime,
INA.

Ingham était abasourdi. Il n'arrivait pas à y croire.
Ina ici ? Dans cet appartement ? Bon Dieu, non, elle
en tomberait dans les pommes. Il fallait lui trouver
une chambre d'hôtel, bien sûr.

Dimanche. Le surlendemain. Ingham eut envie de
courir chez Jensen pour lui apprendre la nouvelle.
Mais il n'avait jamais entendu parler d'Ina.

« Bon sang ! » jura Ingham à voix basse.

Il fit le tour de la table, sa lettre à la main. Mieux
valait s'inquiéter immédiatement d'une chambre. Les
hôtels étaient remplis en août. Il ferma la porte de la
rue, de crainte que la *fatma* — leur femme de ménage, personne aux habitudes imprécises qui venait
une ou deux fois par semaine, quand ça lui chantait
— n'entrât justement à ce moment-là. Puis il se dou-
cha avec le seau, à côté des toilettes. Le seau restait à
demeure sous le robinet, qui le remplissait goutte à
goutte. Un jour, Ingham avait essayé d'ouvrir ce robinet en grand, mais il l'était peut-être déjà : en tout
cas la manœuvre s'était révélée si difficile qu'il avait
dû renoncer.

« Vous avez l'air rudement pressé ! cria Jensen du
haut de sa fenêtre.

— Ah ! oui ? fit Ingham.

Il se força à ralentir, replaça le seau sous le robinet
et rentra chez lui d'un pas nonchalant, tout en se sé-
chant.

Il trouva une chambre avec bain au *Reine* pour le

dimanche après-midi. La dernière, lui dit le réceptionniste, mais Ingham en doutait. C'était une chambre à
deux lits : deux dinars huit cents, taxes et petit déjeuner compris. Ingham se sentit un peu mieux après
l'avoir retenue. Il repartit, sans même prendre la
peine de demander s'il y avait du courrier pour lui.

Ce jour-là il travailla, mais avec moins de concen-
tration que d'habitude.

Un dîner chez Mélik était prévu pour le soir. Ingham invita Jensen.

« Encore un contrat ? demanda ce dernier.

— Non, mais je crois que j'aurai fini mon premier
jet d'ici une quinzaine de jours. »

En fin de compte, il n'eut pas tellement de mal à
dire à Jensen qu'il attendait pour dimanche l'arrivée
d'une amie, Ina Pallant, vingt-huit ans environ. Jensen
n'était pas homme à demander : « C'est votre fiancée ? » ou quelque chose de ce genre.

« Ah ! dit-il simplement. Comment est-elle ?

— Elle travaille pour le Columbia Broadcasting
System. Une chaîne de télévision. Elle prépare des
émissions et elle écrit aussi des nouvelles. Elle a
beaucoup de talent. Elle est plutôt jolie. Blonde.

— Elle est déjà venue ici ?

— Je ne crois pas. »

Ensuite, ils parlèrent d'autre chose. Mais Ingham
savait que tout ressortirait au grand jour dès qu'Ina
serait là. Jensen et lui étaient trop proches — et
même physiquement, puisqu'ils habitaient la même
maison — pour qu'il pût espérer lui dissimuler l'essentiel de son histoire.

« Je vous ai dit, je crois, que le type avec qui
j'étais censé travailler ici, l'Américain, s'est suicidé à
New York.

— Oui, vous me l'avez dit.

— Ina le connaissait, elle aussi. Il était amoureux

d'elle. Elle a rompu, et c'est pour ça qu'il s'est tué. Mais il... à ce qu'Ina m'a raconté, il ne l'aimait que depuis quinze jours environ. En tout cas, elle ne l'a appris que quinze jours avant son suicide.

— Comme c'est étrange ! Elle est amoureuse de vous ?

— Je n'en sais rien. Sincèrement.

— Et vous, vous l'aimez ?

— Je le croyais en quittant New York. Et puis elle m'a écrit qu'elle s'était toquée de John, que ça avait duré un moment. Je ne sais pas. (Ingham se dit que ses explications devaient être très confuses.) Je ne veux pas vous raser davantage. L'histoire s'arrête là. J'ai préféré vous la raconter. »

Jensen retroussa la lèvre supérieure et extirpa lentement d'entre ses dents une arête de poisson.

« Ça ne me rase pas du tout. Si elle vient, c'est sûrement parce qu'elle vous aime. »

Ingham sourit.

« Oui, peut-être. Qui sait ? Je lui ai retenu une chambre au *Reine*.

— Ah ! Elle n'aurait pas préféré habiter avec vous ? »

Brusquement, Ingham éclata de rire.

« J'en doute. »

L'AÉROPORT de Tunis présentait le spectacle de la confusion la plus totale. Les indications importantes rivalisaient avec les réclames d'aspirine, le guichet des « Renseignements » était vide, et plusieurs transistors disséminés dans la foule, moins bruyants encore que la musique de la radio installée sur le balcon du restaurant, couvraient complètement la voix féminine qui s'élevait de temps à autre, sans doute pour annoncer les heures de départ et d'arrivée des avions. Ingham n'aurait même pas su dire si elle s'exprimait en français, en arabe ou en anglais. Les trois premières personnes en uniforme (si l'on pouvait dire) qu'il interrogea sur le vol 807 en provenance de New York le renvoyèrent au grand tableau où les avions étaient représentés sous la forme de petites lampes, mais, dix minutes après l'heure à laquelle celui d'Ina aurait dû se poser, il n'y avait toujours rien. Ce genre d'erreur n'était pas dans les habitudes d'Ina, pensa Ingham en allumant sa troisième cigarette et, juste à ce moment-là, le tableau s'éclaira : vol 807, en provenance de New York, arrivée à 11 h10. L'avion avait un peu de retard.

Ingham but un café-cognac au bar du restaurant en balcon. Il y avait une trentaine de tables nappées de blanc et un buffet froid près des grandes fenêtres qui donnaient sur l'aéroport. Ingham sourit de voir deux groupes de garçons, quatre de chaque côté, bavarder dans un coin de la pièce, tandis que les clients furieux, à demi dressés sur leurs chaises, essayaient frénétiquement d'attirer leur attention. Pas de doute, Ina allait bien s'amuser.

Il l'aperçut derrière la paroi vitrée qu'il n'avait pas le droit de franchir et leva rapidement le bras. Elle le vit, elle aussi. Elle était vêtue d'un manteau blanc aux plis lâches, de souliers blancs, et elle portait une grande pochette de couleur vive ainsi qu'un sac d'où dépassaient deux bouteilles. Les guichets où l'on vérifiait les passeports s'alignaient sur la gauche. Elle n'était qu'à trois mètres de lui.

Enfin elle se précipita dans ses bras; il l'embrassa sur les deux joues, puis, légèrement, sur les lèvres. Il reconnut le parfum qu'il avait oublié.

« Tu as fait bon voyage ?

— Oui, excellent. C'est amusant de voir le soleil si haut dans le ciel.

— Tant qu'on ne connaît pas la Tunisie, on ne sait pas ce que c'est que le soleil.

— Comme tu es bronzé ! Et puis tu as maigri.

— Où sont tes bagages ? Débarrassons-nous-en tout de suite. »

Dix minutes plus tard, les deux valises étaient dans la voiture d'Ingham, à l'arrière.

« Puisque nous sommes à Tunis, enfin presque, dit Ingham, j'ai pensé que nous pourrions déjeuner ici.

— Ce n'est pas un peu tôt ? On nous a servi un repas dans l'avion.

— Alors, allons boire un verre quelque part. Dans un endroit climatisé. Tu trouves qu'il fait terriblement chaud ? »

Ils allèrent au Tunisia Palace et s'installèrent dans

le bar, tout tapissé de peluche rouge. Ina avait l'air en forme, mais Ingham lui trouva sous les yeux des rides qu'il ne lui connaissait pas. Elle n'avait probablement pas assez dormi ces derniers jours. Ingham se doutait du monceau de travail qu'elle avait dû fournir pour tout mettre en ordre au bureau et dans sa maison de Brooklyn Heights, qui représentait une charge gigantesque. Il regarda ses petites mains fortes ouvrir le paquet de Pall Mall, en allumer une avec la pochette d'allure exotique qui venait de New York et qui portait le nom d'un restaurant italien imprimé en noir sur un fond rouge sombre.

« Alors le pays te plaît ? demanda-t-elle.

— Je ne sais pas. C'est intéressant. Je n'ai jamais rien vu de pareil. Il ne faut pas le juger à ce bar. Ici on se croirait dans Madison Avenue.

— J'ai hâte de le visiter. »

Mais ses yeux ne semblaient curieux que de lui, et Ingham se mit à contempler la pochette d'allumettes qu'il tenait entre ses doigts. Puis il releva la tête. Ina avait des yeux bleus, semés de paillettes grises. Ses pommettes étaient un peu trop larges, sa mâchoire petite, ses lèvres bien modelées, volontaires, ironiques et intelligentes en même temps.

« Je t'ai retenu une chambre dans un hôtel de Hammamet, dit-il. Sur la plage. Là où j'étais au début, au *Reine* de Hammamet. C'est très joli.

— Oh ! (Elle sourit.) Ce n'est pas assez grand, chez toi ? Mais au fait, tu n'habites peut-être pas seul ? ajouta-t-elle avec un rire qui lui ressemblait davantage.

— Ha ha ! Si je suis seul ? Tu penses ! C'est très petit chez moi, comme je te l'ai dit, et tout à fait primitif. Enfin, tu verras bien. »

Ils parlèrent de Joey. Joey était toujours le même. Une certaine Louise, qu'Ingham n'avait jamais rencontrée, venait le voir deux fois par semaine. Louise et Joey vivaient dans une espèce de délire amoureux mêlé de peur, à ce qu'Ingham croyait comprendre. C'était très triste. Ils ne se marieraient jamais, quoique Louise, elle, y fût disposée, d'après Ina. Celle-ci avait déjà parlé de Louise à Ingham. Elle avait vingt-quatre ans, et l'affaire durait depuis deux ans. Cette fois, Ina ne s'appesantit pas sur le sujet, au grand soulagement d'Ingham. Il se sentait incapable de se lancer dans une conversation apitoyée sur Louise et Joey.

Il amena Ina au restaurant, de l'autre côté de l'avenue Bourguiba : les ventilateurs fixés au plafond et le patio que l'on apercevait derrière la salle donnaient une impression de fraîcheur.

« C'est un des deux restaurants que John m'avait recommandés, dit Ingham. Tous ses conseils se sont révélés excellents.

— Tu as dû avoir un choc terrible en apprenant la nouvelle, dit Ina.

— Oui. (Il la regarda à travers la table. Elle s'était recoiffée à l'hôtel et ses cheveux blond foncé, mouillés sur les tempes, portaient encore la marque du peigne.) Moins que toi en le trouvant, je suppose. Seigneur ! »

Elle répondit lentement, comme s'il s'agissait d'une confession :

« Ç'a été le pire moment de ma vie. Je le croyais endormi. Je ne m'attendais pas du tout à le voir là, d'ailleurs. Et puis... »

Elle ne put continuer, mais ce n'était pas les larmes qui l'en empêchaient. Elle avait la gorge serrée. Elle regardait fixement un point situé derrière l'épaule d'Ingham. Il ne l'avait jamais vue ainsi. La fatigue du voyage, sans doute, pensa-t-il.

« N'essaie pas de me le raconter. J'imagine très

bien... goûte ces hors-d'œuvre tunisiens. Tous les menus commencent par ça. »

Il pensait à la salade de thon, d'olives et de tomates. Il la persuada de prendre une escalope en l'assurant qu'elle n'aurait que trop souvent l'occasion de manger du couscous à Hammamet.

Après le déjeuner, qui fut long, ils burent chacun deux cafés et fumèrent plusieurs cigarettes. Ingham lui parla de Jensen et un peu d'Adams.

« Tu n'as rencontré personne d'autre ?

— Si. Mais il y a surtout des touristes par ici, ils ne sont pas tellement intéressants. Et puis je travaille.

— A propos, tu as eu des nouvelles de Miles Gallust ? »

Gallust était, ou tout au moins aurait dû être le producteur de *Trio*. Ainsi Ina se rappelait son nom : c'était tout à fait dans son caractère, pensa Ingham.

« Il m'a écrit au début juillet. Pour m'exprimer ses regrets, et cætera. Une lettre assez brève.

— Alors ce voyage est en partie à tes frais. La location de la voiture, par exemple. »

Ingham haussa les épaules.

« Oui, mais c'est instructif. John m'avait donné mille dollars, tu sais, et il avait payé le voyage.

— Je sais, dit Ina, de l'air de quelqu'un qui est parfaitement au courant.

— La vie ne coûte pas très cher ici. D'ailleurs, je ne suis pas précisément fauché. »

Ina sourit.

« Ça me rappelle quelque chose. Tu sais, ta nouvelle *Nous est Tout* ?

— Oui, bien sûr.

— Elle va décrocher un prix. Le Prix O. Henry. On le donne tous les ans à un auteur de nouvelles.

— Non ! Tu me fais marcher ! »

Cette nouvelle avait été publiée quelque part, dans un petit magazine, après plusieurs refus.

« Je ne te fais pas marcher du tout. J'ai un ami dans le jury et, comme il sait que je te connais, il me l'a dit à condition que je ne le répéterais à personne... à personne d'autre que toi, évidemment.

— Qu'est-ce que ça rapporte ? De l'argent ?

— Ça, je n'en sais rien. C'est surtout une distinction. Elle est excellente, cette nouvelle, tu sais. »

Oui, elle était très bonne : Ingham y avait imaginé la vie, ou les crises périodiques, d'un de ses amis de New York, qui était schizophrène.

« Merci, dit-il d'un ton calme, mais une fierté, une timidité née de cette gloire soudaine lui firent monter une bouffée de chaleur aux joues.

— Tu es sûr que mes valises sont en sécurité dans la voiture ?

— A peu près ! Mais c'est une question pleine de bon sens. Allons-y. »

Pendant le trajet de retour, Ingham fit halte pour acheter les journaux de la veille et l'édition parisienne du *Herald Tribune* datée du samedi-dimanche. Puis ils prirent la direction de Hammamet.

« Tu es fatiguée ? demanda-t-il.

— Je ne sais pas. Je devrais l'être. Quelle heure est-il à New York ? Neuf heures au matin et j'ai passé une nuit blanche, plus ou moins.

— Fais une petite sieste cet après-midi. Qu'est-ce que tu penses de la vue ? »

Le soleil éclairait en plein le golfe bleu, sur leur gauche. Immense et tranquille, il avait l'air de recouvrir la moitié de la terre.

« Fantastique ! Mon Dieu, qu'il fait chaud ! »

Elle avait ôté son manteau blanc. Elle portait en dessous un chemisier sans manches, semé de petites fleurs.

Enfin Ingham déclara :

« Voici Hammamet ! »

Il se rendit compte aussitôt, à son ton joyeux, que pour lui cela voulait dire : nous voilà chez nous !

Ils quittèrent la grand-route — trois chameaux marchaient sur le talus, mais Ina ne parut pas les remarquer — pour s'engager dans la poussière du chemin cimenté qui menait au village.

« Ce n'est pas grand-chose, Hammamet, dit Ingham. Un tas de petites maisons arabes et des hôtels de luxe. Mais les hôtels sont tous sur la plage.

— Et toi, où habites-tu ?

— Sur la gauche. Tiens, ici. (Ils passaient devant sa rue. Ingham aperçut Jensen qui marchait en direction de la Plage. Il leur tournait le dos et allait la tête basse, de sorte qu'il ne les vit pas.) Tu préfères sûrement passer par ton hôtel avant de venir chez moi.

— Oh ! je ne sais pas. »

Mais la route s'incurvait déjà en direction des hôtels alignés sur la plage.

« Quel château merveilleux ! dit Ina.

— C'est une vieille forteresse. Bâtie par les Espagnols. »

La voiture franchit le vaste portail du *Reine* et roula en crissant sur le gravier au milieu des grands palmiers, des bougainvillées, des petits citronniers robustes. C'était vraiment spectaculaire ! Ingham eut un mouvement d'orgueil, comme si l'hôtel lui appartenait.

« On dirait une vieille plantation ! » observa Ina.

Ingham rit.

« Massa est français. Attends d'avoir vu la plage. »

En ouvrant la porte, il tomba sur Mokta.

« Vous avez deux minutes, Mokta ? »

Pour une fois, Mokta avait les mains libres.

Ingham le présenta à Mlle Pallant et expliqua qu'il

travaillait dans les bungalows. Mokta alla chercher la clef du N° 18 et les aida à porter les bagages.

La chambre était ravissante : la fenêtre donnait sur la mer et une porte ouvrait sur une belle terrasse blanchie à la chaux, tout au long de laquelle courait un parapet blanc incurvé.

« Que c'est joli ! » dit Ina.

A droite, le soleil s'enfonçait dans la mer; il avait l'air plus énorme que nature.

« Je meurs d'envie de prendre une douche ! déclara Ina.

— Vas-y. Tu veux que...

— Tu ne peux pas m'attendre ? »

Elle déboutonnait son chemisier.

« Si, bien sûr. »

Il avait apporté les journaux et désirait les lire.

« Alors, tu apprends l'arabe ?

— Tu veux parler des quelques mots que j'ai dits à Mokta ? fit Ingham en riant. « Merci. A bientôt. » Je suis complètement ignare. Ce qui est agaçant, c'est que les mots s'épellent différemment selon les manuels. « Asma » devient quelquefois « esmaz ». Et quant à « fatma »... (Ingham pouffa.) Au début, je croyais que c'était le nom de notre femme de ménage, un diminutif de Fatima. En fait, ça signifie « jeune fille » ou « servante ». Alors, si tu veux appeler la femme de chambre, tu n'auras qu'à crier : « Fatma ! »

— Je m'en souviendrai. »

Une odeur de savon aux fleurs flotta jusqu'aux narines d'Ingham, mais elle ne s'accompagnait pas de vapeur. Ina prenait sûrement une douche froide. Il contempla fixement son *Herald Tribune*.

Ina apparut, drapée dans une grande serviette blanche.

« Tu sais ce que j'aimerais faire ?

— Non. Quoi ?

— Coucher avec toi. »

Ingham se leva.

« Magnifique ! Moi aussi, j'en mourais d'envie. »

Il l'entoura de ses bras, par-dessus la serviette, et l'embrassa. Puis il alla fermer la porte.

Il ferma également les persiennes de la porte-fenêtre qui donnait sur la terrasse.

Cette fois, tout se passa le mieux du monde. C'était comme avant, comme toujours avec Ina. Cela effaçait le souvenir stupide de cette fille qui débarquait de Pennsylvanie et, du coup, Ingham se dit que sa petite mésaventure de ce soir-là était due tout simplement à son amour pour Ina. Elle l'adorait. Elle était merveilleuse au lit. D'où venaient ces idées folles qu'il s'était fourré dans la tête au cours des semaines précédentes ? Pourquoi s'était-il imaginé qu'il ne l'aimait pas ? Ils fumèrent une cigarette et s'étreignirent une seconde fois. Vingt minutes plus tard, Ingham se sentait capable de recommencer encore.

Ina lui rit au nez.

Ingham sourit, hors d'haleine et heureux.

« Tu vois, je me suis gardé pour toi.

— Je commence à le croire. »

Il tendit la main vers le téléphone et commanda, en français, du champagne dans un seau à glace.

« Tu ne t'habilles pas ?

— Si. Au moins à moitié. Le diable les emporte. » (Il sauta du lit et enfila son pantalon. Puis sa chemise, qu'il ne boutonna pas immédiatement. Une impulsion malicieuse lui donna envie de demander : « Et John, il faisait bien l'amour ? » Mais il se retint.)

Ina était très belle ainsi : les mains derrière la tête, un sourire endormi aux lèvres, les yeux à demi clos, satisfaite. Elle écarta les jambes sous le drap et les réunit.

Ingham tira avec bonheur sur sa cigarette. Etait-ce

cela, la vie ? se demanda-t-il. Etait-ce la chose la plus importante du monde ? Plus importante encore qu'écrire un livre ?

« A quoi penses-tu ? »

Ingham s'abattit à côté d'elle sur le lit et l'étreignit à travers le drap.

« Je pense... que tu es la plus sexy de toutes les femmes. »

On frappa à la porte.

Ingham se leva. Il donna un pourboire au garçon et paya la bouteille de champagne : deux dinars et une quantité de monnaie qui suffirait, déclara l'autre.

« A toi, dit-il en levant sa coupe.

— A toi, mon chéri. Et à ton livre. Tu en es content ?

— Oui, sans doute, sinon je ne continuerais pas à l'écrire. C'est un thème qui a déjà été traité, mais...

— Mais quoi ?

— J'espère dire quelque chose d'autre, quelque chose de différent. Je m'intéresse moins à l'histoire qu'au jugement d'ordre moral que les gens porteront sur le héros, Dennison. Les gens qui sont dans le livre, je veux dire. Et puis aussi les lecteurs. Et à l'opinion de Dennison sur lui-même. (Ingham haussa les épaules. Il n'avait pas envie d'en parler, pour l'instant.) C'est drôle. De tous les livres que j'ai écrits, on peut dire que c'est le moins original, et pourtant c'est celui auquel je suis le plus attaché. »

Ina posa sa coupe sur la table de nuit, en se servant de l'autre main pour retenir le drap sur ses seins.

« Ce qui compte, ce n'est pas l'originalité du thème, c'est ce qu'on met dedans. »

C'était vrai. Ingham ne répondit pas.

« Encore un verre et je te laisse dormir. Nous pourrions dîner tard, vers vingt et une heures par exemple. Qu'est-ce que tu aimerais mieux ? L'hôtel ou un boui-boui en ville, un boui-boui arabe ?

— J'aime mieux le boui-boui arabe.

— Et... tu préfères dîner seule avec moi ou faire la connaissance de Jensen ? »

Ina sourit. Elle se souleva sur un coude. Elle avait un début de double menton et Ingham trouvait cela charmant.

« Je veux bien faire la connaissance de Jensen. »

Ingham quitta le *Reine* gai comme un pinson, sur les ailes du succès. Et il n'avait pas oublié les lauriers que devait lui rapporter sous une forme ou sous une autre le Prix O. Henry.

INGHAM trouva la maison vide en rentrant, à dix-sept heures trente. Il se dit que Jensen devait être au café ou en train de se promener sur la plage. Il rangea un peu ses deux pièces, donna un coup de balai, puis sortit dans le double but de trouver Jensen et d'acheter des fleurs. Un vase, même un verre, rempli de fleurs ferait bon effet sur la table, pensait-il, et il se reprocha de ne pas en avoir fait mettre dans la chambre d'Ina, à l'hôtel. Mais comment aurait-il pu prévoir que les événements de l'après-midi tourneraient si bien ?

Il était sur le point d'entrer dans le café quand il vit Jensen s'approcher lentement sur la plage, pieds nus et les bras chargés d'un objet qu'Ingham prit tout d'abord pour un enfant : c'était une longue forme sombre. Jensen avançait à pas lourds, blond et maigre, tel un Viking affamé, échoué après un naufrage. Ingham s'aperçut qu'en réalité il transportait un gros morceau de bois.

« Hé ! » cria-t-il en le rejoignant.

Jensen releva la tête pour montrer qu'il l'avait reconnu. L'effort qu'il fournissait l'obligeait à garder la bouche ouverte.

« Qu'est-ce que c'est que ça ?

— Une bûche. J'en ferai peut-être une statue. »

Le souffle lui manqua et il posa par terre son fardeau dégoulinant d'eau.

Ingham l'aurait bien aidé, mais il portait l'une de ses plus belles chemises et d'ailleurs il pensait à ses fleurs.

« On ne trouve pas souvent un morceau de bois aussi beau que celui-là. J'ai dû entrer dans l'eau pour l'attraper. »

Les jambes de son levis étaient trempées.

« J'amène mon amie à vingt heures. J'espère que vous pourrez dîner avec nous. Vous êtes libre ?

— Oui, bien sûr. Il faut que je m'habille ?

— Non. Je pense que nous irons chez Mélik. Savez-vous où je peux trouver des fleurs ? Des fleurs coupées ?

— Essayez le souk. Ou alors le vendeur de jasmin, au bistrot », dit Jensen en souriant.

Ingham le menaça du poing.

« Je rentre dans quelques minutes. »

Il prit à gauche, dans l'espoir de trouver un marchand de fleurs assis sur le trottoir entre l'endroit où il avait rencontré Jensen et la petite banque de Hammamet. Au bout de dix minutes, il renonça, coupa deux branchettes de pin à un arbre près de la plage et, de retour chez lui, les mit dans un verre d'eau. Cela faisait très nordique, ce qui était tout à fait incongru sous ce climat. Il posa sa machine à écrire et ses papiers par terre. Puis il ôta son pantalon et sa chemise, se jeta sur son lit et s'endormit.

Au réveil, il se sentait plus heureux encore qu'en quittant le *Reine*, mais la tête lui tournait un peu à cause de la chaleur. Il prit une douche dans la cour, avec le seau. Il était devenu expert dans l'art de verser une quantité d'eau juste suffisante pour faire disparaître le savon. Il se dit qu'il mettrait peut-être à exécution une idée révolutionnaire qui lui était venue : utiliser deux seaux, car celui-là débordait souvent. Il ne s'était pas trompé, le robinet ne s'ouvrait pas davantage, mais on pouvait toujours tirer de l'eau à l'évier de la cuisine.

Il passa chez Mélik et réserva une table pour 20 h 45, 21 heures. Puis il alla chercher Ina. Elle l'attendait en bas, à la réception, et fumait une cigarette, assise sur un divan. Elle portait une robe rose, sans manches, ornée sur un sein d'une grande fleur verte qui donnait une impression de fraîcheur.

« Je suis en retard ? demanda Ingham.

— Non. Je regardais les gens. »

Elle se leva.

« Tu as dormi ?

— Oui, et j'ai pris un bain. La plage est merveilleuse.

— J'ai oublié de te dire : tu peux choisir la demi-pension ici. Déjeuner ou dîner à l'hôtel, par exemple.

— J'aime mieux ne pas m'engager pour l'instant. »

Ingham se gara au même endroit que d'habitude, près de chez Mélik, et demanda à Ina de l'attendre un instant. Il monta l'escalier en courant : il avait commandé de la glace. Il rejoignit Ina avec son plateau, ferma ses portières, et ils s'engagèrent dans l'étroite ruelle.

Ina, fascinée, regardait tout. Et les quelques Arabes qui se trouvaient dans la ruelle ou s'adossaient à la porte de leur maison lui rendaient son regard, les yeux écarquillés, le sourire aux lèvres.

Ingham s'arrêta devant sa porte : elle ressemblait à toutes celles de la rue, à cela près que la plupart des autres étaient ouvertes et la sienne, fermée.

« On croirait un bouquin de McCoy ! » dit Ina.

Ingham fut heureux de constater que la porte des toilettes ne bâillait pas.

« C'est là que je travaille. Et que je dors, déclarat-il en la faisant entrer dans sa chambre.

— *Non !* fit Ina, d'un ton qui trahissait sa stupéfaction.

— Evidemment, ça ressemble un peu à du Robinson Crusoé, mais je n'ai pas besoin d'autre chose. »

Il pensait l'installer sur le siège le plus confortable... qui n'était autre que le lit. Il disposait à présent d'un coussin rouge foncé, sur lequel on pouvait s'adosser, mais à condition de s'allonger à moitié, le lit étant plutôt large.

Ina voulut voir la cuisine.

« C'est assez propre, dit-elle en souriant, et Ingham pensa que son nettoyage avait servi à quelque chose. Et je suppose que tu paies ça une bouchée de pain.

— Deux dollars par jour, répondit Ingham, qui s'occupait de la glace.

— Où sont les toilettes ?

— Dehors, dans la cour. Je me lave ici. (La glace tomba dans l'évier et, en même temps, la grille métallique du plateau lui entailla légèrement le pouce.) Je te sers un scotch. Tu veux de l'eau plate ou gazeuse ?

— Plate, merci. Ces tableaux sont de qui ?

— Oh! d'Anders. Ils te plaisent ?

— L'abstrait, oui. Le petit garçon, moins.

— Je ne lui ai pas dit que tu t'intéressais à la peinture. (Ingham sourit, heureux de penser qu'Ina et Jensen auraient un sujet de conversation.) Tiens, ma chérie. »

Elle prit son verre et s'assit sur le lit-porte.

« Ouille ! dit-elle en rebondissant un peu, ou du moins en essayant. On ne peut pas dire que ce soit moelleux.

— Les Arabes ne sont pas très forts pour la fabrication des lits. Ils dorment par terre, sur des nattes. »

Ina avait des boucles d'oreille vert pâle. Ses cheveux, plus courts, ondulaient naturellement; elle les coiffait sans raie.

« Ce sont des gens étranges. Et un peu effrayants. Au fait, il y a eu des répercussions ici, après la guerre ? Ou pendant ?

— Oui, quelques-unes. Des voitures retournées à Tunis, les vitrines de la bibliothèque américaine brisées en plein milieu de la ville. Je n'ai pas... »

Jensen apparut sur le seuil et frappa. Il portait son pantalon vert et une chemise blanche toute propre.

« Anders Jensen. Miss Pallant. Inà.

— Comment allez-vous ? » dit Ina, en le regardant de haut en bas, le sourire aux lèvres, mais sans lui tendre la main.

Jensen amorça un salut.

« Comment allez-vous, Miss... Ina ? »

Quelquefois il avait l'air d'un garçon de seize ans, plein de bonnes intentions, mais empoté.

Ingham lui servit un verre de scotch bien tassé. Puis ils parlèrent de ses tableaux. Jensen apprit avec plaisir qu'Ina les avait remarqués et qu'elle aimait bien le chaos orange. Elle ne parla pas de son frère. Jensen déclara qu'il travaillait actuellement à un tableau sur fond de sable, inspiré par le voyage qu'il avait fait avec Ingham à Gabès.

« Nous avons dormi à la belle étoile, dit-il. Il n'y a pas eu de tempête comme dans mon tableau, mais on voit très bien le sable quand on est couché dessus. »

La conversation se poursuivit, sur un ton aimable. Ingham sentait que les yeux vifs d'Ina remarquaient tout : les souliers en cuir blanc de Jensen, au dessus perforé, ses mains maigres (avec un peu de peinture jaune sous l'ongle d'un pouce), son visage profondément troublé qui pouvait passer du tragique à la gaieté, et de nouveau au tragique en l'espace de quelques secondes. Le front d'Ina luisait de sueur. Ingham espéra qu'il y aurait un peu de vent sur la terrasse de Mélik. Elle pêcha un moustique dans son deuxième whisky, sans glace celui-là.

« Ici, les insectes sont alcooliques », dit Jensen, et Ina rit.

Chez Mélik, ils prirent évidemment du couscous. Ina trouva l'endroit charmant. Le canari était en voix. Quelqu'un jouait de la flûte, mais pas trop fort, et une légère brise soufflait.

« Est-ce que les femmes ont *le droit* d'entrer ici ? s'enquit Ina à voix basse, ce qui fit rire Ingham. Ils ont des lois tellement bizarres. Où sont-elles, les femmes ?

— A la maison, en train de faire la cuisine, dit Jensen. Et ces hommes que vous voyez là, ils ont probablement passé l'après-midi avec des filles, ils en retrouveront d'autres après le dîner, et ensuite ils rentreront chez eux où les attendent leurs femmes, qui sont enceintes, elles aussi. »

Cette boutade amusa Ina.

« Vous voulez dire qu'ici les filles ne coûtent pas cher ? Ces gens-là n'ont pas l'air particulièrement riches.

— Je crois que les femmes arabes n'osent pas dire non. Mais enfin, je n'en sais rien. Ce n'est pas à moi qu'il faut demander ça, dit Jensen avec un geste paresseux de la main, et il se mit à regarder dans le vide.

— Tu ne portes pas tes boutons de manchettes ? » observa Ina, à l'adresse d'Ingham.

Ingham en avait d'autres, très ordinaires, achetés à Tunis.

« Je croyais te l'avoir écrit. Je me suis fait cambrioler au *Reine*. Dans mon bungalow. On m'a pris mon coffret et tout ce qu'il y avait dedans : mes boutons

214

de manchettes, une épingle à cravate, une ou deux chevalières. »

Et mon alliance en or, pensa-t-il brusquement.

« Non, tu ne m'en as pas parlé.

— On m'a aussi volé une paire de chaussures. Pour les boutons de manchettes, j'étais désolé. Je les aimais beaucoup.

— Moi aussi, je suis désolée.

— Tu ferais mieux... Enfin, tu risques moins dans le bâtiment principal de l'hôtel, mais si tu as des objets de valeur, je te conseille de les ranger dans une valise et de la fermer à clef. »

Jensen écoutait, impassible.

« Merci du tuyau, dit Ina. En règle générale, j'ai de la chance. Mais c'est la première fois que je viens dans la vieille Arabie. Ici, les gens n'ont pas une grande réputation d'honnêteté. Tu m'as dit que tu avais perdu une veste de toile. Je sais que tu affectionnes les vieux vêtements, mon chéri, mais cette horreur... je m'en souviens encore.

— Oui. Oh ! ça, on me l'a pris dans ma voiture, c'est différent. »

Ingham revit le vieil Arabe en pantalon rouge et s'agita sur sa chaise.

Jensen intervint :

« C'était Abdullah.

— Vous les connaissez même par leur petit nom ? (Ina éclata de rire.) Quel pays ! Il faudra me le montrer un jour, cet Abdullah. C'est un nom qui a l'air de sortir tout droit des *Mille et Une Nuits*.

— Nous espérons qu'Abdullah n'est plus, dit Jensen.

— Il a eu ce qui lui pendait au nez ?

— Nous l'espérons et nous le pensons.

— Quelqu'un lui a flanqué un coup de couteau ? »

Jensen resta un instant silencieux et Ingham en fut

soulagé : apparemment, il comprenait qu'il ne fallait pas lâcher tout à trac l'histoire du bungalow. Enfin, il déclara :

« Il paraît que, pour une fois, quelqu'un a décidé de défendre son bien et a assommé ce vieux salaud.

— Mais c'est fascinant ! dit Ina, comme si elle écoutait le synopsis d'une pièce pour la télévision. Comment l'avez-vous su ?

— Oh !... nous l'avons appris par le téléphone arabe. »

Cette fois, ce fut au tour de Jensen de rire.

« Alors il est mort ?

— En tout cas, il a disparu. »

Ingham sentit qu'Ina se passionnait pour cette histoire. Elle allait dire quelque chose d'autre quand Adams apparut au bout de la terrasse et chercha des yeux une table. Ingham se leva aussitôt.

« Excusez-moi un instant. »

Il invita Adams à s'asseoir avec eux et, en revenant, il vit qu'Ina et Jensen parlaient toujours.

« Ina, je suis heureux de te présenter mon ami Francis Adams. Ina Pallant.

— Comment allez-vous, monsieur Adams ? »

Ina leva vers Adams une tête souriante et lui serra la main : elle était très jolie ainsi.

« Comment allez-vous, Miss Pallant ? Combien de temps comptez-vous rester ici ? demanda Adams.

— Je ne sais pas exactement. Une semaine, peut-être. »

Réponse prudente, pensa Ingham. Il fit signe à l'un des fils de Mélik de venir prendre la commande d'Adams. Celui-ci indiqua son choix en arabe.

« Vous êtes ici depuis un bon moment, à ce que m'a raconté Howard, dit Ina.

— Oui, depuis plus d'un an. Je trouve le climat agréable... à condition de vivre dans une pièce climatisée. Ha ha ! (OWL eut un sourire ravi.) Mais il faut que vous me parliez des Etats-Unis. Voilà un an et demi que je n'y ai pas mis les pieds. Tout ce que je lis, c'est *Times*, le *Reader's Digest* et, de temps en temps, un journal de Paris ou de Londres.

— Qu'est-ce que vous aimeriez savoir ? Je passe ma vie enfermée dans mon bureau ou dans le métro qui me mène à Brooklyn. Je ne suis même pas sûre d'être au courant de ce qui se passe.

— Oh !... je voudrais que vous me disiez où en est le problème racial. Et la guerre du Vietnam. Et puis... mon Dieu... que vous me décriviez l'ambiance, l'atmosphère. Pour ça, la lecture des journaux ne suffit pas.

— Hum ! (Ina sourit à Ingham, puis reporta son regard sur Adams.) En ce qui concerne les émeutes raciales, nous vivons encore un été brûlant. Et quant à la guerre du Vietnam... eh bien, je crois que l'adversaire s'organise de mieux en mieux. Mais vos journaux vous l'ont sûrement appris.

— Et vous, en tant que citoyenne, qu'en pensez-vous ?

— En tant que citoyenne, je pense que c'est une perte de temps, d'argent et de vies humaines. Pas pour tout le monde. Bien sûr. La guerre remplit toujours quelques poches. »

Adams resta silencieux pendant une ou deux secondes. On lui servit son ragoût d'agneau. Ingham lui remplit son verre de vin.

« Vous êtes pour la guerre, vous ? demanda Ina.

— Oh, oui ! répondit Adams avec assurance. Je suis anticommuniste, vous savez. »

Ingham fut heureux de constater qu'Ina ne se donnait pas la peine de répondre : « Moi aussi. » Elle se contentait de le regarder avec un peu de curiosité comme s'il venait de lui apprendre qu'il appartenait à l'American Legion... ce qui était peut-être le cas, pensa Ingham.

Jensen couvrit un bâillement de sa grande main maigre et contempla fixement les ténèbres, de l'autre côté de la terrasse.

« Oh ! nous vaincrons sûrement, ne serait-ce que sur le plan technique. Comment pourrions-nous perdre ? Mais, pour parler de choses plus agréables, quels sont vos projets de voyage pendant votre séjour.

— Je n'en ai pas encore fait, répondit Ina. Que me suggérez-vous ? »

OWL fourmillait d'idées. Sousse, Djerba, une promenade à dos de chameau sur la plage, les ruines de Carthage, le déjeuner à Sidi Bou Saïd, la visite d'un certain souk, dans une ville dont Ingham n'avait jamais entendu parler, le jour du marché.

« J'espère pouvoir faire une partie de ces excursions toute seule, dit Ina. Je crois que Howard a envie de travailler. Il n'a pas besoin de m'emmener partout.

— Ah ? (Ingham eut droit au sourire joufflu d'écureuil.) Après toutes ces semaines de solitude, vous n'avez pas le temps de faire visiter le pays à une jolie fille ?

— Je n'ai pas dit que je voulais travailler, fit Ingham.

— Je serai heureux de vous balader un peu si Howard est occupé, dit Adams.

— Et moi, je vous montrerai la forteresse espagnole, dit Jensen. Le malheur, dans mon cas, c'est que je n'ai pas de voiture. »

Ingham se réjouit de voir que tout le monde s'entendait si bien.

« En tout cas, demain m'appartient, dit-il. Nous pourrions aller à Sousse ou quelque chose comme ça. »

Ils prirent le café à la Plage. Ina aima beaucoup le bistrot. Il avait l'air « vrai », déclara-t-elle.

Quand le moment vint de dire bonsoir, Adams insista auprès d'Ingham pour qu'il amenât Ina boire un dernier verre dans son bungalow. Jensen rentra chez lui. OWL prit sa Cadillac.

« Anders est un peu triste en ce moment à cause de son chien », dit Ingham.

Il raconta à Ina ce qui était arrivé.

« Mon Dieu, c'est affreux. Je ne savais pas qu'ils étaient si cruels !

— Il ne sont pas tous comme ça », corrigea Ingham.

Comme il l'avait prévu, Ina trouva merveilleux le bungalow d'Adams. Celui-ci montra sa chambre. Le placard était fermé, bien entendu, à clef sans doute.

« C'est un petit « chez moi » loin du grand, dit Adams. D'ailleurs je n'habite plus aux Etats-Unis. Je suis toujours propriétaire d'une maison dans le Connecticut. (Il désigna la photo, sur le mur du living-room.) Mais tout est au garde-meuble, elle est pratiquement vide. Je suppose que je m'y retirerai un de ces jours. »

Après avoir vidé son verre, Ina déclara qu'elle était épuisée et qu'elle devait se coucher. Adams fut aussitôt toute sympathie. Il éprouva le besoin de calculer précisément quelle heure il était pour elle : 7 h 15 « hier ». Il lui baisa presque la main en lui souhaitant bonne nuit.

« Howard travaille trop dur. Faites-le sortir un peu plus. Bonne nuit à tous les deux. »

Dans la voiture, Ingham demanda :

« Qu'est-ce que tu penses de lui ?

— Il est plus vrai que nature. (Elle pouffa de rire.) Mais il a l'air heureux. Ces gens-là le sont toujours, je suppose. Pour eux, c'est le meilleur des mondes possibles.

— Oui, exactement. Mais je crois qu'il se sent un peu seul. Sa femme est morte il y a cinq ans. Il serait fou de joie si tu passais une journée avec lui, j'en suis sûr, ou quelques heures simplement, si tu déjeunais avec lui, par exemple. »

Ingham était parfaitement sincère en disant cela, mais, aussitôt il pensa que OWL raconterait à Ina l'histoire d'Abdullah, les événements de cette nuit, et il se sentit mal à l'aise. Il ne voulait pas qu'elle apprît les détails, même ceux qu'Adams croyait connaître et qui représentaient peu de choses. A quoi cela servirait-il ? C'était déprimant et triste. Il arrêta la voiture devant le portail, sur l'allée de gravier.

« Qu'est-ce qu'il y a, mon chéri ?

— Rien. Pourquoi ? »

Elle devinait donc si bien ses pensées, même dans le noir ?

« Tu es peut-être aussi fatigué que moi.

— Pas tout à fait. »

Il l'embrassa dans la voiture, puis la raccompagna jusqu'à la réception, où elle prit sa clef. Il lui promit de venir la chercher le lendemain, mais pas avant dix heures.

Jensen était encore debout quand il rentra.

« C'est une fille bien, je crois. »

Tel fut son commentaire sur Ina. Venant de sa part, ce devait être un grand compliment, pensa Ingham, et il le prit comme tel.

LE lendemain, Ingham et Ina allèrent à Sousse, contemplèrent dans le port le navire de guerre américain et burent de la bière glacée (il faisait horriblement chaud) dans le café où il était allé s'asseoir seul quelques jours plus tôt. Ina trouva le souk fascinant. Elle voulait acheter des nattes mais ne pouvait pas, disait-elle, les rapporter en avion. Ingham lui ayant promis de les expédier par la poste, elle en prit quand même quatre, de dimensions et de motifs différents.

« En attendant, dit Ina, tu pourras les étaler par terre chez toi. Accroches-en une au mur, ça fera tout de suite beaucoup mieux ! »

Elle lui acheta un grand vase en terre vernie, deux cendriers et s'offrit un fez blanc.

Le fez lui allait très bien.

« Je ne le porterai pas ici. J'attendrai d'être à New York ! Tu te rends compte ! Un chapeau merveilleux qui m'aura coûté seulement un dollar dix *cents* ! »

L'enthousiasme d'Ina transformait le pays aux yeux d'Ingham. A présent, les sourires éclatants des boutiquiers arabes, les yeux vifs des enfants qui mendiaient des millimes, tout lui paraissait délicieux. Il éprouva brusquement le désir d'être le mari d'Ina. C'était possible, il le savait. Il n'avait qu'à le lui demander. Ina n'avait pas changé. John Castlewood aurait aussi bien pu ne pas exister.

« Nous pourrions aller à Djerba demain », dit-il pendant le déjeuner.

Sur son refus de manger dans un hôtel, aussi bonne que fût la nourriture, il avait cherché le meilleur restaurant possible pour l'y amener.

« Ton ami Adams me conduit quelque part demain matin.

— Ah ! bon ? Il t'a invitée hier soir ?

— Il m'a téléphoné ce matin juste avant dix heures. »

Ingham sourit.

« Eh bien, demain, je travaillerai.

— Je regrette que tu n'aies pas le téléphone.

— Je peux toujours t'appeler, moi. De chez Mélik ou de la Plage.

— Oui, mais j'aime bien bavarder avec toi le soir. »

Ina lui avait téléphoné plusieurs fois tard le soir de chez elle, à Brooklyn. Ce n'était pas toujours facile pour elle, son appareil se trouvant dans le living-room.

« Je pourrais être chez toi en personne. Ce soir, par exemple ?

— Pour la nuit entière ? Tu ne veux pas rester pour le petit déjeuner, n'est-ce pas ? »

Ingham ne dit rien. Il savait qu'il rentrerait avec elle le soir. Et qu'il ne resterait pas pour le petit déjeuner.

La journée se passa comme un rêve. Ils n'étaient pressés par rien. Ils n'avaient aucun rendez-vous. Ils dînèrent au Fourati et dansèrent ensuite pendant un moment. Ina dansait bien, mais n'aimait pas beaucoup cela. Deux Arabes, proprement vêtus à l'européenne, vinrent l'inviter : elle refusa dans les deux cas.

Il faisait très sombre à leur table sur la terrasse découverte, qu'éclairait seule la lumière de la lune. Ingham se sentait heureux, à l'abri. Il devinait la question qu'Ina avait sur le bout des lèvres : « Est-ce que vraiment les choses n'ont pas changé entre nous ? Tu ne m'en veux réellement pas du tout ? » Mais il se disait que ce n'était pas à lui d'en parler le premier.

« A quoi penses-tu ? demanda Ina. A ton livre ?

— Je pensais que je t'aime autant au lit qu'en dehors du lit. »

Elle eut un petit rire étouffé, à peine plus qu'un soupir.

« Rentrons chez nous... enfin, à l'hôtel. »

Pendant qu'Ingham s'efforçait d'attirer l'attention du garçon, elle lui dit :

« Il faut que je te trouve des boutons de manchettes. Tu crois qu'il y en a de bien ici ? Je voudrais aussi en rapporter à Joey. »

En quittant Ina, ce soir-là, peu après une heure, Ingham pensa qu'il aimerait bien partager régulièrement sa chambre. Evidemment, il lui faudrait aussi une seconde pièce pour travailler pendant la journée. Puis il se représenta le logement primitif qui l'attendait rue El Hout, où il coucherait ce soir, où il vivrait le lendemain, et il se réjouit de l'avoir. Rien ne pressait, se dit-il. Il se rendit compte que la tête lui tournait un peu de fatigue et de joie.

Le lendemain, le travail marcha bien. Mais, quand il abandonnait sa machine à écrire pour quelques instants, il se posait, au lieu de réfléchir à son livre, ce genre de questions : « Ina passerait-elle à Hammamet ses deux ou trois semaines de congé ou bien partirait-elle pour Paris au bout de huit jours ? » « Devrait-il reprendre l'avion pour les Etats-Unis en même temps qu'elle et sinon, pourquoi pas ? » « S'il abordait le sujet du mariage, à quel moment fallait-il le faire ? » « Ne devraient-ils pas avoir une conversation plus sérieuse au sujet de John Castlewood (en fait, ils n'en avaient pas parlé du tout) ou valait-il mieux laisser définitivement tomber cette histoire ? » Il ne parvint à une conclusion qu'en ce qui concernait la dernière question : ce n'était pas à lui d'y faire allusion le premier, mais à Ina, et si elle s'en abstenait, il l'imiterait.

Il l'appela de la poste à seize heures trente; elle n'était pas rentrée. Il lui fit dire qu'il viendrait la chercher à dix-neuf heures trente. Elle serait sûrement de retour à ce moment-là.

En rentrant, Ingham trouva Jensen en train de se laver dans la cour.

« Vous sortez ce soir ? demanda Jensen.

— Oui. A moins que OWL ne la garde toute la soirée. Vous voulez nous accompagner, Anders ? Je pensais aller à Tunis, pour changer un peu. »

Jensen hésita comme d'habitude.

« Non merci, je...

— Allons, qu'est-ce qui vous retient ? Trouvons un endroit marrant à Tunis. »

Jensen se laissa persuader.

Ingham partit à dix-neuf heures quinze chercher Ina. Il voulait lui montrer la lettre d'un lecteur, une lettre amusante, qu'il avait reçue dans la journée. Le lecteur en question parlait du *Jeu des « Si »*, qu'il avait emprunté à la bibliothèque de sa ville et dont il disait beaucoup de bien, mais il donnait son avis sur la façon dont Ingham aurait dû s'y prendre pour améliorer la fin et ses idées démolissaient complètement l'esprit du livre.

Ina était là. Elle lui demanda de monter.

Déjà habillée, elle se maquillait devant la glace. Il l'embrassa sur la joue.

« J'ai invité Jensen ce soir. J'espère que ça ne t'ennuie pas.

— Non. Il est très silencieux. »

Elle donna à cette phrase le ton d'une critique.

« Pas toujours. J'essaierai de le faire parler ce soir. Il peut être très drôle quelquefois. Il y a eu un mariage royal quelque part, dans son pays je crois et, comme il en avait assez de ne lire que ça dans les journaux, il m'a dit : « Le public s'intéresse tou-« jours aux affaires sexuelles d'autrui, mais quand ça « se passe entre des draps frappés du chiffre royal, « cet intérêt devient une véritable fascination. »

Ina, toujours penchée sur le miroir, eut un petit rire.

« Il dit ça sur un ton tellement imperturbable. Je n'arrive pas à l'imiter.

— Il est pédéraste, n'est-ce pas ?

— Oui, je t'avais prévenue. C'est si visible que ça ? Je n'aurais pas cru.

— Oh ! les femmes devinent toujours. »

Sans doute parce que les pédérastes ne faisaient pas attention à elle, se dit Ingham.

« Qu'est-ce que tu as fait avec OWL aujourd'hui ?

— Avec qui ?

— OWL. *Our Way of Life Adams.*

— Oh ! nous sommes allés à Carthage. Et puis à Sidi... comment ça déjà ?

— Sidi Bou Saïd.

— C'est ça. (Elle se détourna de la glace, un sourire aux lèvres.) Il connaît un tas de choses, pas de doute là-dessus. Tous les détails, historiques et autres. Et le café de Sidi est fascinant. Celui qui est en haut des marches.

— Oui. Là où tous les clients sont allongés sur des nattes comme les Grecs. J'espère que OWL ne va pas me chiper tout ce qu'il y a à te montrer.

— Tu es idiot. Je ne suis pas venue ici pour faire du tourisme, mais pour te voir. »

Elle le regarda, sans se jeter dans ses bras, et pourtant ce fut plus important pour Ingham que si elle l'avait embrassé. C'était la femme qu'il allait épouser, se dit-il, celle avec qui il passerait le reste de sa vie. Il s'apprêtait à rompre le charme — il trouvait cet instant « lourd de destinée » à un point presque intolérable — en tirant de sa poche la lettre du lecteur quand elle lui dit :

« Au fait, c'est vrai cette histoire d'Abdullah ? Il a bien été tué dans l'enceinte de l'hôtel ?

— Je ne sais pas. Je crois que personne ne le sait exactement.

— Mais Francis m'a dit que tu l'avais entendu hurler. Que ça s'était passé sur ta terrasse. »

OWL avait-il également mentionné l'histoire de la porte claquée ? Sans doute. Et peut-être aussi le bruit de ferraille entendu par les Français.

« Oui, c'est vrai. Mais il était deux heures du matin. Il faisait noir.

— Tu n'as pas regardé dehors ?

— Non. »

Elle le considérait d'un air inquisiteur.

« C'est intéressant, parce qu'il semble que l'Arabe ait disparu depuis cette nuit-là. Tu crois qu'il a été tué par un autre Arabe ?

— Qui sait ? Ses compatriotes ne l'aimaient pas. Je suis sûr qu'ils sont très forts pour la vendetta. (Il faillit lui parler de l'Arabe à la gorge tranchée mais se ravisa : c'était une histoire à sensation et rien de plus.) Un soir, j'ai vu quelque chose de bizarre au café de la Plage. Un type éméché. On l'a jeté dehors. Il est resté un long moment debout sur le sable à contempler la porte avec un air de résolution incroyable... comme s'il avait décidé d'avoir l'autre — je ne sais pas qui c'était — au tournant. Je n'oublierai jamais son expression. »

Au bout de quelques secondes, le silence d'Ina l'inquiéta. Il se dit : et si elle apprenait la vérité par quelqu'un d'autre, par Jensen, par exemple ? Il deviendrait à ses yeux un menteur et un lâche. Il se donna trente autres secondes pour tout lui raconter. Après tout, était-ce si terrible ?

« Tu as l'air soucieux, dit-elle.

— Non.

— Ton travail a bien marché aujourd'hui ?

— Oui, merci. J'aime beaucoup les nattes que tu m'as prêtées.

— Inutile de vivre en ascète... Tu sais, chéri, si cet Arabe s'est fait couper en morceaux ou quelque chose de ce genre, n'aie pas peur que je m'évanouisse. J'ai déjà entendu parler d'atrocités et de mutilations. C'est ça qui lui est arrivé ?

— Je n'ai pas vu ce type ce soir-là, Ina. Et les garçons de l'hôtel ne veulent pas dire ce qu'ils en ont fait. Adams connaît peut-être un détail que j'ignore. (Il avait le vague sentiment de l'épargner en ne lui racontant pas cette vilaine histoire, et il en fut un peu ragaillardi.) Allons-y. J'ai dit à Jensen que je passerais le prendre. »

En arrivant devant sa rue, Ingham sauta de la voiture et courut chez lui. Il avait dix minutes de retard, mais il savait que Jensen ne lui en voudrait pas, à supposer même qu'il s'en fût aperçu. Il l'appela de la cour et Jensen descendit aussitôt.

« Ina trouve que vous ne parlez pas assez, lui dit-il. Tâchez de faire un petit effort ce soir. »

Ils allèrent à la Plage, où l'on trouvait aussi du scotch. Jensen s'en tint à sa *boukhah*. Ina y avait goûté, mais n'aimait pas ça. Ingham trouva qu'on le dévisageait plus que d'habitude ce soir-là. Peut-être parce qu'il était avec une jolie femme ? Jensen ne semblait pas s'en apercevoir. Seul le jeune barman grassouillet souriait. Il commençait à bien connaître Ingham.

« Vous êtes contente de votre visite, madame ?...
Vous êtes ici pour longtemps ? demanda-t-il en français. Vous n'avez pas trop chaud ? »

Ils étaient debout au bar.

Ina parut apprécier cette amabilité.

Pendant le dîner, chez Mélik, Jensen fit un effort :
il posa à Ina des questions sur sa vie à New York, ce
qui la lança sur le sujet de sa famille. Elle fit allusion
à ses deux tantes, l'une veuve, l'autre célibataire, qui
vivaient douillettement ensemble et venaient déjeuner
le dimanche. Elle parla de son frère Joey, de sa peinture surtout, sans s'appesantir sur sa maladie.

« Je me souviendrai de son nom », dit Jensen.

Ina lui promit de lui envoyer le catalogue de sa
dernière exposition et Jensen lui donna son adresse à
Copenhague, pour le cas où il ne serait plus à Hammamet quand elle l'expédierait.

« C'est l'adresse de mes parents, mais pour l'instant je n'ai pas d'appartement, dit Jensen. Si je m'en
vais, je resterai en contact avec Howard

— Je l'espère bien, glissa rapidement Ingham. Je
partirai sûrement avant vous. »

Il répugnait à l'idée de se séparer de Jensen. Ina les
observait, tous les deux. Ingham la trouvait bizarre,
ce soir. Son unique verre de scotch ne l'avait pas ai-
dée à se détendre.

« Vous avez un travail qui vous attend à Copenhague ?demanda-t-elle.

— Je peins quelquefois des décors de théâtre. Je
m'en tire. Et puis j'ai de la chance, ma famille me
donne un peu d'argent tous les mois. (Il haussa les
épaules avec indifférence.) Ce n'est pas un cadeau,
d'ailleurs, ça vient d'un héritage. Je n'en prive personne. (Il sourit à Ingham.) Je ne tarderai pas à aller
voir si on a injecté un peu de sang frais dans notre
petit port grouillant d'activité. »

228

Ingham lui rendit son sourire. Il sentait qu'une fois Ina et Jensen partis, lorsqu'il ne lui resterait plus qu'à retaper son manuscrit et à y mettre la dernière main, il souffrirait de la solitude à un point insupportable. Pourtant, il ne voulait pas encore fixer la date de son départ. Sauf, bien entendu, s'il faisait des projets précis avec Ina et la raccompagnait à New York. Peut-être se marieraient-ils et chercheraient-ils ensemble un appartement. (Le sien n'était pas assez grand pour deux.) Elle n'avait pas besoin de rester indéfiniment à Brooklyn Heights pour s'occuper de Joey, pensa-t-il. On pouvait trouver un moyen de s'arranger.

— Voulez-vous visiter la forteresse demain matin ? demanda Jensen à Ina. Si vous avez envie de vous promener sur la plage, ce n'est pas loin de l'hôtel, surtout si nous nous arrêtons en chemin pour nous baigner. »

Il lui dit qu'il viendrait la chercher le lendemain à onze heures et partit après le café.

Ingham trouvait que Jensen s'en était très bien tiré ce soir et il attendait de la part d'Ina une remarque favorable, qui ne vint pas.

« Tu veux faire une balade sur la plage ? proposa-t-il. Qu'est-ce que tu as comme chaussures ? »

Il regarda sous la table.

« Je marcherai pieds nus. Oui, je veux bien. »

Ingham paya la note. Jensen avait laissé huit cents millimes.

Sur la plage, le sable était tiède et agréable. Ingham portait les chaussures d'Ina et les siennes. Il n'y avait pas de lune. Ils se tenaient par la main, autant par souci de rester ensemble dans la nuit que pour le plaisir, pensa Ingham.

« Tu es un peu triste ce soir, dit-il. C'est Anders qui te déprime ?

— Tu avoueras que ce n'est pas la gaieté faite homme. Non, je pensais à Joey.

— Comment va-t-il... vraiment ? »

Ingham éprouva un pincement douloureux au cœur en posant cette question et pourtant il se dit qu'Ina la trouverait peut-être trop indifférente.

« A certains moments il est si mal dans sa peau qu'il ne peut pas dormir. Ce qui ne signifie pas que sa maladie empire, ajouta-t-elle en hâte après un silence de quelques secondes. Je pense qu'il devrait se marier. Mais il ne veut pas.

— Je comprends. Il pense à Louise. Elle est réellement intelligente ?

— Oui. Et elle sait tout de sa maladie. (Les pas d'Ina devenaient plus lourds dans le sable. Elle s'arrêta et fit jouer ses orteils.) Ce qui est drôle, ou plutôt affreux, c'est qu'il croit m'aimer. »

Elle lui tenait la main, mais sans s'y accrocher. Ingham lui serra les doigts.

« Comment ça ? »

Ils chuchotaient presque.

« C'est tout ce que je peux te dire. Sur le plan sexuel, je ne sais pas. C'est ridicule, mais on dirait que chez lui ça exclut tout le reste : les affections, la vie, tout. Il devrait épouser Louise. Il n'est pas impossible qu'ils aient des enfants, tu sais ?

— Bien sûr », fit Ingham, qui se le demandait justement.

Ina regarda ses pieds.

« Je n'irai pas jusqu'à dire que ça me donne le frisson, mais ça m'inquiète.

— Oh ! ma chérie ! (Ingham lui passa un bras autour des épaules.) Qu'est-ce qu'il te dit ?

— Oh ! qu'il n'éprouvera jamais pour une autre femme les sentiments qu'il éprouve pour moi. Des choses comme ça. Et il ne le dit pas toujours sur un ton cafardeux, au contraire. Souvent, c'est gaiement qu'il m'en parle. Mais, malheureusement, je sais que c'est vrai.

— Tu devrais quitter cette maison, ma chérie. Tu sais, elle est assez grande pour y loger quelqu'un si Joey a besoin...

— Oh ! maman pourrait s'occuper de lui, coupa Ina. Tout ce qu'il ne peut pas faire lui-même... et ça se borne à son lit, en réalité. Il l'a fait plusieurs fois, d'ailleurs. Il peut même entrer dans la baignoire seul et en sortir. »

Elle eut un rire crispé.

Oui, Ingham se souvenait que Joey disposait de tout un appartement au rez-de-chaussée.

« Tu devrais quand même partir, Ina. Ma chérie, je ne savais pas ce qui te tourmentait ce soir, mais je me doutais qu'il y avait quelque chose. »

Elle se tourna vers lui.

« Je vais te dire quelque chose de drôle, Howard. J'ai commencé à fréquenter l'église. Depuis deux ou trois mois seulement.

— Eh bien, ça n'a rien de drôle ! fit Ingham, quoique sa surprise fût totale.

— Si, parce que je ne crois à rien. Mais ça me réconforte de voir tous ces... ces vieillards surtout qui se consolent en écoutant et en chantant. Tu vois ce que je veux dire ? Et puis, ça ne me prend qu'une heure tous les dimanches. »

Les larmes lui brouillaient la voix.

« Oh ! *ma chérie !* (Ingham la serra contre lui pendant une minute. Une grande émotion indicible monta en lui et il ferma étroitement les paupières.) Je n'ai jamais éprouvé pour personne autant de tendresse que j'en ai pour toi... en ce moment. »

Après un bref sanglot, elle s'écarta et rejeta ses cheveux en arrière.

« Rentrons. »

Ils se remirent en marche vers la ville, vers la forteresse inondée d'une lumière pâle... vestige d'une bataille certainement perdue à un moment quelconque, puisqu'elle n'était plus aux mains des Espagnols.

Ingham dit :

« J'aimerais bien que tu me parles davantage de tout ça. Quand tu en auras envie. Maintenant ou un autre jour. »

Mais elle se taisait.

Il fallait qu'elle quittât cette maison, pensa Ingham. C'était une maison gaie, sans rien de mélancolique ou d'accroché au passé, mais l'atmosphère lui paraissait malsaine, à présent. Il aurait dû lui proposer tout de suite quelque chose de positif, se dit-il. Mais ce n'était pas le moment de la demander en mariage. Il déclara soudain, avec entêtement.

« Je voudrais bien que tu vives *avec moi*, à New York. »

Il fut assez surpris et déçu de constater qu'elle ne répondait pas.

Ils étaient presque à côté de la voiture quand elle dit enfin :

« Je ne suis pas très en forme ce soir. Tu peux me ramener à l'hôtel, mon chéri ?

— Mais bien sûr. »

Là-bas, il l'embrassa et lui dit qu'il la retrouverait quelque part après sa promenade dans la forteresse avec Jensen. En rentrant chez lui, il vit que la lumière de Jensen était éteinte : il hésita; il avait très envie de le réveiller et de lui parler. Puis, alors même que, de la cour, il contemplait fixement la fenêtre, la lumière se ralluma.

« C'est moi », dit Ingham.

Jensen se pencha.

« Je ne dormais pas. Quelle heure est-il ? demanda-t-il avec un bâillement.

— Minuit, à peu près. Je peux vous voir un instant ? Je monte. »

Jensen se contenta de reculer, d'un air endormi. Ingham gravit en courant l'escalier extérieur.

Jensen portait son short en velours côtelé, qui pendait un peu sur ses hanches minces.

« Il est arrivé quelque chose ?

— Non. Je voulais simplement vous dire... vous demander... Enfin, j'espère que vous ne parlerez pas d'Abdullah demain à Ina. Voyez-vous, je lui ai raconté la même histoire qu'à Adams : que je n'avais pas ouvert ma porte.

— Bon. D'accord.

— J'ai peur que ce ne soit un choc pour elle, dit Ingham. Elle a déjà ses problèmes, en ce moment. Son frère, celui dont elle vous a parlé, qui est infirme. C'est déprimant pour elle. »

Jensen alluma une cigarette.

« Oui, je comprends.

— Vous ne lui avez encore rien dit, n'est-ce pas ?

— Comment ça ? »

C'était toujours si vague pour Jensen et si clair pour Ingham !

« Que je lui ai jeté à la tête l'objet qui l'a tué : ma machine à écrire.

— Non, je ne lui ai pas dit ça. Pas du tout.

— Alors, ne le faites pas, s'il vous plaît.

— Entendu. Vous n'avez pas besoin de vous inquiéter. »

Malgré la nonchalance de Jensen, Ingham sentait qu'il pouvait compter sur lui car, en disant : « Ça n'a strictement aucune importance », Jensen traduisait exactement son opinion.

« Le fait est... et je l'avoue, que j'ai honte d'avoir fait ça.

— Honte ? C'est idiot. C'est une idiotie de catholique. Ou plutôt de protestant. »

Jensen s'étendit sur son lit et allongea ses jambes brunes sur la couverture.

« Mais je ne suis pas particulièrement protestant ! Je ne suis rien !

— C'est de vous-même que vous avez honte, ou de ce que les autres pourraient penser de vous ? »

Il y avait un peu de mépris dans ce terme : « Les autres. »

« De ce que les autres pourraient penser de moi », répondit Ingham.

Ces autres n'étaient qu'Adams et Ina, pensait-il. Il crut un instant que Jensen allait le lui faire remarquer, mais ce ne fut pas le cas.

« Vous pouvez compter sur moi. Je ne dirai rien. Ne prenez pas ça trop au sérieux. »

Jensen posa un pied par terre pour attraper un cendrier.

Ingham quitta sa chambre avec le pénible sentiment d'avoir baissé dans l'estime de Jensen à cause de sa faiblesse, de sa poltronnerie. Il avait été sincère avec le Danois, depuis leur conversation dans le désert. Mais il s'étonnait de se sentir aussi coupable, aussi vacillant par rapport à lui, et cela bien qu'il fût conscient de ne rien risquer avec Jensen, même si celui-ci avait quelques verres dans le nez. Jensen n'était pas un faible. Ingham pensa soudain au jeune Arabe, aguichant malgré son allure inquiète, qui traînait quelquefois dans la ruelle près de la maison et disait toujours quelques mots en arabe à Jensen. A deux reprises, Ingham avait vu Jensen le chasser avec un mouvement agacé de la main. A l'en croire, il avait couché deux fois avec lui. Ingham trouvait ce garçon répugnant, pourri, malsain. Et pourtant, Jensen n'était pas un faible.

INGHAM n'arrivait pas à s'endormir. La chaleur et le silence l'oppressaient. Quelques minutes après sa douche, il était encore trempé de sueur. Mais il ne s'en souciait guère. Il avait pris l'habitude de l'inconfort. Et ses pensées l'occupaient. Il rêvait à Ina, il débordait de tendresse et d'amour pour elle. C'était un vaste sentiment qui englobait tout : le monde entier, lui-même, les gens qu'il connaissait, du premier jusqu'au dernier. Ina en était le centre et, d'une certaine manière, la source. Il voyait en elle non seulement une femme séduisante, mais le produit de diverses influences, de divers antécédents. Elle lui avait confié qu'elle s'était sentie négligée pendant son enfance, Joey, malade de naissance, accaparant toute l'affection et toute l'attention de ses parents. Elle s'était efforcée de travailler très bien à l'école (cela se passait à Manhattan, où vivait alors sa famille) pour qu'on s'intéressât à elle. A Hunter College, elle avait obtenu des notes excellentes, et un premier prix de composition anglaise. A vingt ans, elle aimait, avec l'approbation plus ou moins enthousiaste de ses parents, un garçon de race juive (étudiant en physique à Columbia, Ingham s'en souvenait), mais elle se sentait gênée par l'attitude de sa famille à lui, qui manifestait vigoureusement son désaccord tout en déclarant qu'il avait le droit d'organiser sa vie comme il l'entendait. Au bout du compte, cette histoire ne lui avait rapporté que quelques mois de cafard et, à la sortie du collège, une note légèrement inférieure à celle qu'elle aurait pu obtenir sans cette rupture, d'après ce qu'elle avait dit à Ingham. Avant, à quinze ans, elle avait eu le coup de foudre pour une fille un peu plus âgée qu'elle, qui était lesbienne en réalité, mais pas activement à ce moment-là. Ingham sourit un peu en pensant à tout cela, aux souffrances amères de l'adolescence, à la solitude, à l'impossibilité de toute communication avec les autres. Tout le monde connaissait ce genre d'expérience et puis, à vingt-cinq ou trente ans, elles sombraient au fond de la mémoire... comme des rochers submergés sous les eaux d'une rivière et sur lesquels on s'égratigne en nageant. L'inconscient, toutefois, sait que ces douleurs sont inévitables et qu'elles disparaîtront du souvenir, aussi vite que les douleurs de l'accouchement. Et puis elle avait épousé ce brillant dramaturge, Edgar quelque chose (Ingham était heureux d'avoir oublié son nom), pour s'en séparer au bout d'un an et demi : il s'était révélé tyrannique, porté sur la boisson, il l'avait même frappée à plusieurs reprises et il avait fini par se tuer dans un accident de voiture deux ans après leur divorce.

A présent, enfin, Ina l'aimait, lui, elle aimait son frère Joey, elle cherchait dans la religion un secours moral et peut-être une espèce de mentor. (Il se demanda jusqu'à quel point elle s'était tournée vers l'Eglise.) Mais que pouvait faire l'Eglise, sinon conseiller la résignation ? Et admonester le pêcheur, évidemment. Toutefois, si l'on se trouvait dans une situation effroyable sur le plan conjugal ou familial, par exemple — ou encore si l'on se débattait dans les affres de la pauvreté — tout ce que l'Eglise conseillait, c'était bien la résignation, en effet, et, dans l'esprit d'Ingham, un parallèle gênant s'établit avec la religion arabe.

Ses pensées quittèrent ce sujet et retournèrent à Ina. Tant mieux qu'ils fussent tous deux assez âgés pour connaître l'importance de la tendresse, pour avoir un peu perdu, du moins l'espérait-il, l'égoïsme, l'égocentrisme de la jeunesse. Ils étaient deux mondes différents, quoique similaires, complexes et cependant capables de se comprendre l'un l'autre, et ils avaient tous deux, il le sentait, quelque chose à se donner. Il se rappela quelques paragraphes qu'il avait écrits sur son carnet, en préparant son roman, sur le sens de l'identité chez l'individu. (En fin de compte, il ne s'en était pas servi, mais cela se passait toujours ainsi.) Il avait très envie de lire ces notes à Ina, de voir ce quelle en penserait, ce qu'elle en dirait. Il se rappelait, entre autres, un passage copié dans un livre. Il s'agissait d'une expérience faite dans une école primaire américaine fréquentée par des enfants pauvres. Ces enfants ne retiraient aucune joie de la vie ni de l'enseignement qu'on leur dispensait. Ils habitaient tous des logements surpeuplés. Puis l'école leur avait donné à chacun une petite glace dans laquelle ils pouvaient se voir. A partir de là, chaque enfant avait eu conscience d'être un individu, différent de tous les autres, doté d'un visage, d'une identité. Et leur univers avait changé.

Tout à coup, Ingham ressentit avec acuité le fardeau que représentait pour Ina la tragédie de Joey, la tristesse que sa maladie devait lui inspirer chaque fois qu'elle le regardait — ou qu'elle pensait à lui — même aux meilleurs moments. Et il y avait aussi le problème mystérieux, impossible à résoudre peut-être, que posait l'attachement de Joey pour elle. Ce fardeau, cette souffrance se muèrent dans l'imagination d'Ingham en quelque chose qui rampait le long de son dos et lui enfonçait ses griffes dans la chair. Il sauta à bas de son lit.

Le désir lui vint de courir tout droit chez Ina, de la réconforter, de lui dire qu'ils se marieraient — peut-être de la *demander* en mariage, mais il s'agissait là d'un simple détail — de passer le reste de la nuit, jusqu'à ce que vînt l'aube tunisienne, à bavarder, à faire des projets. Il consulta sa montre. 3 heures 18 minutes. Lui ouvrirait-on, à l'hôtel ? Oui, bien sûr, s'il frappait assez fort. Ina serait-elle mécontente ? Gênée ? Mais ce qu'il avait à lui dire était assez important pour justifier un petit esclandre en pleine nuit. Il hésita. Ne faisait-il pas preuve de faiblesse, d'une faiblesse presque fatale, en se demandant s'il devait y aller ou pas ? A vingt-cinq ans, ou même à trente, ne se serait-il pas décidé tout de suite ?

Il finit par opter pour la négative. Si Ina vivait seule dans une maison, oui, il irait. Ce qui le gênait, c'était l'hôtel.

Il se ragaillardit en pensant au lendemain. Il la verrait pour le déjeuner. Il dirait à Jensen qu'il désirait manger seul avec elle et Jensen ne s'en formaliserait pas. Alors il lui parlerait de tout cela, et aussi de leur mariage. Il prendrait l'avion en même temps qu'elle, ou du moins très peu de temps après son départ, et ils se mettraient en quête d'un appartement à New York; dans moins d'un mois, peut-être, elle aurait quitté la maison de Brooklyn et elle vivrait avec lui à Manhattan. C'était un projet très excitant. Il se recoucha, mais il lui fallut au moins une demi-heure pour s'endormir.

Il se réveilla à neuf heures et demie et s'aperçut que Jensen était déjà parti. Il pensait lui proposer de le conduire en voiture jusqu'au *Reine*, encore que Jensen n'eût probablement pas accepté. Dans ces conditions, s'il voulait les voir avant le déjeuner, il ne lui restait plus, se dit-il, qu'à les guetter. A midi et demi, il enfila une chemise et des jeans blancs et descendit au café de la Plage.

Il fut heureux de voir Ina et Jensen assis à une table devant une bouteille de vin rosé.

« Toc-toc, dit-il en s'approchant. Je peux entrer ? Vous avez passé une bonne matinée ? »

Ils semblaient émerger d'une conversation sérieuse. Jensen prit à une autre table une chaise pour lui. Ina promena son regard sur Ingham — sur son visage, ses mains, son corps — d'une façon qui lui plut. Elle souriait distraitement.

« La forteresse est intéressante ? demanda Ingham. Je n'y suis jamais entré.

— Oui. Il n'y a personne. On peut aller partout.

— Il n'y a même pas de fantômes », dit Jensen.

Il devint très vite évident que le Danois n'allait pas partir. Ils déjeunèrent chez Mélik, de yaourt, de fruits, de fromage et de vin, car il faisait trop chaud pour manger autre chose. Ingham pensa qu'Ina aimerait peut-être à faire la sieste. Il pourrait la ramener à l'hôtel et bavarder là-bas avec elle. Jensen s'empara de l'addition et insista pour la payer parce qu'il avait eu l'intention d'inviter Ina à déjeuner. Puis il s'excusa.

« Je vais travailler un moment, après la sieste. Fatma est venue ?

— Pas ce matin, dit Ingham.

— Zut. Si elle débarque cet après-midi, je crois que je la renverrai. Ça vous ennuie ?

— Pas du tout. »

Jensen s'en alla.

« Comment est-elle, cette fatma ? s'enquit Ina.

— Oh ! elle doit avoir environ seize ans. Elle n'arrête pas de sourire. C'est à peine si elle sait quelques mots de français. Son activité préférée consiste à ouvrir le robinet de la terrasse et à regarder l'eau couler. De temps en temps, nous lui donnons de l'argent pour acheter de la nourriture et du vin. Ellle ne nous rapporte jamais la monnaie. Quelle que soit la somme que nous lui mettons dans la main, c'est toujours « juste assez ».

Ingham rit. Ina avait l'air de ne pas écouter, ou de ne pas s'intéresser à ce qu'il disait.

« Fatiguée, ma chérie ? Je vais te reconduire à ton hôtel. Il fait une chaleur épouvantable. Tu aimerais peut-être faire une sieste. Pourquoi pas avec moi ?

— Tu crois que nous dormirions ? »

Ingham sourit.

« Il y avait certaines choses dont je voulais te parler. (Il regretta de ne pas avoir apporté son carnet, mais il n'allait pas retourner chez lui le chercher.) En fait, j'ai failli débarquer chez toi en pleine nuit. A trois heures et demie. J'ai même sauté de mon lit.

— Cauchemar ? Pourquoi n'es-tu pas venu ?

— Non, ce n'était pas un cauchemar. Je ne dormais pas. Je pensais à toi. Tu sais, chérie, tu pourrais venir faire la sieste chez moi.

— Non merci. Je crois que je préfère l'hôtel. »

Bien entendu, elle serait beaucoup mieux à l'hôtel, Ingham s'en rendait parfaitement compte. Mais il avait le sentiment qu'elle détestait son appartement, qu'elle le jugeait peut-être sordide. Il eut vaguement envie de défendre ses deux pièces, quoiqu'elle ne les eût même pas spécifiquement attaquées. Après tout, il y travaillait : c'était son « saint des saints » et il y avait là quelque chose de sacré à ses yeux.

« Bon. Eh bien, allons-y, mon chéri. »

Il la conduisit à l'hôtel. Le réceptionniste lui tendit un télégramme.

« Pour une fois, ça va vite, dit Ingham en se demandant de qui cela pouvait venir.

« — J'ai télégraphié au bureau, déclara Ina. C'est la réponse. »

Ingham attendit pendant qu'elle lisait. Il la vit froncer les sourcils et prononcer un « zut » inaudible.

« Il faut que j'envoie encore un télégramme, dit-elle. Ca ne sera pas long. »

Ingham hocha la tête et alla chercher un journal.

« Qu'est-ce que c'était ? demanda-t-il quand elle eut terminé.

— C'est au sujet d'un copyright. Je leur ai dit qu'il n'y avait pas de problème, mais ils sont inquiets et ils demandent où sont les papiers. Ils veulent vérifier. Aucun intérêt. »

Ina prit une douche froide et Ingham lui demanda la permission de l'imiter. L'eau, fraîche sans être glacée, lui parut délicieuse. Et puis il trouvait charmant de prendre dans la niche le savon parfumé d'Ina et de l'y replacer. Il y avait même une immense serviette blanche, toute propre, qu'il annexa.

« Ah ! c'était merveilleux, dit-il en ressortant, pieds nus, drapé dans sa serviette.

— Tu sais, Howard... (Elle fumait, allongée sur son lit, la tête soutenue par un oreiller.) Ce serait bien si nous avions un bungalow. Pourquoi ne pas en louer un ? Ou deux », rectifia-t-elle en souriant.

Ingham n'avait absolument aucune envie de louer un bungalow.

« Eh bien, rien ne t'empêche de le faire, s'ils ne sont pas tous pleins. Tu as demandé ?

— Pas encore. Mais c'est si misérable chez toi, mon chéri, avoue-le. Ces waters ! Et tu ne manques pas d'argent. Je ne comprends pas pourquoi tu fais ça.

— Pour changer. J'en avais assez de ce bungalow.

— Pourquoi ça ? Il y a une cuisine, une salle de bain, tout est simple et propre. Francis dit qu'on peut louer un appareil de climatisation.

— Je voulais voir comment vivent les Arabes, acheter des choses au marché, et tout ça.

— Il est inutile de vivre comme eux pour le savoir. En tout cas elle n'est pas très agréable, leur existence. J'en ai vu beaucoup ce matin, en revenant de la forteresse avec Anders.

— C'est un quartier fascinant, n'est-ce pas ? (Ingham sourit.) Ce qu'il y a, c'est que je travaille très bien là où je suis. Pour moi, c'est une espèce de bureau, tu sais. Je ne comptais pas y rester plus d'un mois.

— Francis pense que tu fais ça pour te punir.

— Ah ! oui ? Il me l'a dit à moi aussi, il me semble. C'est bien freudien pour OWL ! D'ailleurs, il est tout à fait à côté de la question. Quand t'a-t-il raconté ça, à propos ?

— Je l'ai rencontré ce matin sur la plage. Ou plutôt il m'a hélée de loin. Il était dans l'eau. J'avais envie de me baigner de bonne heure. Alors nous nous sommes assis sur le sable et nous avons bavardé. (Elle rit.) Il est si drôle avec ces palmes, ce trident et cette casquette imperméable à *visière*. Tu sais qu'il nage sous l'eau avec ça ?

— Oui. Je sais. »

Elle reprit, après un silence :

« Il prétend que tu ne dis pas toute la vérité à propos de cette nuit pendant laquelle Abdullah a été tué. Sur ta terrasse, d'après lui.

— Hum, hum, fit Ingham en soupirant. D'abord, personne ne sait s'il a été tué ou pas. On n'a pas vu le cadavre. Adams se conduit comme une vieille fille curieuse. Pourquoi ne va-t-il pas trouver la police s'il se sent tellement concerné ?

— Inutile de monter sur tes grands chevaux.

— Excuse-moi. »

Ingham alluma une cigarette.

« C'est pour ça que tu as déménagé ?

— Bien sûr que non. Je suis toujours en bons termes avec OWL. Si j'ai quitté le bungalow... c'est à cause d'une chose dont j'aimerais discuter avec toi, à propos. Ou te parler. Ce n'est pas sans rapport avec le roman que j'écris. En gros, il s'agit de savoir si l'individu tire de lui-même sa personnalité et son éthique, ou si cette personnalité, cette éthique sont modelées par la société qui l'entoure. C'est un peu le sujet de mon livre. Depuis que je suis en Tunisie, j'y pense beaucoup. Ce que j'entends par là, c'est... l'inverse de l'autoritarisme. Sur le plan de la morale, en particulier. Vois-tu, mon héros Dennison se forge sa propre morale. Mais je t'accorde qu'il est un peu cinglé. »

Ina l'écoutait en silence, sans le quitter des yeux.

« Il y a eu des moments, ici, à Hammamet, des jours et des semaines en réalité, quand je ne recevais de lettres ni de toi ni de personne, où je me sentais étranger à tout, même à moi-même, comme si je ne me connaissais pas, et cela venait peut-être en partie — je parle d'un point de vue moral — du fait que je vivais au milieu d'Arabes qui avaient une éthique, des principes moraux différents des miens. Et ces Arabes représentaient la majorité, comprends-tu. Ce monde est à eux, pas à moi. Tu vois ce que je veux dire ?

— Alors qu'est-ce que tu as fait ? »

Ingham rit.

« Il n'y a rien à *faire*. C'est un état d'esprit. Un état d'esprit très troublant. Mais au fond, je crois que j'en ai tiré bénéfice pour mon livre. Parce qu'il a un peu le même thème.

— Je ne crois pas que mes valeurs morales changeraient si je vivais ici. Un verre d'eau glacée me ferait bien plaisir. »

Ingham le commanda aussitôt par téléphone. Puis il dit :

« Elles ne changeraient pas nécessairement, mais tu aurais peut-être du mal à les mettre en pratique si personne, autour de toi, ne le faisait.

— Donne-moi un exemple. »

Pour une raison quelconque Ingham ne sut que dire, quoiqu'il eût le choix entre plusieurs exemples possibles. Petites filouteries. Entretenir autant de maîtresses qu'on pouvait s'en payer, parce que tout le monde s'offrait ce plaisir-là, et tant pis pour ce qu'en pensait l'épouse.

« Eh bien, si on s'est fait voler cinq ou six fois, tu ne crois pas qu'on a envie de rendre la pareille ? Celui qui ne vole pas, ou qui ne triche pas un peu dans les transactions d'affaires, en sort toujours battu si tout le monde est malhonnête.

— Hum ! » fit-elle, d'un air de doute.

Comme on frappait à la porte, elle lui fit signe de passer dans la salle de bain.

Ingham s'exécuta. Il se contempla distraitement dans la longue glace, à côté de la baignoire, et se trouva l'air romain. Ses mains étaient invisibles : elles serraient la serviette par en dessous. Ses pieds lui paraissaient ridicules. Il se dit que OWL passait son temps à fourrer son nez dans les affaires des autres. Il avait détourné Ina de lui, un peu tout au moins, et il le détestait pour cela. S'il décrivait à Ina ses émissions stupides, elle saurait à quel point il était cinglé.

« La route est libre, cria Ina.

— C'est un comportement d'Occidentale, dit Ingham avec mépris, en rentrant. Une femme aussi séduisante que toi devrait avoir cinq ou six bonshommes dans sa chambre tous les après-midi. »

Ina sourit.

« Mais pourquoi OWL croit-il que tu ne dis pas la vérité au sujet de cette nuit ? »

244

Elle se versa de l'eau. Ingham alla chercher un autre verre dans la salle de bains.

« Tu n'as qu'à le lui demander.

— C'est ce que j'ai fait.

— Ah ! bon ?

— Il croit que tu as jeté quelque chose à la tête de l'Arabe ou que tu l'as frappé. C'est vrai ?

— Non, dit fermement Ingham, après une seconde d'hésitation due surtout à sa surprise. Je sais, il y a le claquement de la porte, la sortie des garçons, tous ces détails qu'il connaît... malgré la distance qui le sépare de mon bungalow.

— Mais ça s'est bien passé sur ta terrasse.

— Le hurlement que j'ai entendu était proche. »

Cette conversation déplaisait de plus en plus à Ingham. Cependant il savait que, s'il le montrait, cela risquait de paraître étrange.

« D'après lui, les Français qui habitaient derrière toi ont entendu une porte claquer et ils étaient sûrs qu'il s'agissait de la tienne.

— Ces Français ne m'en ont pas parlé, à moi. Personne n'a parlé de la disparition d'Abdullah ou de quoi que ce soit d'autre. Personne n'en parle, sauf OWL. »

Le regard inquisiteur d'Ina le troublait. On eût dit que OWL lui avait passé son accès de curiosité purulente, comme une maladie ou une fièvre.

« C'est peut-être un autre Arabe qui lui a donné le coup de grâce, dit Ingham en s'asseyant dans un fauteuil. OWL pense que les garçons l'ont emporté et enterré quelque part. Ils le nient. Ils veulent étouffer l'affaire...

— Oh ! non. L'un des garçons a dit à OWL que l'Arabe s'était cogné contre quelque chose. Ça, il l'a admis. »

Ingham soupira.

« C'est vrai. J'oubliais.

— Tu ne me caches rien, n'est-ce pas, Howard ?

— Non.

— J'ai l'impression bizarre que tu en as plus raconté à Anders qu'à moi... ou qu'à OWL.

Ingham rit.

« Pourquoi ?

— Oh ! tu es très proche d'Anders, avoue-le. Tu vis pratiquement avec lui. Je ne savais pas que tu t'entendais si bien avec les pédérastes.

— La question n'est pas là. (Cette phrase d'Ina lui paraissait stupide.) Je ne pense même plus qu'il est pédéraste. Et d'ailleurs, je n'ai pas vu un seul garçon chez lui depuis que j'ai emménagé. »

Il regretta ces paroles dès qu'il les eut prononcées. L'abstinence était-elle une vertu ?

« Il est peut-être amoureux de toi, dit Ina en riant.

— Oh ! Ina, je t'en prie. Ce n'est même pas drôle. »

Mais pour sauver quelque chose, l'après-midi peut-être, il se força à sourire. Ce ne fut pas une réussite.

« Il a de l'affection pour toi, vous êtes très liés... tu t'en rends bien compte.

— Ce sont des idées que tu te fais. Sincèrement, Ina. (Comment en étaient-ils arrivés *là* en quelques minutes de conversation ? Il se rendit compte qu'il ne pourrait pas lui demander de l'épouser cet après-midi. Tout ça à cause de ce satané OWL.) Je voudrais bien que OWL se mêle de ce qui le regarde. C'est lui qui t'a monté la tête à propos d'Anders ?

— Non, pas du tout. Calme-toi, mon chéri. Je parle simplement de ce que j'ai vu.

— Eh bien, tu te trompes. Tu as une bouteille de scotch ? »

Elle lui en avait donné une sur deux.

« Oui, dans le placard. En bas à droite. »

Ingham la prit. Elle était ouverte, mais seule la hauteur du goulot avait disparu.

« Tu en veux ? (Il en versa un peu dans le verre que lui tendait Ina, puis se servit.) Nous nous entendons bien, Anders et moi, mais il n'y a rien de sexuel là-dedans.

— Alors, c'est que tu ne t'en rends peut-être pas compte. »

Voulait-elle dire que, lui aussi, il éprouvait des sentiments troubles pour Anders ? Les femmes pensaient-elles *toujours* au sexe, d'une façon ou d'une autre ?

« Alors c'est beaucoup trop subtil pour moi. Et si c'est subtil à ce point, quelle importance ?

— Tu ne sembles pas avoir envie de le quitter... de prendre un bungalow.

— Oh ! bon sang, Ina ! (Il se demanda si toutes les femmes prenaient les pédérastes tellement au sérieux. Il croyait jusqu'à présent qu'elles les considéraient comme des quantités négligeables. Comme des zéros.) Je t'ai expliqué : si je n'ai pas envie de déménager, c'est parce que je travaille.

— Je crois que les bungalows réveillent un mauvais souvenir dans ton esprit. Ce n'est pas vrai ? »

Elle parlait d'une voix douce.

« Ecoute, mon chou, je ne t'ai jamais vue comme ça. Tu es aussi terrible que OWL. Tu me connais... et pourtant tu n'as pas l'air de me comprendre. Tu n'as rien répondu quand je me suis efforcé de t'expliquer mes sentiments depuis mon arrivée dans ce pays, sur ce continent. Oui, bien sûr, il n'y a pas de quoi ébranler le monde. »

Ingham sentit les battements de son cœur s'accélérer. Il était debout avec son verre.

« As-tu adopté le code moral des Arabes à supposer qu'ils en aient un ?

— Pourquoi me poses-tu cette question ?

— Tu as dit à OWL, paraît-il, que la vie de cet Arabe n'avait aucune importance, parce que ce n'était qu'un D.O.M. »

Elle entendait par D.O.M. *Dirty Old Man*, sale vieux bonhomme.

« J'ai dit que c'était un sale voleur, et qu'un tas de gens désiraient probablement en être débarrassés. »

Il eut envie d'ajouter : « Demande à Anders. Il est éloquent sur ce sujet. »

« C'est bien lui qui t'avait volé ta veste dans ta voiture ?

— Oui. Je l'ai vu. Mais pas d'assez près pour pouvoir l'attraper.

— Tu ne lui as quand même pas jeté quelque chose à la tête, cette nuit-là : une chaise, par exemple, ou bien ta machine à écrire ? »

Ce fut avec un sourire amusé, rassurant, qu'elle prononça cette phrase, mais Ingham sentit qu'il ne devait pas se rassurer.

« Non », soupira-t-il, comme s'il arrivait au bout d'une tension intolérable.

Il avait envie de partir. Il rencontra le regard d'Ina. Quelque chose les séparait, les maintenait loin l'un de l'autre. Il détestait cela. Ses yeux se détournèrent.

« C'est aussi Abdullah qui t'a pris tes boutons de manchettes ? »

Ingham secoua la tête.

« Non, ça se passait un autre soir. Je n'étais pas là. Je ne sais pas du tout qui les a pris. Je crois que je ferais mieux de te laisser dormir. »

Il alla s'habiller dans la salle de bain. Elle ne chercha pas à le retenir. Au retour, il s'assit à côté d'elle sur le lit et l'embrassa sur la bouche.

« Tu as envie d'aller nager un peu plus tard dans l'après-midi ?

— Je ne sais pas. Je ne crois pas.

— Tu veux que je passe te prendre vers vingt heures ? Nous pourrions aller à La Goulette, le village de pêcheurs. »

Cette idée la séduisit et, comme c'était assez loin, Ingham lui dit qu'il viendrait la chercher à dix-neuf heures.

INGHAM voulait voir Adams. Il était 16 h 45 et Adams se trouvait probablement sur la plage. Il parcourut en voiture les deux cents mètres d'allée qui le séparaient des bungalows. Tout y était tranquille et silencieux dans le soleil, comme si les occupants faisaient une sieste prolongée. La Cadillac noire d'Adams était garée à l'endroit habituel. Ingham se rangea à côté.

Il frappa à la porte d'Adams. Pas de réponse. Il marcha jusqu'à la terrasse de l'office et regarda du côté de la plage. Il n'y avait là que trois ou quatre silhouettes, dont aucune ne ressemblait à Adams. Il retourna au bungalow, le contourna et s'assit devant la porte de la cuisine, à l'ombre. La poubelle de métal gris d'Adams était là, à un mètre, vide. Au bout d'une minute ou deux, Ingham se félicita qu'Adams n'eût pas été là quand il avait frappé, car il se savait un peu en colère. Ce n'était pas comme cela qu'il fallait s'y prendre. Mieux valait lui faire comprendre gentiment qu'il ne devait pas se mêler de ce qui ne le regardait pas, ni fourrer dans la tête d'Ina des idées qui la tracassaient. Il avait parfaitement conscience de mentir en se lançant dans cette voie-là. Il lui semblait que tout ça était son affaire et que personne n'avait le droit d'intervenir là-dedans. Sauf la police.

Mais la police était une chose et Adams une autre.

Ingham était assis là depuis un quart d'heure environ, adossé à la porte de la cuisine, quand un bruit de serrure lui apprit qu'Adams venait d'arriver. Il se leva en hâte et contourna la maison en ralentissant le pas. Adams avait sûrement remarqué sa voiture. La porte de devant étant fermée, il frappa.

« Tiens, bonjour ! Entrez ! Je suis content de vous voir ! J'ai vu votre voiture. »

Adams avait un filet à provisions à la main. Il passa dans la cuisine pour ranger ses achats, et proposa à Ingham un whisky ou un café glacé. Ingham lui demanda s'il avait du Coca-Cola. Il répondit que oui.

« Et comment va Ina ? s'enquit Adams en s'ouvrant une bouteille de bière.

— Bien, je crois. (Ingham ne comptait pas aborder aussi rapidement le sujet. Puis il se dit : Pourquoi pas ?) Qu'est-ce que vous lui avez raconté à propos de cette fameuse histoire d'Abdullah ?

— Ce que je lui ai raconté ? Eh bien, tout ce que j'en sais, voilà tout. Elle était curieuse, elle m'a posé un tas de questions.

— Evidemment, si vous avez prétendu que je ne disais pas toute la vérité. Je crois que vous l'avez inquiétée, Francis. »

« Voilà, se dit-il, à lui d'encaisser maintenant. »

Adams cherchait ses mots, mais il ne lui fallut pas longtemps pour les trouver :

« Je lui ai dit ce que je pensais, Howard. J'ai le droit de le faire, même si je me trompe. »

Il prononça ces mots d'un ton dogmatique, comme s'il s'agissait là d'un principe sur lequel il se guidait depuis toujours.

« Je ne le nie pas, dit Ingham en se laissant tomber sur le fauteuil de cuir grinçant. Mais c'est dommage de l'inquiéter. Et ça n'en vaut pas la peine.

— Pourquoi dites-vous que je l'ai inquiétée ?

— Elle m'a interrogée. J'ignore qui était cet Arabe. Je n'ai pas vu son visage et il me semble qu'en pariant pour Abdullah, on joue aux devinettes. On se fonde sur sa disparition apparente... mais, pour être logique, il ne faut pas oublier qu'il a pu quitter la ville, que celui qui a reçu un coup sur la tête ou qui s'est assommé et a hurlé était peut-être quelqu'un d'autre. Rien ne prouve qu'il y ait eu mort d'homme cette nuit-là. Vous voyez ce que je veux dire ? »

OWL prit un air pensif, mais resta solide sur ses positions.

« Oui, mais vous savez très bien que ce n'est pas vrai.

— Comment le saurais-je ? Vous vous fondez sur des preuves circonstancielles, qui sont d'ailleurs assez minces.

— Howard, vous avez sûrement au moins ouvert votre porte. Ou regardé par une persienne. Le hurlement vous a réveillé. A votre place, n'importe qui aurait eu la curiosité de jeter un coup d'œil. Et les Français m'ont affirmé qu'ils avaient entendu votre porte claquer. »

Leur bungalow se trouvait très près du sien, Ingham s'en rendait compte. A une dizaine de mètres, sans doute, quoique sa porte d'entrée fût de l'autre côté par rapport à eux. S'ils étaient restés éveillés pendant quelques minutes, ils avaient sûrement entendu venir les garçons de l'hôtel.

« Pas étonnant que votre fiancée se pose des questions, à partir du moment où elle est au courant des faits. Howard... (OWL semblait avoir des difficultés à s'exprimer, mais Ingham le laissa se débattre.) C'est une fille bien, une fille formidable. C'est quelqu'un d'important. Vous avez le devoir d'être sincère avec elle. »

Ingham sentit monter en lui une nausée dont la

dernière apparition datait de son adolescence, quand il regardait chez lui des livres pieux, de vieilles choses poussiéreuses qui devaient avoir appartenu à ses grands-parents : « Repentez-vous de vos péchés... mettez votre âme à nu devant le Christ... » Les questions et les réponses donnaient à penser que tout le monde commettait des péchés, dès la naissance apparemment, mais qu'est-ce que c'était qu'un péché ? Ingham n'avait rien trouvé de pire que la masturbation; or, puisque les livres de psychologie qu'il lisait à l'époque déclaraient qu'il s'agissait là d'une pratique normale et naturelle, que restait-il ? Il ne croyait pas avoir commis cette nuit-là un péché ou un crime... à supposer même qu'il eût tué l'Arabe, ce qui ne serait pas prouvé tant qu'on n'aurait pas découvert le cadavre.

« Je vous ai raconté tout ce que je sais au sujet de cette nuit, déclara-t-il. Je regrette que vous ayez jugé bon d'inquiéter Ina, Francis. Est-ce que c'était nécessaire ? Est-ce qu'il fallait vraiment lui gâcher une partie du plaisir que lui apportent ses vacances ?

— Oh ! mais elle sait parfaitement ce que je veux dire, affirma tranquillement OWL. Elle a des principes moraux, vous savez. Je n'emploierai pas le mot « religieux », mais elle a ses idées sur Dieu, sur l'honnêteté, la conscience. »

Ingham eut un mouvement de gaieté en imaginant OWL sous les traits d'un prédicateur dans sa chaire, là, tel qu'il était, Jean-Baptiste aux jambes et aux pieds nus, une canette de bière cuivrée à la main.

« Je vois de quoi vous parlez. Oui, elle m'a dit qu'elle allait à l'église depuis quelque temps. (Il ne désirait pas avouer qu'elle ne s'en était guère expliquée avec lui et se sentait vexé à l'idée qu'elle en avait probablement dit davantage à OWL qu'à lui... parce qu'il l'avait encouragée à s'étendre sur ce sujet, sans aucun doute.) Elle a une croix à porter avec son frère infirme, si je peux m'exprimer ainsi. Elle l'aime beaucoup.

— Elle sait la valeur d'une conscience claire. »

« Moi aussi », aurait voulu rétorquer Ingham. Il était partagé entre l'irritation et l'ennui.

« Vous devriez vous marier, Ina et vous, reprit OWL. Je sais qu'elle vous aime. Mais il faut d'abord faire la paix avec vous-même, Howard. Et ensuite avec Ina. Vous croyez pouvoir oublier tout ça... peut-être parce que vous êtes en Tunisie. Mais ce n'est pas votre genre, Howard. »

On aurait cru entendre l'une de ses bandes.

« Ecoutez, dit Ingham en se levant. Vous semblez m'accuser d'avoir frappé ce type cette nuit-là. Peut-être de l'avoir tué. Alors, pourquoi ne pas le dire franchement ? »

OWL hocha la tête et décocha à Ingham sa deuxième variété de sourire : doux, pensif, alerte.

« D'accord. Je vais le dire. Je crois que vous l'avez frappé avec quelque chose ou que vous lui avez jeté à la tête un objet quelconque — une chaise, peut-être, ou plutôt votre machine à écrire, puisque les Français parlaient d'un bruit métallique —, je crois que vous l'avez tué ou qu'il est mort plus tard des suites de sa blessure. Je crois que vous avez honte de l'avouer. Mais laissez-moi vous donner un conseil. »

Ingham le laissa observer, aussi longtemps qu'il le voulut, une pause qu'il croyait dramatique.

« Vous ne serez pas heureux avant d'avoir purgé votre conscience. Et Ina non plus ne sera pas heureuse. Pas étonnant qu'elle soit troublée ! Elle a beau vivre dans les milieux intellectuels de New York, comme vous, nul ne peut échapper aux lois de Dieu, qui gouvernent notre être. Inutile d'aller régulièrement à l'église pour savoir cela. »

Ingham resta silencieux. Peut-être était-il un peu drogué par ces mots.

« Autre chose, dit OWL, en arpentant la distance qui le séparait de la porte close. C'est un problème qui vous regarde. A vous de le régler. La police n'a pas besoin d'intervenir. Voilà la différence avec... les autres accidents de ce genre. C'est votre problème. Et celui d'Ina. »

Mais pas le vôtre, pensa Ingham.

« Il est vrai...

— Ah ! vous voyez...

— Il est vrai que ce problème ne regarderait que moi *s'il* existait. Donc, Francis, je voudrais que, par affection pour moi et pour Ina, vous cessiez de me tourmenter. (Il parlait avec une douceur calculée.) J'aimerais préserver notre amitié. Et ça ne sera pas possible si vous continuez.

— Eh bien. (OWL ouvrit les mains d'un air innocent.) Je ne vois pas pourquoi vous me dites ça, puisque tout ce à quoi je vise, c'est à vous rendre plus heureux... plus heureux avec la fille que vous aimez. Ha ha ! »

Ingham se contint. Ne serait-il pas aussi stupide de lui en vouloir pour les mots qu'il venait de prononcer que pour ses émissions ? Il se dit qu'il ne devait pas se sentir si concerné. Et pourtant OWL en personne était là, devant lui; les paroles qu'il venait de dire s'adressaient à lui, et à lui seul.

« Je crois que je ferais bien de ne plus en parler avec vous, dit-il, en pensant qu'il se contrôlait mieux que ne l'auraient fait à sa place la plupart des gens.

— Bon. C'est une affaire qui vous regarde, vous et votre conscience », fit Adams sur un ton de profonde sagesse.

Pour Ingham, ce fut la goutte d'eau qui fit déborder le vase. Cet air de supériorité imbécile était plus qu'il n'en pouvait supporter. Il posa bruyamment son verre, qui contenait encore un doigt de liquide.

« Oui, je m'en vais, Francis. Merci pour le Coca-Cola. »

Et ce fut aussi avec une mine répugnante qu'Adams présida à sa sortie. Il lui tint la porte, lui fit un petit salut, lui sourit comme s'il voyait en lui un catéchumène tout arrosé de propagande qui allait rentrer chez lui, s'en imprégner, et qui serait un peu plus maniable la prochaine fois. Ingham parvint à se retourner, à sourire, à lui adresser un signe de la main avant de regagner sa voiture.

Il avait envie de parler à Jensen, mais il se dit qu'il se couvrirait de ridicule en courant ainsi de l'un à l'autre. Aussi, une fois de retour chez lui, il s'enferma dans sa chambre, quoiqu'il entendît Jensen en haut. Il ôta son pantalon, se laissa tomber sur son lit et contempla le plafond. Adams ne renoncerait jamais, pensa-t-il; cependant, il ne resterait pas toujours en Tunisie. Il pouvait même partir dès le lendemain, avec Ina : il lui suffisait d'en exprimer le désir. Hélas ! cela ressemblerait à une « fuite », supposa-t-il, et il ne voulait pas donner à OWL un sujet de satisfaction quelconque, fût-il minime. Ingham essuya son front trempé de sueur. Il prendrait une douche juste avant son rendez-vous avec Ina. Il pouvait aussi descendre sur la plage, qui n'était qu'à deux cents mètres, et se baigner, mais il n'en avait pas envie.

Brusquement, une idée lui vint et il s'assit sur son lit. Quelles questions Ina avait-elle posées à Jensen ce matin au sujet d'Abdullah ? Elle l'avait vu juste après sa conversation avec OWL sur la plage.

« Hé, Anders ! cria Ingham.

— Oui ?

— Vous descendez prendre un verre ?

— Dans deux minutes. »

Il semblait être en train de travailler.

Ingham prépara les verres et, en retournant dans la plus grande de ses deux pièces, il trouva Jensen debout près de la table, l'air assez content.

« La journée a été bonne ?

— Pas mauvaise. Je veux travailler ce soir. »

Ingham lui tendit son verre.

« Je viens d'avoir une sacrée séance avec OWL. J'ai l'impression de sortir d'une église.

— Comment ça ? »

Ingham se rappela qu'il ne pouvait pas parler à Jensen des émissions de OWL en faveur de Dieu et de l'Amérique. C'était dommage, parce que son récit y aurait gagné en humour, et aussi en vigueur.

« Il essaie de faire pression sur moi pour me forcer à admettre que j'ai assommé Abdullah. Mais ce qui m'ennuie davantage encore, c'est qu'il monte la tête d'Ina. Il lui dit que c'est forcément moi le coupable, parce que ça s'est passé sur ma terrasse et que je suis le seul — (Ingham vit Jensen secouer la tête d'un air d'ennui profond) — le seul qui ait pu faire quelque chose. Il me conseille de l'avouer à Ina et de me mettre en règle avec ma conscience.

— Oh ! merde et chierie ! fit Jensen. Est-ce qu'il n'a rien de mieux à faire ? Alors il vous a sermonné ? »

Il s'adossa à la table, se hissa sur la pointe des pieds et pouffa de rire.

« Exactement. Il a invoqué Dieu, il m'a dit de faire la paix avec lui, et tout ça. Mais Ina, à propos, qu'est-ce qu'elle vous a demandé ce matin ?

— Ah ah ! (Jensen contempla fixement le vide, comme s'il essayait de rassembler ses souvenirs.) Elle venait de discuter avec OWL, il me semble.

— Je sais.

— Voyons... Elle m'a demandé... ah ! oui... si je croyais que vous aviez jeté quelque chose à la tête de ce vieux salaud. (Brusquement, Jensen eut l'air endormi.) Je devrais faire une petite sieste avant de me remettre au travail. Ce verre de whisky va m'y aider. »

Ingham aurait aimé poser encore une question à Jensen, mais la honte l'en empêcha. Il se sentait devenir aussi mesquin que OWL.

« Au fait, OWL et Ina m'ont demandé tous les deux si ce n'était pas ma machine à écrire que j'avais lancée à Abdullah. »

Jensen sourit.

« Sans blague ? Où l'avez-vous rencontré, OWL ?

— Je suis allé le voir dans son bungalow. Après avoir ramené Ina au *Reine*. Je voulais lui demander de ne plus la tourmenter avec tout ça.

— Vous savez ce que vous devriez faire, mon ami ? La conduire loin d'ici. A votre place, je dirais à M. Adams d'aller se faire cuire un œuf, mais je crois que vous êtes trop poli.

— Je lui ai quand même dit d'arrêter. Il est en train de la dresser contre moi. Il ne le fait peut-être pas intentionnellement, mais ça revient au même... Il passe son temps à me répéter que ma conscience me tourmente. Ce n'est pas vrai. »

Jensen resta imperturbable.

« Partez quelque part avec Ina pendant une semaine ou deux. Ce n'est pas difficile... Mes parents m'ont envoyé un paquet aujourd'hui. Je vais vous le montrer. »

Il monta et redescendit aussitôt avec un carton.

« Une quantité de biscuits. Et ça. »

Il ôta le papier d'argent qui enveloppait un bonhomme de pain d'épice, de trente centimètres environ, avec chapeau, veste et boutons en glaçage jaune. Ingham le contempla, fasciné. Il ne ressemblait pas aux bonshommes de pain d'épice américains. Il évoquait pour lui des Noëls scandinaves glacés, l'odeur des sapins, des chœurs d'enfants aux cheveux de lin.

« C'est une œuvre d'art. A quelle occasion vous a-t-on envoyé ça ?

— Pour mon anniversaire. C'était la semaine dernière.

— Pourquoi ne pas l'avoir dit ? »

Ingham accepta l'un des biscuits décorés. Jensen lui dit qu'ils étaient l'œuvre de sa mère et de sa sœur.

« Et puis il y a ça, ajouta-t-il en retirant du carton une paire de pantoufles en peau de phoque, dont la fourrure grise était ornée de broderies bleues et rouges. Ce n'est pas tout à fait ce qui convient pour la Tunisie, hein ? »

Ingham éprouva brusquement un tel désir de connaître le pays de Jensen, son univers, que, l'espace d'un instant, il se sentit incapable de parler. Il prit les pantoufles et les huma : il s'en dégageait une fraîche odeur animale, une odeur de cuir neuf, à laquelle se mêlait un très léger parfum d'épices, celui des biscuits qui les accompagnaient dans la boîte.

La soirée à La Goulette ne fut ni un grand succès ni un échec. Ingham avait dit à Ina qu'il était allé voir OWL, parce qu'il préférait le lui apprendre le premier, mais OWL était si rapide ces jours-ci qu'il se demandait si elle ne le savait pas déjà. Ce n'était pas le cas.

« Je suppose que tu lui as demandé de ne plus me parler d'Adbullah, dit-elle.

— Heu... oui. Il n'en sait pas plus sur cette histoire que les autres. Les seuls qui soient au courant, sans doute, ce sont les garçons de l'hôtel.

— Tu les as interrogés ?

— Je croyais t'avoir dit que j'avais posé la question à Mokta. Il prétend ne rien savoir, n'avoir même pas entendu parler de ce hurlement. »

Tout à coup, Ingham pensa que Jensen, puisqu'il parlait passablement l'arabe, pourrait peut-être soutirer un renseignement à Mokta ou aux autres. Ce qui l'intéressait, c'était de savoir si l'on avait ou non trouvé un cadavre.

Ina se taisait.

« Tu aimerais aller quelque part, à Djerba par exemple ? Prendre une chambre avec moi ?

— Mais tu m'as dit que tu travaillais ?

— Ça peut attendre. Tu n'es ici que pour quelques jours. »

Ce qui posait, se dit-il, la question de savoir s'il partirait ou non avec elle. Tout était bouleversé. S'il avait pu lui demander de l'épouser, comme il comptait le faire, tout serait réglé à présent. Ils seraient partis pour Paris ensemble évidemment. Devait-il lui parler mariage ce soir ? Mais peut-être considérait-elle que c'était déjà entendu entre eux ? Ingham jeta un coup d'œil autour de lui : ils étaient assis à une table, sur la terrasse du restaurant où ils venaient de manger un *poisson complet* catastrophique. Des garçons chargés de lourds plateaux chassaient à grands cris les colporteurs et les petits mendiants. Il faisait si sombre qu'ils avaient eu du mal à déchiffrer le menu.

Ingham ne parla pas mariage ce soir-là. Mais il raccompagna Ina à l'hôtel. Ils burent un verre dans sa chambre et passèrent une heure ou deux ensemble. Ce fut presque aussi merveilleux que le jour de son arrivée. Ingham considérait les choses avec un peu plus de sérieux. Etait-ce un bien ? Et, en partant, il se sentait triste, déprimé.

Il l'embrassa, sur le lit où elle était couchée.

« Demain, neuf heures et demie, dit-il. Nous ferons une promenade en voiture. »

À vingt heures, le lendemain soir, rien n'était changé dans les rapports d'Ingham et d'Ina, du moins de son point de vue à lui. Elle avait apprécié Sfax, cherché dans son *Guide Bleu* des détails sur la mosquée du xɪe siècle et sur les mosaïques romaines, mais il sentait en elle une réserve qui faisait fondre en partie son dynanisme, ou son enthousiasme. Il trouva un cadeau pour Joey : une mallette de cuir bleu équipée à l'intérieur d'anneaux dans lesquels on pouvait glisser des crayons ou des pinceaux. Ils louèrent un bateau assez lourd et firent un peu de rame. Puis ils nagèrent et prirent un bain de soleil.

Ingham comptait lui demander quelle église elle fréquentait à Brooklyn. Ce n'était probablement pas une église catholique, pensait-il, sa famille étant vaguement protestante. Mais il ne put se résoudre à lui poser la question. Il acheta à Sfax du poisson fumé, des olives noires, du vin français de bonne qualité et l'invita à dîner chez lui.

Jensen but un verre avec eux, mais refusa de partager leur repas. Ingham disposait à présent d'un plus grand nombre d'assiettes, de trois couteaux et de trois fourchettes. Le sel, acheté en hâte un jour, et d'un grain trop épais, moisissait dans une soucoupe.

261

Ingham avait planté deux bougies dans des bouteilles vides, sur la table.

« Je t'offre un éclairage romantique, dit-il en riant, et il fait une telle chaleur qu'il faut les repousser au bord de la table. (Il éteignit l'une des bougies, avala une gorgée de bon vin rouge et reprit :) Si nous partions pour Paris ensemble, Ina ?

— Quand ça ? demanda-t-elle, un peu surprise.

— Demain ou après-demain. Nous y passerions la dernière partie de tes vacances. Chérie, j'ai envie de t'épouser, d'être avec toi. Je ne veux pas que tu me quittes, même pour une semaine. »

Ina sourit. Elle était heureuse, contente, Ingham en avait la certitude.

« Tu sais, nous pourrions nous marier à Paris. Et surprendre tout le monde en revenant à New York.

— Tu ne veux pas terminer ton livre ici ?

— Oh ! ça. Il est presque fini. Je sais que je le répète depuis un moment, mais je suis toujours lent à terminer un livre. C'est comme si je n'avais pas envie de l'achever. En tout cas, je connais la fin. Dennison fait un peu de prison, suit un traitement psychiatrique et recommence à peine sorti. Pas de problème. (Il se leva et lui passa un bras autour des épaules.) Veux-tu m'épouser, ma chérie ? A Paris ?

— Laisse-moi quelques minutes de réflexion. »

Ingham la lâcha.

« Oui, bien sûr. (Il était étonné et vaguement déçu. Il se sentit contraint de meubler le silence.) Tu sais, j'ai fait exprès de ne pas te parler de John. En tout cas, j'espère ne pas t'en avoir *trop* parlé. J'avais l'impression que tu ne le désirais pas. Je ne me suis pas trompé ?

— Non, je ne crois pas. Je t'ai dit que c'était une erreur et c'en était bien une. Une grosse. »

262

Ingham sentit son cerveau exécuter toute une série de sauts périlleux : se tourner tour à tour dans diverses directions et s'en écarter. Il était conscient de l'importance qu'allaient revêtir ses paroles et ne voulait pas tomber à côté de la plaque.

« Est-ce que tu l'aimes encore ?

— Non. Bien sûr que non. »

Ingham, gêné, haussa les épaules, mais elle ne vit sans doute pas son geste car elle baissait les yeux vers la table.

« Alors, qu'y a-t-il ? Tu préfères remettre cette discussion à demain ?

— Non. Ce n'est pas la peine. »

Ingham se rassit.

« J'ai l'impression que tu as changé, dit-elle.

— Comment ça ?

— Tu t'es... endurci. Tu ressembles à... (Elle leva la tête vers le logement de Jensen.) Il semble avoir eu tant d'influence sur toi et c'est... enfin, c'est presque un beatnik. »

Elle ne baissait pas la voix car ils savaient tous deux que Jensen était sorti.

Ingham sentit qu'elle cherchait des faux-fuyants.

« Non, ce n'est pas un beatnik. Sa famille n'appartient pas du tout à ce milieu-là.

— Tu sais bien que ça ne veut rien dire.

— Ma chérie, je ne connais pas Anders depuis très longtemps et je ne le reverrai probablement jamais après ces quelques jours.

— Veux-tu me raconter exactement ce qui s'est passé la nuit où cet Arabe... Enfin, qu'est-ce qu'il a fait ? Il a essayé de s'introduire chez toi ? Dans ton bungalow ? »

Ingham détourna les yeux. Il s'essuya la bouche avec le torchon qui lui tenait lieu de serviette.

« Francis Adams mérite des coups de pieds au derrière, déclara-t-il. C'est une vraie fouine. Il fourre son nez partout. »

Ina ne dit rien. Elle le regardait.

Un accès de colère rentrée réduisit aussi Ingham au silence. Se mettre martel en tête pour une stupidité pareille après tous les mauvais moments par lesquels ils étaient passés, l'histoire de John Castlewood, sa propre crise de neurasthénie, consécutive au départ de Lotte, dont il avait bien failli ne pas se relever même après sa rencontre avec Ina !... Avoir survécu à tout ça pour en arriver là ! Il était fatigué des déclarations, des discours. Mais il savait fort bien qu'Ina venait de lui poser un ultimatum. C'était comme si elle lui avait dit : « Si tu ne me racontes pas ce qui s'est passé, si tu ne m'avoues pas que tu l'as tué, je ne t'épouserai pas. » La bizarrerie de la chose arracha un sourire à Ingham. Quelle importance avait-il, cet Arabe ?

Ce soir-là, il ne monta pas dans la chambre d'Ina. Chez lui, il ne parvint pas à trouver le sommeil. Mais il ne se tracassa pas pour ça. Au contraire, il se leva et se fit réchauffer du café. Jensen était passé à vingt-deux heures, pour leur dire bonsoir avant de monter. Il avait éteint sa lumière. Il était un peu plus de une heure.

Ingham s'allongea sur son lit. Et s'il disait la vérité à Ina ? Elle n'en parlerait pas obligatoirement à OWL. Si elle le faisait, cela l'ennuierait. Cependant n'avait-il pas pris, plusieurs jours auparavant, la décision de ne rien lui dire ? Mais s'il ne lui disait rien — et, visiblement, elle le soupçonnait déjà d'avoir tué ce type — il la perdrait, idée qui le remplissait de terreur. Quand il s'imaginait sans Ina, il se sentait vidé de ses forces morales, de son ambition et il lui semblait qu'il y perdrait jusqu'au respect de lui-même.

Il s'assit. Ce qui l'ennuyait, c'était qu'en lui disant la vérité, il serait obligé de reconnaître qu'il lui mentait sans ciller depuis plusieurs jours. Son mensonge n'avait pas suffi à la convaincre, ou sinon elle ne l'interrogerait plus, mais à le faire passer, lui, pour un homme malhonnête et pour un lâche. C'était un véritable dilemme. Jensen avait beau dire que tout le monde se fichait de ce salaud d'Arabe comme de l'an quarante, la situation devenait sérieuse.

A moins que ce ne fût l'heure tardive ? Il était fatigué.

Tâche de réfléchir objectivement, se dit-il. Il se revit cette nuit-là, aux aguets dans le bungalow obscur, effrayé par cette porte qui s'ouvrait (en réalité, il imaginait, quelqu'un d'autre, n'importe qui, à sa place), et d'autant plus alarmé qu'il avait déjà été victime d'un cambriolage. Est-ce que n'importe qui n'aurait pas ramassé et jeté le premier objet qui lui serait tombé sous la main ? Puis il se représenta l'Arabe bien vivant, en chair et en os : cet homme existait, d'autres personnes le connaissaient, il avait d'un point de vue moral et légal autant d'importance que... le président Kennedy. Ingham était sûr, à quatre-vingt-dix pour cent au moins, de l'avoir tué. Il s'était efforcé d'oublier cette certitude, ou de la minimiser en faisant semblant de croire que l'Arabe méritait ce qui lui était arrivé, qu'il ne valait pas la corde pour le pendre, mais à supposer qu'il eût provoqué la mort d'un Noir ou d'un Blanc aux Etats-Unis dans les mêmes circonstances, d'un cambrioleur avéré, par exemple ? Il y aurait eu des suites. Un procès rapide peut-être, ou bien une inculpation suivie d'un acquittement, mais des suites quand même. Pas le néant, comme ici. Il n'aurait pas pu espérer trouver, en Amérique, des gens qui le débarrasseraient commodément du cadavre et n'en parleraient jamais plus.

Ingham se dit que, malgré la honte qui en résulterait pour lui, il devrait sans doute avouer la vérité à Ina. Il lui décrirait la panique, et aussi la haine qu'il avait ressenties cette nuit-là. Il n'essaierait pas de justifier ses mensonges. Il l'imaginait d'abord choquée puis comprenant ce qui lui était arrivé et lui trouvant des excuses, à supposer même qu'elle le blâmât. Il pensa que peut-être elle ne le blâmerait pas et qu'elle voulait seulement être sûre de connaître tous les détails de l'histoire.

Ingham alluma la lumière et prit une cigarette. Il tourna le bouton de son transistor, à la recherche de musique ou d'une voix humaine, et tomba finalement sur une voix de baryton qui disait en américain :

« ...la paix pour le monde entier. (Le ton était apaisant.) L'Amérique est un pays qui a toujours tendu la main de l'amitié et de la bonne volonté à *tous* les peuples — quelles que soient leur couleur et leur religion — qui a toujours secouru tous ceux qui avaient besoin de son aide — pour combattre l'oppresseur — pour gagner *eux-mêmes* la guerre contre la pauvreté... (Bon, pensa Ingham avec dégoût, eh bien commençons par rendre leur terre aux Indiens ! Ce serait un bon début chez nous ! Et ne leur donnons pas n'importe quel désert dont personne ne veut, mais un territoire fertile, qui ait de la valeur. Le Texas, par exemple ! Mais non, Bon Dieu, le Texas, l'Amérique l'a déjà pris aux *Mexicains*. Alors l'Ohio. Après tout, ce sont les Indiens qui lui ont donné son nom, à cet Etat, ce sont eux qui ont baptisé ainsi le fleuve qui le traverse...) ...ce que tout homme qui porte l'uniforme de l'Armée, de la Marine ou de l'Aviation américaine sait très bien : que, s'il a le privilège de combattre pour les Etats-Unis d'Amérique, il a aussi le devoir de préserver la sainteté de la justice humaine, *quels que soient* les rivages sur lesquels il se trouve... »

Ingham lui coupa la parole avec tant de violence

que le bouton lui resta dans la main. Il le jeta de toutes ses forces sur le sol de briques, où il disparut quelque part. Ce n'était pas OWL, ce type gavé de steaks et de Martini qui se faisait payer par la Voix de l'Amérique ou peut-être par l'*American Forces Network*, mais ces mots auraient aussi bien pu être prononcés par lui. Ingham se demanda s'il existait des gens qui se laissaient convaincre par ça. Bien sûr que non. C'était simplement un torrent d'imbécillités qui entrait par une oreille et sortait par l'autre, qui amusait peut-être quelques Américains vivant en Europe, quelque chose que l'on supportait en attendant le prochain disque de danse. Et pourtant ces sornettes devaient exercer une certaine influence, ou alors on ne prendrait plus la peine de les diffuser : il y avait donc quelque part des gens qui gobaient ça tout cru. Il pensa à OWL qui était là, à un kilomètre à peine, et qui rêvait aux mêmes sottises, qui les débitait à la radio, qui se faisait payer pour ça... non, il ne lui avait sûrement pas menti là-dessus. Et qui se faisait payer par les Russes. Ça lui rapportait peut-être à peine dix dollars par mois. Ingham se tortilla dans son lit : il avait l'impression de vivre dans un asile de fous et de ne pas être lui-même tout à fait sain d'esprit.

Il se rappela l'instant de son arrivée sur le sol tunisien. A l'aéroport. Le choc brusque de la chaleur. La demi-douzaine de porteurs arabes qui dévisageaient les voyageurs, qui le dévisageaient, lui, avec un air qui lui avait paru hostile et sournois, quoique ce fût, il le savait à présent, leur expression naturelle. Ingham s'était senti d'une pâleur trop visible, d'une pâleur répugnante et il avait pensé, l'espace de quelques secondes assez désagréables : « Ils doivent nous haïr, ces gens à la peau brune. Ce continent leur appartient à eux, et nous, que venons-nous y faire ? Ils nous con-

267

naissent, et pas sous notre meilleur jour, car ce n'est pas la première fois que les Blancs viennent en Afrique. » Pendant un instant, il avait éprouvé une espèce de terreur physique, d'épouvante presque. La Tunisie, ce pays minuscule, pas très éloigné de Marseille sur la carte (et pourtant si différent !), que Bourguiba décrivait comme un simple timbre-poste sur l'énorme colis de l'Afrique.

Ingham se savait dans une situation bizarrement délicate.

Brusquement il lui vint une idée : parler à Mokta avant de dire la vérité à Ina. Il ne pouvait pas demander à Jensen de s'en charger. Ce serait peut-être inutile, mais Mokta, cette fois, lui dirait peut-être ce qu'il en était vraiment : si Abdullah avait été tué cette nuit-là. Pourquoi irait-il avouer un meurtre à Ina s'il ne l'avait pas commis ?

C'ÉTAIT samedi. Ingham n'avait pas rendez-vous avec Ina. Il comptait passer à l'hôtel avant midi, la voir peut-être ou lui laisser un message fixant l'heure à laquelle il viendrait la chercher pour le dîner. Il était possible, se disait-il, qu'elle eût envie de rester seule aujourd'hui. Mais il n'était pas certain de deviner juste. Il ne se sentait plus sûr de rien. Il en rejetait en partie le blâme sur une nuit d'insomnie et sur un ou deux cauchemars assez troublants. Dans l'un de ses rêves, il faisait partie d'une équipe qui nettoyait la façade colossale d'un temple grec jadis enfoui. Son groupe devait ôter la boue qui souillait les colonnes corinthiennes. Ingham était juché en haut d'une colonne, la tête en bas; il ne se retenait que par les genoux et ceux-ci étaient sur le point de céder : il allait tomber d'une hauteur considérable sur la pierre. Il avait continué à gratter sans grand résultat la boue humide avec un instrument en forme de coquille et le cauchemar avait miséricordieusement pris fin avant la chute, mais il restait encore présent dans son esprit et lui semblait très réel.

En longeant les ruelles étroites pour rejoindre sa voiture, il se sentait encore le cœur serré, comme si le sol risquait soudain de se dérober sous lui et de l'envoyer bouler à plusieurs mètres de fond.

Il était un peu plus de dix heures. Ingham se dit que Mokta aurait sans doute fini de servir les petits déjeuners. Il espérait ne pas rencontrer Ina. Par contre, il était plus probable qu'il vît OWL, dont le bungalow se trouvait tout près.

Sur la terrasse de l'office, une seule table était occupée. Un homme et une femme en short s'attardaient sur les restes de leur petit déjeuner. Ingham contourna le bâtiment en direction de la porte de service, qui restait toujours ouverte. Un garçon lavait la vaisselle devant l'évier. Un autre tournait autour de la grosse bouilloire posée sur le fourneau.

Ils levèrent tous deux la tête vers lui; ils semblaient figés, comme s'ils attendaient qu'on les prît en photo.

« *Sababkun bil'kheir*, dit Ingham. (Cela signifiait « Bonjour » et c'était l'une des rares phrases dont il se souvînt.) Mokta est là ?

— Ah ! »

Les garçons se regardèrent.

L'un d'eux déclara :

« Il est allé chercher le plombier. Il y a un W.-C. cassé. Beaucoup d'eau qui coule.

— Vous savez dans quel bungalow ?

— Par là. »

Le garçon tendit le bras dans la direction de l'hôtel.

Ingham dépassa la Cadillac de OWL, puis sa propre voiture, en cherchant des yeux la silhouette mince et preste de Mokta au milieu des citronniers. Enfin, il entendit sa voix qui sortait d'un bungalow sur sa gauche.

Mokta apparut à la porte de derrière : il parlait en arabe à quelqu'un qui se trouvait dans la cuisine. Ingham le héla.

« Ah ! m'sieur Eengham ! fit Mokta en souriant. Comment allez-vous ? »

Et cætera. Ingham l'assura que son appartement était toujours très agréable.

« Vous avez un moment ?

— Mais certainement, m'sieur ! »

Ingham se demandait où ils pourraient aller. Il ne voulait pas amener Mokta dans sa voiture car cela donnerait trop d'importance à leur conversation. Partout ailleurs, ou presque, ils risquaient d'être entendus.

« Allons nous promener par ici », dit-il, en désignant une allée entre les bungalows.

Plus loin, le sable descendait en pente abrupte en direction de la plage. Ingham portait ses jeans blancs (il faisait déjà trop chaud) et ses vieilles chaussures de tennis dans lesquelles le sable s'infiltrait désagréablement.

« J'avais une question à vous poser, dit Ingham.

— Oui, m'sieur, répondit attentivement Mokta, d'un air neutre mais vigilant.

— C'est à propos de cette nuit... cette nuit où ce type a reçu un coup sur la tête. On croit qu'il s'agissait d'Abdullah. C'est vrai ?

— Je... je n'en sais rien, m'sieur. »

Mokta croisa ses doigts maigres sur le devant de sa chemise.

« Ah ! Mokta ! Vous savez bien que l'un des garçons — Hassim — a dit à M. Adams qu'il y avait bien eu un homme cette nuit-là. Les garçons l'ont emporté. Ce que je voudrais savoir, c'est si cet homme était mort. »

Les yeux de Mokta s'écarquillèrent encore, ce qui lui donna l'air un peu effrayé.

« Mais je ne sais même pas qui c'était, m'sieur ! Je n'ai pas vu le cadavre.

— Parce qu'il y avait un cadavre ?

— Ah ! non, m'sieur ! Ça je l'ignore. Personne ne

m'en a parlé. Les garçons ne m'ont rien dit, rien du tout. »

C'était un sacré mensonge, pensa Ingham. Il jeta un coup d'œil du côté de l'office avec sa terrasse recouverte par un store.

« Je ne veux provoquer d'ennuis à personne, Mokta, déclara-t-il, tout en se rendant compte qu'il se serait senti ridicule en disant cela s'il ne s'était pas agi de la Tunisie, s'il n'avait pas été touriste. Vous connaissez Abdullah ?

— Non, m'sieur. Je ne connais pas grand monde par ici. Je suis de Tunis, vous savez. »

Mokta lui avait déjà dit cela. Mais, que l'Arabe fût Abdullah ou, à la rigueur, quelqu'un d'autre, Ingham savait que les garçons en avaient parlé, qu'ils s'étaient arrangés pour connaître son identité.

« Mokta, c'est important pour moi. Seulement pour moi. Pour personne d'autre. Je vous donnerai dix dinars si vous me dites la vérité. Est-ce qu'il y avait un cadavre ? »

C'était là, pensait-il, une somme que Mokta pouvait comprendre. Elle représentait pour lui un demi-mois de salaire, environ.

Les grands yeux de Mokta ne changèrent pas d'expression. Ingham espéra qu'il était en train de peser le pour et le contre, mais il secoua la tête.

« Je pourrais vous dire n'importe quoi pour prendre l'argent, m'sieur. Mais sincèrement, je ne sais pas. »

C'est un brave garçon, pensa Ingham. Il sait, mais il a donné sa parole à ses copains, sous une forme ou sous une autre, et il la respecte.

« Bon, Mokta, n'en parlons plus. »

Le soleil pesait son poids d'or sur la tête d'Ingham. En se dirigeant vers l'office avec Mokta, il vit l'un des garçons, qui s'occupait à débarrasser la table de la terrasse, interrompre son geste et les contempler tous les deux.

Mokta se disait sans doute que l'affaire était réellement très importante pour lui puisqu'il lui avait offert jusqu'à dix dinars. Il supposa qu'il en parlerait à ses amis et que ceux-ci lui conseilleraient peut-être de faire monter la somme jusqu'à vingt dinars. En proposant de l'argent, il s'exposait au chantage. Il en avait parfaitement conscience, mais cela ne le tracassait guère. Etait-ce parce qu'il comptait partir bientôt ou parce qu'il ne croyait pas les garçons assez habiles pour le faire chanter ? A son avis, cette question ne valait même pas la peine qu'il y réfléchît.

« Vous travaillez toujours très dur, m'sieur ? » demanda Mokta en arrivant sur le terre-plein, près de la terrasse de l'office.

Ingham ne répondit pas car il aperçut au même moment Ina, vêtue d'un court peignoir ceinturé et les pieds chaussés de sandales, qui sortait du bungalow de OWL. Elle regarda sa voiture, jeta un coup d'œil autour d'elle et le vit. Ingham agita la main.

« Votre amie américaine ! dit Mokta. Au revoir, m'sieur. »

Il fila comme un dard vers la porte de la cuisine. Ingham rejoignit Ina.

« Tu as fait une petite visite à Francis ?

— Il m'a invitée à prendre le petit déjeuner, répondit Ina en souriant. Et toi, tu te promènes ?

— Non, je suis venu voir si je n'avais pas du courrier qu'on ne m'aurait pas fait suivre. Ensuite, je comptais passer chez toi ou te laisser un message. »

Il se tenait tout près d'elle, si près qu'il distinguait sur ses joues des taches de rousseur apparues depuis son arrivée en Tunisie. Mais il sentait entre eux la même distance que la veille. Elle le regardait avec une politesse aimable, comme elle aurait contemplé un

273

étranger. Ingham était malheureux comme les pierres.

« C'est ton ami arabe, ce garçon, non ? dit-elle. Celui qui m'a porté mes bagages le premier jour ?

— Oui, c'est Mokta. Celui que je connais le mieux. J'aimerais bien te parler. Est-ce que nous pourrions monter dans ta chambre ?

— Qu'est-ce qui se passe, mon chéri ? Tu as les yeux cernés. »

Elle se dirigea vers sa voiture.

« J'ai lu très tard. »

Dans la voiture, ils n'échangèrent pas un mot. Le trajet était court.

« Comment va Francis ? demanda Ingham en s'arrêtant. Toujours gai comme un pinson ? »

Brusquement il se dit que OWL avait peut-être montré à Ina sa valise pleine de bandes en lui faisant jurer de n'en parler à personne, pas même à lui. Ce serait du plus haut comique.

« Oui, toujours la gaieté même, ce vieux OWL, répondit Ina en souriant. Je voudrais bien connaître son secret. »

Les idées fausses, pensa Ingham. Les illusions. Il suivit Ina à l'intérieur de l'hôtel. Elle avait une lettre.

« C'est de Joey. »

Dans sa chambre, elle le pria de l'excuser pendant qu'elle se changeait et passa dans la salle de bain en emportant un short et une chemise.

Ingham, debout près des persiennes closes qui donnaient sur la terrasse, se demanda par où il devait commencer. Mais il n'arrivait jamais à rien en essayant de préparer ses discours à l'avance.

Ina reparut, vêtue de la chemise bleu pâle qu'elle portait par-dessus son short. Elle prit une cigarette.

« Tu désirais me parler ?

— C'est au sujet de cette fameuse nuit. Je ne t'ai pas raconté toute l'histoire. J'ai vu quelqu'un entrer

274

et je lui ai jeté ma machine à écrire à la tête. Je ne suis pas sûr qu'il s'agissait d'Abdullah... mais je le crois.

— Ah ! bon. Et ensuite ?

— Ensuite... j'ai fermé la porte à clef. J'avais oublié de le faire cette nuit-là. J'ai attendu pour voir s'il y avait quelqu'un avec lui. Mais tout ce que j'ai entendu c'est...ce sont les garçons de l'hôtel qui l'ont emporté je ne sais où. »

Ingham passa dans la salle de bain et but un peu d'eau au robinet. Il avait la bouche sèche.

« Tu veux dire qu'il était mort ?

— C'est justement ce que j'ignore. Crois-le ou non, les garçons refusent de parler. Je viens à l'instant de proposer dix dinars à Mokta pour qu'il me le dise. Il prétend qu'il n'a rien vu et que les autres ne lui ont rien dit.

— C'est très bizarre.

— Non. Mokta sait. Simplement, il veut nier la présence d'un intrus *quelconque* cette nuit-là. (Ingham soupira, déconcerté et las de toute cette histoire.) En Tunisie, on cherche à étouffer toutes les affaires de vol. Et puis, avouons-le, la mort de ce vieil Arabe, tout le monde s'en fiche bien... à supposer que je l'aie tué. Et ça, Ina, je n'en sais rien, comprends-tu. Evidemment, il a reçu un rude coup. Le châssis de ma machine était enfoncé. »

Ina ne dit rien, mais pâlit légèrement.

« La police ne s'en est pas mêlée. Je voudrais te demander une chose, ma chérie, ajouta-t-il en se rapprochant d'elle. Ne raconte pas ça à OWL. Ça ne le regarde pas et il ne ferait que se pavaner parce qu'il se doute un peu de ce qui s'est passé. Il me répéterait continuellement que tout ça me pèse sur la conscience, que je devrais aller trouver la police ou je ne sais quoi, alors que ça ne me pèse pas du tout.

— Tu en es sûr ? Tu as pourtant l'air de prendre cette histoire au sérieux. »

Ingham enfonça les mains dans les poches de ses jeans.

« *Si* je l'ai tué, oui, ça me paraît sérieux. Mais ça ne veut pas dire que j'ai des remords. Ce type était en train de s'introduire dans mon bungalow, peut-être pas pour la première fois. J'ai le droit de jeter un objet à la tête d'une personne qui entre furtivement chez moi, en pleine nuit, avec des intentions mauvaises. Il ne s'agissait pas d'un client de l'hôtel qui serait entré chez moi par erreur !

— Tu as pu voir que c'était un Arabe ?

— Je crois qu'il portait un turban. J'ai simplement distingué une silhouette sombre, un peu bossue, qui s'encadrait sur le seuil. Bon sang, ce que j'en ai marre de cette histoire !

— J'ai l'impression qu'un scotch te ferait du bien. »

Ina alla chercher la bouteille dans le placard. Elle lui servit le scotch dans la salle de bain, et y ajouta de l'eau.

« Tu ne veux pas lire la lettre de Joey ?

— Je vois à son écriture qu'il se porte bien... Tu as raconté tout ça à Anders ?

— Oui. Simplement parce qu'il connaît mieux la Tunisie que moi. Je lui ai demandé ce que je devais faire, quelles suites il y aurait. Il m'a répondu que je ferais mieux de ne pas bouger.

— Et que la vie de cet Arabe ne valait pas un clou. C'est un drôle de pays.

— Non. Ces gens-là ont simplement une façon particulière de voir les choses.

— Si tu me disais que ce geste a été fait par un Arabe, je comprendrais, mais de ta part à toi ça me paraît un peu violent. Une machine à écrire ! »

Le scotch le réconforta.

« Peut-être. J'avais peur. Tu sais, il y a deux mois, en rentrant de chez Anders dans le noir, j'ai trébuché sur le corps d'un homme allongé par terre. J'ai gratté une allumette et j'ai vu qu'il avait la gorge tranchée. Il était mort. C'était un Arabe.

— C'est affreux ! »

Elle s'assit au bord du lit.

« Je n'avais pas l'intention de t'en parler. Ce n'est qu'une histoire horrible parmi beaucoup d'autres. Ce genre de choses arrive sans doute plus souvent ici qu'aux Etats-Unis. Mais au fond, c'est à voir ! corrigea-t-il en riant.

— Alors, qu'est-ce que tu as fait ?

— Cette nuit-là ? Mais rien du tout ! La rue était sombre, déserte. Si j'avais vu un agent de police, je l'aurais prévenu, mais je n'en ai pas rencontré. Et puis... ah oui. C'est aussi cette nuit-là que j'ai trouvé Abdullah en train de tourner autour de ma voiture, ou plutôt en train de déguerpir après avoir pêché sur la banquette ma veste de toile, par la vitre arrière qui était restée entrouverte. Il a détalé dès qu'il m'a entendu crier. Il détalait comme un crabe !

— Tu as l'air de croire qu'il est mort.

— A mon avis, c'est plus que probable. Mais si Mokta refuse de parler même pour de l'argent, et alors que je lui ai promis de ne rien dire à la police, tu crois que la police, elle, arrivera à lui soutirer des renseignements ?

— Ou à t'en soutirer à toi ?

— Elle ne m'a rien demandé. »

Ina hésita.

« Il me semble, mon chéri, qu'en Amérique tu irais trouver la police, ne fût-ce que pour te protéger. Et que, si tu ne le fais pas ici, c'est parce que tu as probablement tué cet homme... Bien entendu, ça te mettrait dans une position difficile...

— Moins difficile qu'en Amérique, sans doute.

— Mais est-ce que là-bas tu n'irais pas te dénoncer à la police, si tu croyais avoir tué quelqu'un ?

— Je pense que si. A cette différence près qu'il faudrait imaginer des copains du voleur — ou peut-être mes copains à moi — traînant le corps quelque part. Je suppose que cela pourrait arriver en Amérique, mais là-bas il est plus difficile de se débarrasser d'un cadavre. La question est de savoir pourquoi j'irais déclarer que j'ai tué quelqu'un alors que ce n'est pas nécessairement vrai. Tout le problème...

— Mais tu dis toi-même que tu penses l'avoir tué.

— Tout le problème, c'est que quelqu'un s'est introduit chez moi par effraction. En Amérique, oui, ça vaudrait la peine d'être signalé. Mais ici, à quoi bon ? Ça arrive tout le temps. (Ingham sentit que son argumentation l'irritait.) Les cadavres, on se contente de les enterrer quelque part dans le sable.

— Tout se ramène à ceci, dit-elle. En tant que membre de la société, tu dois le signaler. Et d'ailleurs, si tu ne le fais pas, ça te tracassera.

— Ça ne me tracasse pas. Tu parles comme OWL.

— Je regrette que tu ne m'aies pas dit la vérité tout de suite. »

Ingham soupira et posa son verre vide.

« C'était une histoire imprécise, désagréable.

— Même en sachant que les garçons ont traîné le cadavre quelque part ?

— Et si j'avais simplement assommé Abdullah ? S'il était parti vivre ailleurs parce qu'il se savait détesté ici ?

— Je crois que je vais quand même boire un scotch. (Après l'avoir préparé, elle demanda :) Et les gens de l'hôtel ? La direction ? Ils ne sont pas au courant ? »

Ingham s'assit au pied du lit. Ina s'adossait à un oreiller.

« Je ne crois pas. Les garçons n'ont probablement rien dit, car il entre dans leurs attributions d'empêcher les rôdeurs de pénétrer ici. (Il haussa les épaules.) Même si la direction était au courant, je ne pense pas qu'elle avertirait la police. Le bruit courrait qu'il y a des cambrioleurs au *Reine*, et elle n'en a pas envie.

— Hum ! fit Ina d'un ton dubitatif. C'est un raisonnement bizarre. Mais toi, tu es américain. Une tentative de cambriolage, ça se déclare. A supposer même qu'on le retrouve mort, la police ne fera peut-être rien. Il s'était introduit chez toi par effraction, c'est certain. Mais il y a sûrement ici des listes de recensement, des registres quelconques et Abdullah est sans doute porté manquant. »

Ingham sourit, amusé.

« J'ai du mal à imaginer des registres précis. Oh ! oui.

— Tu... tu ne t'es même pas demandé si tu devais le signaler ou non.

— Je me le suis demandé et j'ai opté pour la négative. »

Après en avoir parlé à Anders, se dit-il, mais il ne voulait plus mentionner son nom.

Il n'avait rien gagné à lui avouer la vérité. Il voyait bien qu'elle ne serait jamais d'accord avec lui. Ingham était absolument décidé à ne pas signaler l'incident — ce serait d'autant plus ridicule après un si long délai — mais il se demandait si elle n'en ferait pas son prochain ultimatum, la prochaine corvée qu'il devrait accomplir pour lui plaire ?

« Etant donné les atrocités qui se commettent dans certaines régions de l'Afrique, dit-il, les Arabes qui massacrent les Noirs au sud du Caire, les gens que l'on tue comme on écrase une mouche, je vois mal pourquoi nous nous faisons tant de souci. Je ne l'ai pas assassiné, ce type. (Il lui prit la main.) Chérie, ne laissons pas cette histoire assombrir notre vie. Ne te tourmente pas, Ina, je t'en prie.

— En fait, ce n'est pas à moi de me tourmenter... mais à toi. »

Elle haussa les épaules et tourna les yeux vers la fenêtre. Ce geste le blessa.

« Je veux t'épouser, ma chérie. Il ne faut pas qu'il y ait de... de secrets entre nous. Tu as voulu que je te dise la vérité, et je l'ai fait.

— Tu établis une comparaison entre ça et les tueries des Africains. Mais tu n'es pas Africain, toi. Il me semble que tu as fait preuve d'une insensibilité surprenante. Si tu vois quelqu'un tomber — et je suppose que ça s'est passé ainsi — en sachant que c'est toi-même qui l'a frappé, il ne te vient même pas à l'idée d'allumer la lumière pour t'inquiéter de son état ?

— Et me faire assommer par ses copains, qui risquaient d'être avec lui sur la terrasse ? Mets-toi à ma place. Tu lui aurais lancé l'objet le plus lourd qui te serait tombé sous la main et tu aurais fermé la porte !

— Oui, de la part d'une femme, c'est concevable.

— Alors, ça veut dire que je ne suis ni très noble ni très viril. (Ingham se leva.) Tâche d'y réfléchir un peu. Jusqu'à ce soir. J'ai pensé que tu aimerais peut-être rester seule pendant une partie de la journée.

— Oui, je crois. J'ai une ou deux lettres à écrire. Ensuite je me prélasserai au soleil. »

Une minute plus tard, Ingham marchait sur la moquette du couloir, en direction du vaste escalier. Il se sentait plus déprimé que jamais, plus déprimé encore qu'à l'époque où il lui mentait. Il s'arrêta avant d'arriver au bas des marches et leva la tête : il se demandait s'il devait remonter *tout de suite* chez elle et s'expliquer davantage. Mais il ne voyait rien à lui dire qu'il ne lui eût déjà dit.

Il rentra rapidement : il ne pensait qu'à en discuter avec Jensen.

Jensen était là. Une forte odeur d'essence montait dans l'air tiède. Il se faisait réchauffer une casserole de café bouilli. Ingham lui raconta sa conversation avec Ina.

« Je ne vois pas pourquoi vous avez éprouvé le besoin de le lui dire, observa Jensen. Il ne fallait pas s'attendre à ce qu'elle comprenne. Elle ne connaît pas ce pays. D'ailleurs, les femmes réagissent différemment. (Il se servit d'un filtre pour verser le café dans les deux tasses.) Les hommes n'aiment pas non plus être à l'origine d'une mort, mais ce sont des choses qui arrivent. En montagne, par exemple. Une faute de manœuvre avec la corde, une glissade et pfft... celui qui était derrière, un excellent copain peut-être, se tue. C'est un accident. Dans votre cas aussi, on peut dire que c'est un accident. »

Ingham revit en esprit le geste qu'il avait eu pour lancer la machine à écrire, l'effort qu'il avait fait pour bien viser. Mais il savait ce que Jensen entendait par « accident ».

« Je vous ai expliqué pourquoi je le lui ai dit. Hier soir, je lui ai demandé de m'épouser. Elle m'a pratiquement répondu qu'elle refuserait si je ne lui avouais pas la vérité au sujet de ce qui s'est passé cette nuit-là. Elle savait que je lui mentais, voyez-vous.

— Hum-hum ! Maintenant, Adams va l'apprendre. Je ne serais pas étonné qu'il prévienne la police. Ce qui ne doit pas vous inquiéter d'ailleurs.

— J'ai demandé à Ina de ne pas le lui raconter.

(Mais, à sa souvenance, elle ne lui avait rien promis.) Oui... (Ingham s'allongea sur le lit en désordre de Jensen et, du bout du pied, ôta ses chaussures de tennis.) A votre avis, c'est un sens de la responsabilité trop poussé ou une curiosité malsaine ?

— Une curiosité malsaine, dit Jensen en contemplant, les yeux mi-clos, la toile à laquelle il travaillait. (Elle représentait les semelles de deux énormes sandales, d'où dépassaient des orteils bruns. Au milieu, le visage minuscule d'un Arabe couché.)

— Je descends piquer un somme malgré votre excellent café, déclara Ingham. J'ai mal dormi la nuit dernière.

— Ne vous laissez pas tracasser pour ce que pense Ina ! Bon Dieu, je le vois bien que ça vous tracasse ! »

Un accès de colère soudain le raidit et le fit bredouiller.

Ingham pouffa.

« J'ai envie de l'épouser, voyez-vous. Je l'aime.

— Hum ! » fit Jensen.

Ingham se débarbouilla au robinet de l'évier et enfila sa culotte de pyjama. Il était midi moins dix. Il se moquait de l'heure. Il s'allongea sur son lit et ramena le drap sur sa poitrine, pour le repousser au bout de quelques minutes, comme d'habitude. Une dernière cigarette. Il se força à penser à son livre. Dennison traversait cette crise dont il n'avait qu'à demi conscience. On venait de découvrir ses escroqueries. L'attitude du public le sidérait, sans lui paraître toutefois absolument incompréhensible. Ce qui l'étonnait le plus, c'était l'attitude de certains de ses amis qui, scandalisés d'apprendre qu'il était un « filou », le laissaient tomber, encore qu'eux aussi dussent lui rendre par la suite l'argent qu'il leur avait donné. Ina avait eu une idée la veille au soir : le leur faire rembourser avec intérêts, même si cela devait s'étendre sur une longue période, pour que la banque de Dennison ne pût lui reprocher la perte de ce que l'argent volé aurait rapporté. Cela représenterait des sommes fantastiques. Ingham éteignit sa cigarette.

Il se tourna sur le côté, ferma les yeux et, soudain, pensa à Lotte. Comme toujours, il en éprouva une secousse à la fois pénible et agréable. Il évoqua le plaisir délicieux qu'il prenait à monter dans son lit le soir, tous les soirs, qu'ils fissent ou non l'amour. Au cours de ces deux années, il ne s'était jamais lassé physiquement de Lotte et il ne voyait — il s'en souvenait — aucune raison de s'en fatiguer un jour, en dépit des gens qui prétendaient que la lassitude finissait toujours par s'installer. Il ne s'était jamais disputé avec elle. C'était drôle. Cela venait peut-être de ce qu'il n'abordait pas avec elle des problèmes complexes, comme il l'avait fait à l'instant avec Ina, et qu'il la laissait agir comme elle l'entendait. Il supposa qu'elle était plus heureuse, à présent, avec son imbécile de mari. Peut-être même avait-elle décidé d'avoir un enfant.

Ingham entendit la porte de la rue s'ouvrir en grinçant sur ses gonds. Fatma, se dit-il. Au diable cette fille.

On frappa chez lui.

« Howard ? Il y a quelqu'un ? »

C'était OWL.

« Un instant. »

Ingham passa sa veste de pyjama. Il détestait se montrer dans cet accoutrement. Il voulut enfiler ses chaussures de tennis et renonça. Enfin il alla ouvrir.

« Ah ah ! Vous faites la grasse matinée. Désolé de vous déranger.

— Non. Je me suis recouché. J'ai passé une mauvaise nuit. »

Adams portait un bermuda bien repassé, une chemise à rayures et l'une de ses petites casquettes en toile.

« Pourquoi ça ?

— La chaleur, je suppose. Ça ne fait qu'empirer.

— Ah ! c'est le mois d'août ! Vous avez quelques minutes, Howard ? Ce que j'ai à vous dire est assez important, je crois.

— Bien sûr. Asseyez-vous. Whisky ou bière ? »

OWL opta pour la bière. Ingham prit deux canettes dans le seau d'eau posé par terre. L'écume jaillit. Elles n'étaient pas très fraîches, mais il ne pria pas OWL de l'en excuser.

« J'ai pris le petit déjeuner avec votre fiancée, déclara OWL en gloussant. Pour le cas où ça vous paraîtrait bizarre, je l'ai rencontrée sur la plage ce matin. Je lui ai offert des œufs brouillés.

— Ah oui ? »

Ingham en conclut que OWL n'avait pas remarqué sa voiture. Il s'assit sur son lit. L'autre avait pris la chaise, à côté de la table.

« C'est une jeune femme très intelligente. Exceptionnelle. Elle m'a dit qu'elle allait à l'église.

— Oui, nous en avons parlé. Depuis peu, je crois.

— C'est un temple protestant. St. Ann. Elle m'a aussi parlé de son frère. »

A quoi voulait-il en venir ?

« Elle est un peu inquiète à votre sujet. Elle a essayé de vous inciter à quitter ce logement pour prendre un bungalow, paraît-il. C'est à votre confort qu'elle pensait.

— Je ne manque pas de confort. Mais je comprends que ça ne plaise pas à une femme.

— Elle m'a dit que vous habitiez un très joli appartement à Manhattan. »

Cette phrase resta sur le cœur d'Ingham : il y vit

une espèce d'intrusion dans sa vie privée. Et que penserait OWL s'il savait que John Castlewood s'y était suicidé, dans cet appartement, s'il en connaissait la raison ?

« Ina va partir dans huit ou quinze jours, à ce qu'elle m'a raconté. Et vous, Howard, vous restez ?

— Je ne sais pas. Si mon livre est terminé, le premier jet, tout au moins, je suppose que je retournerai à New York.

— Je me disais que vous vous en iriez peut-être en même temps qu'elle. (Adams sourit d'un air affable, les mains sur ses genoux nus.) En tout cas, je m'accrocherais à elle, si j'étais vous. »

Ingham sirota sa bière.

« Est-ce qu'elle a tellement envie de s'accrocher, elle ?

— On peut le penser, dit OWL avec un clin d'œil rusé. Est-ce qu'elle serait venue en Tunisie si elle n'avait pas le béguin pour vous ? Mais j'espère que vous serez honnête avec elle, Howard. Honnête à tous points de vue. »

Ingham se dit brusquement qu'à propos d'honnêteté, Ina ne lui avait pas dit grand-chose, à *lui*, de ses sentiments pour Castlewood. Elle aurait pu lui en faire une description plus précise.

« Les adultes, les gens de notre âge, ont peut-être toujours des secrets. Je ne suis pas sûr d'avoir envie qu'elle me raconte en détails tout son passé. Je ne vois pas pourquoi on ne garderait pas pour soi certaines choses.

— C'est possible. Mais il faut ouvrir son cœur à celle qu'on aime et qui nous aime. Le mettre à nu. »

Comme toujours, en écoutant OWL, Ingham prit son expression au pied de la lettre : il vit le cœur ouvert, plein de valvules ramollies et de caillots, semblable à ceux qu'il avait vus dans les boucheries.

« Je ne suis pas sûr d'être d'accord avec vous. Il me semble que le présent compte beaucoup plus que le passé. Surtout si l'autre n'appartient pas à ce passé.

— Oh ! il ne s'agit pas obligatoirement d'un passé lointain. Tout ce que je veux dire, c'est qu'il faut être honnête. »

Ingham bouillait doucement. Il but les dernières gouttes de bière et reposa la canette, avec une certaine violence, sur la caisse qui lui servait de table de nuit.

« J'espère l'être suffisamment pour satisfaire Ina.

— Nous verrons bien, dit OWL avec son sourire guilleret d'écureuil. Si elle s'en va la première, ou si vous partez ensemble, il faudra organiser une petite fête d'adieu. Vous me manquerez tous les deux... Vous venez déjeuner avec moi chez Mélik, Howard ?

— Non merci, Francis. J'ai surtout envie de dormir. »

Après le départ de OWL, Ingham but un grand verre d'eau et fit un nouvel effort pour trouver le sommeil. Il se sentait atteint d'un fourmillement intérieur, trop profond pour que même un soporifique, s'il en avait eu, pût le calmer. C'était une sensation qui ressemblait à de la colère rentrée, et il détestait ça. Il entendit le pas feutré de Jensen sur l'escalier extérieur et fut ravi que l'autre vînt frapper chez lui.

« Est-ce que ça n'était pas ce cher OWL, notre ami commun ? demanda Jensen.

— Mais si. Prenez un verre, mon vieux.

— Comment avez-vous deviné ? (Jensen passa dans la cuisine.) Et vous ?

— Je veux bien. »

Jensen s'assit. Ils burent.

« OWL m'adjure de me confesser, dit Ingham. Il ne sait pas que c'est déjà fait. Vous vous rendez compte ! Avouer quelque chose qu'on n'a peut-être pas commis !

— Il ferait bien de retourner d'où il vient, en Nouvelle-Angleterre ou ailleurs.

— Et bien sûr, il me conseille de me cramponner à Ina. (Ingham se laissa retomber sur son lit.) Comme si son avis pouvait m'influencer !

— C'est un drôle de petit bonhomme. « Quel drôle de petit bonhomme vous faites ! » dit Bosie au Marquis.

Jensen succomba à un accès de gaieté soudaine. Ingham sourit, lui aussi.

« Je passerai au *Reine* vers dix-neuf heures pour voir ce que fait Ina.

— Je n'ai jamais vu des gens fouiner comme ça dans les affaires des autres. Ce n'est peut-être pas le cas d'Ina, mais je vois bien que son avis est important pour vous. Savez-vous ce que je ferais au type qui a volé Hasso ? Je ne vous le préciserai pas, ce que je lui ferais, mais je le lui ferais lentement et je me ficherais bien de ce que les autres en penseraient. »

Ingham se sentit réconforté par les paroles de Jensen.

« Ce n'est pas uniquement Ina et OWL. Je crois que je passe par une crise assez semblable à celle de mon livre. Ce sont des choses qui arrivent. »

Il avait parlé de Dennison à Jensen.

« Oh ! oui, ce sont des choses qui arrivent. Vous permettez que je reprenne une goutte de whisky ? »

INGHAM alla chercher Ina à dix-neuf heures. Il avait dormi pendant deux heures, pris un bain, écrit trois pages, dans l'espoir de rendre cette journée semblable à n'importe quelle autre. Mais il se sentait dans un état bizarre et il ne savait toujours pas ce qu'il ferait si Ina adoptait telle ou telle attitude. Cette histoire d'église le tracassait vaguement. Il se demandait dans quelle mesure elle prenait cela au sérieux. Et ce n'était pas tellement la situation présente qui l'inquiétait, mais les situations futures, l'idée qu'Ina réagirait peut-être d'une façon qui ne serait pas la sienne, qu'elle se lancerait dans des pistes détournées et finirait par lui donner l'impression d'appartenir à un monde différent du sien... ce qui était exact, en réalité.

Il l'appela au téléphone. Elle avait l'air de bonne humeur et elle déclara qu'elle descendait dans dix minutes. Ingham s'assit sur un divan et lut un journal.

Ina descendit, vêtue d'une robe rose pâle. Elle tenait à la main un foulard de mousseline blanche.

« Tu es merveilleuse, dit Ingham.

— J'ai pris le foulard pour le cas où nous irions nous promener. S'il y avait du vent.

— Tu comptes sur du vent ? (Son parfum lui plut,

comme d'habitude. Il était tellement plus intéressant que le jasmin.) Tu as envie d'aller quelque part en particulier, ou tu me laisses le soin d'en décider ?

— Francis a téléphoné pour nous inviter à prendre un verre. Ça t'ennuie ?

— Non. (Ils montèrent dans la voiture.) Qu'est-ce qu'il te racontait, Joey ?

— Pas grand-chose. Il peint. Louise vient presque tous les jours.

— Elle n'habite pas loin ? J'avais oublié. »

La voiture roulait presque silencieusement sur l'allée de sable qui s'incurvait en direction du bungalow d'Adams. La terrasse était éclairée. Adams leur ouvrit la porte sans leur laisser le temps de frapper.

« Bonjour ! Heureux de vous voir ! Je vous proposerais bien la terrasse, mais il fait beaucoup plus frais à l'intérieur ! Ha ha ! Venez voir. »

La terrasse d'Adams, qui donnait sur le golfe, était équipée d'un store coulissant, d'une table et de chaises. Il avait disposé dans le talon, sur la table à mosaïque, des sandwiches au fromage et des olives noires.

Ingham espéra qu'il n'irait pas dîner avec eux. Puis il se dit que ce serait peut-être préférable, au contraire. Pourquoi cette gaieté, de la part d'Ina ? Il ne savait comment l'interpréter. Etait-elle décidée à rompre avec lui ? Avait-elle « compris » et décidé de le lui dire ? Quoi qu'il en fût, il comptait lui poser une dernière question au sujet de John Castlewood : s'était-elle prise de sympathie ou d'amour pour lui simplement parce qu'il était amoureux d'elle ? Dans sa lettre, elle s'était déclarée surprise de la passion subite que lui manifestait Castlewood. Il semblait à Ingham que les femmes se toquaient souvent d'hommes qui les aimaient déjà et qu'elles n'auraient pas remarqués autrement.

Adams divertit Ina en lui racontant des histoires

extraites du folklore arabe, qu'il connaissait si bien. Il lui dit, par exemple, que les Mahométans croyaient à une deuxième naissance du Messie mais que, selon eux, il naîtrait cette fois d'un homme, et que c'était en prévision de cet événement qu'ils portaient d'amples pantalons. Il déclara aussi qu'on parlait de réfugiés arabes à l'ouest du Jourdain. Cette guerre de six jours seulement avait provoqué une quantité stupéfiante de dégâts.

« J'espère que votre bureau vous a accordé une semaine de plus, Ina », dit Adams en lui versant dans son verre le contenu d'un shaker en argent. Il leur avait offert des daiquiris (le cocktail préféré de Jack Kennedy) préparés avant leur arrivée et gardés au frais dans le réfrigérateur.

« Oui, j'ai télégraphié aujourd'hui. Je suis sûre qu'on me donnera huit jours de plus parce que j'ai promis de rentrer s'il arrivait quelque chose d'urgent. »

Le sourire de OWL engloba Ingham. Il rayonnait d'une affabilité qui s'étendait à tous deux.

« Vous parliez d'aller à Paris, n'est-ce pas, Howard ? »

Avait-il vraiment dit cela ?

« C'était pour quand j'aurais terminé mon livre.

— C'est moi qui vous ai raconté que je pensais y partir, dit Ina.

— Avec Howard ? Tant mieux. Je crois qu'il commence à avoir la bougeotte. »

Ingham se demanda ce qui avait bien pu lui fourrer cette idée dans la tête. Au fil de la conversation, OWL les regardait de temps en temps, l'un après l'autre, comme pour essayer de deviner ce qu'ils avaient « décidé », s'ils s'aimaient, s'ils étaient heureux ou non. Et Ingham percevait de plus en plus chez Ina une espèce de détachement. Là, dans le living-room de

OWL, où ils avaient eu si souvent ensemble des conversations banales, amicales, il rassembla ses forces en prévision d'une rupture — au sens affectif du terme — avec Ina, car il sentait qu'elle allait le lui suggérer. Et serait-ce son amour-propre ou son cœur qui en souffrirait ? Ina le regardait, avec un petit sourire amusé, et Ingham savait qu'elle s'ennuyait un peu, comme lui-même.

« Je crois que j'aurai fini dans deux jours, dit Ingham, en réponse à une question qu'Adams lui posait au sujet de son livre.

— Alors, vous devriez prendre de vraies vacances avec changement de décor. A Paris, oui. Pourquoi pas ? »

OWL faisait des pointes; il semblait absorbé par la vision d'une lune de miel classique, merveilleuse, à Paris.

Ils partirent au bout du deuxième verre. OWL ne manifesta pas le désir de les accompagner.

« C'est un ange, non ? dit Ina. Il a beaucoup d'affection pour toi. Tu es terriblement silencieux, ce soir.

— Désolé. Je crois que c'est la chaleur. J'avais pensé que nous pourrions essayer l'hôtel du Golfe, aujourd'hui. »

Le restaurant de l'hôtel — où Ingham était si souvent venu chercher des lettres qui n'arrivaient pas, des lettres de John ou d'Ina — était à peu près comble, mais ils purent trouver une table bien placée pour eux.

« Eh bien, chérie, demanda Ingham, as-tu un peu réfléchi à ce dont nous avons parlé ce matin ?

— Oui, bien sûr. J'y ai réfléchi. Je comprends qu'ici les choses sont différentes. Je suppose que j'ai attaché trop d'importance à cette histoire. Je ne voulais pas te dicter ton attitude. »

Et pourtant, en un sens, c'était ce qu'Ingham attendait d'elle.

« Si ça ne te tracasse pas, eh bien, tant mieux », ajouta-t-elle.

Voulait-elle dire par là que cela aurait dû le tracasser ?

« Alors, n'en parlons plus, dit-il avec un petit rire.

— Tu veux aller à Paris ? La semaine prochaine ? »

Ingham comprit ce que cette phrase signifiait. Elle l'avait repris, accepté. Aller à Paris et revenir à Hammamet ? Ce n'était pas cela qu'elle désirait, il le savait.

« Et continuer droit sur New York ?

— Oui. (Elle était calme, sûre d'elle. Brusquement, elle sourit.) Ça n'a pas l'air de t'enthousiasmer.

— Je me disais que j'aimerais bien finir mon roman avant de partir.

— Il est à peu près terminé, non ? »

C'était vrai, il venait de l'avouer lui-même, mais il désirait beaucoup l'achever ici, dans cet appartement délirant qu'il occupait, avec, à l'étage au-dessus, les tableaux de Jensen et Jensen lui-même. En n'accompagnant pas Ina à Paris, il ne la perdrait pas nécessairement.

« Si tu pouvais rester ici... euh, sans trop souffrir de la chaleur, je crois qu'il ne me faudrait pas plus d'une semaine pour terminer. »

Elle rit encore, mais ses yeux étaient doux.

« Je parierais qu'une semaine ne te suffira pas. Mais tu n'as peut-être pas envie d'aller à Paris.

— Et toi, tu aimes mieux y aller que rester ici. Je comprends.

— Dans combien de temps exactement voudrais-tu partir, mon chéri ? »

Le garçon leur montrait deux poissons crus, tout blancs, dans un seau. Ingham, qui n'y connaissait rien, approuva de la tête. Quant à Ina, elle ne les vit même pas. Elle l'observait.

« Pas avant d'avoir fini.

— Bon, eh bien, reste. »

Lourd silence.

« Dans ce cas, je te retrouverai à New York, dit Ingham. Ça ne sera pas terriblement long.

— Non. »

Ingham savait qu'il aurait pu ajouter quelque chose de plus affectueux, qu'elle l'attendait. Soudain, il n'était plus sûr de ses sentiments. Et il se rendait compte que cela se voyait. Il se rattraperait plus tard, se dit-il. Ce n'était qu'un cap difficile à franchir. L'incertitude fit place à la culpabilité, à un vague embarras. Il pensa à cette brusque envie qui lui était venue, un jour, dans son bungalow du *Reine*, de lire du Henry James, au point qu'il s'était senti incapable de passer le reste de la journée sans un livre de lui. Il était allé à Tunis et il avait acheté *The Turn of the Screw* et *Lesson of the Master*, dans la seule édition qu'il pût trouver. Il aurait voulu en parler à Ina, mais quel rapport avec ce qui se passait ce soir, en ce moment même ?

Ils burent un verre de brandy après le dîner. En apparence du moins, l'atmosphère se détendit. Il n'y eut plus de moments pénibles. Mais Ingham se sentait toujours malheureux au fond de lui-même. Les sornettes que débitait OWL lui revenaient par lambeaux, ce qui l'exaspérait. Il pensait aussi aux joies qu'il avait connues en couchant avec Ina. A ce que serait leur mariage, leur vie dans un confortable appartement de New York — ils pourraient se permettre de prendre une bonne, ce qui leur faciliterait l'existence à tous les deux —, aux gens intéressants qu'ils recevraient — sur ce plan-là, ils avaient à peu près les mêmes goûts —, à l'enfant ou peut-être aux enfants qu'ils auraient. Il était sûr qu'Ina désirait être mère. Il imaginait son œuvre qui se développerait, qui mûrirait dans cette atmosphère. Alors, pourquoi ne pas sauter sur l'occasion ?

Il se sentait tout simplement incapable de sauter sur quoi que ce fût ce soir.

Néanmoins, il raccompagna Ina dans sa chambre. Ce fut elle qui le lui demanda, et il accepta.

Il était trois heures du matin quand il rentra. Il comptait réfléchir un peu, mais il s'endormit comme une masse presque aussitôt couché. Les heures passées au lit avaient été aussi agréables et fatigantes que d'habitude.

Ingham se réveilla dans le noir, un peu brusquement. Il croyait avoir entendu quelque chose à la porte de la rue, mais, en tendant l'oreille, il ne perçut que le silence. Il gratta une allumette et regarda l'heure : 4 h 17. Il se recoucha, tendu, tous les sens en éveil. Ina l'aimait-elle beaucoup ? S'il rompait avec elle maintenant, ne serait-ce pas assez dégoûtant de sa part ? Et cependant il y avait eu John Castlewood, qui était entré dans l'existence d'Ina après Ingham, avec qui elle pensait probablement se marier. Il l'avait interrogée là-dessus, ce soir, dans sa chambre. Il lui avait demandé quels étaient exactement ses sentiments pour John. Sans en tirer autre chose que ceci : elle s'était dit que cela pourrait peut-être marcher entre eux. John l'aimait énormément, et cætera. C'était peut-être vrai. Mais la réponse d'Ina lui semblait un peu vague, à présent, il ne se rappelait pas une seule phrase nette. Son esprit se dérobait devant ce problème et il pensa à la situation démente dans laquelle il se trouvait, il se demanda ce qui l'avait amené là. La proposition de Castlewood d'abord. Puis OWL avec ses émissions d'une stupidité incroyable, ce qui n'empêchait pas qu'on le *payât* pour ça. Un jour il avait vu, chez lui, dans sa corbeille à papier, une enveloppe qui portait un timbre suisse. Le salaire de OWL lui arrivait par la Suisse. Evidemment, l'adresse de la banque ne donnait aucune indication sur l'identité du payeur. Se pouvait-il que cette histoire de Russe rencontré sur le bateau sortît tout droit de l'imagination de OWL ? Qu'il s'agît tout simplement de ses propres revenus, expédiés par l'intermédiaire de la Suisse, et que le paiement des émissions fût une histoire qu'il se racontait à lui-même ? Qu'est-ce qui était possible et qu'est-ce qui ne l'était pas ? Les mois passés en Tunisie rendaient cette frontière imprécise. Ce flou, ce renversement des valeurs affectaient à présent Ina. Il sentait qu'un mariage avec elle n'était pas tout à fait ce qu'il lui fallait, ce qui revenait à dire qu'il ne l'aimait pas assez, qu'elle non plus peut-être ne l'aimait pas assez, qu'elle ne lui convenait pas, qu'il ne trouverait jamais personne qui lui convînt. Mais cette sensation était-elle due à un étrange pouvoir déformant qu'aurait eue la Tunisie, comme un miroir inégal ou une lentille qui inverse l'image, ou bien s'agissait-il d'une impression valable en soi ?

Ingham alluma une cigarette.

Et Jensen. Jensen avait une personnalité, des antécédents, une histoire qu'Ingham ne connaissait pas, dont il ne connaîtrait jamais que des bribes. Il en savait juste assez sur son compte pour le trouver sympathique. (Il se rappela une soirée, dans un café qui s'appelait Les Arcades, une soirée au cours de laquelle il avait bien failli ramener un jeune Arabe chez lui. Ce garçon s'était assis à la même table que lui et il lui avait offert une ou deux bières. Ce soir-là, il se sentait à la fois très seul et sexuellement excité. Au fond, se dit-il, la seule chose qui l'avait retenu, c'était qu'il ignorait ce qu'on faisait exactement dans un lit avec un autre homme et qu'il ne voulait pas se rendre ridicule. Motif de chasteté pas très moral.) Il vivait au milieu d'un océan d'Arabes qui restaient parfaitement énigmatiques pour lui, hormis peut-être Mokta et le jovial Mélik, brave type qui n'était certainement pas non plus un filou.

Ingham se rendait compte qu'il devait prendre une décision au sujet d'Ina et lui en faire part, de préférence avant son départ pour Paris qu'elle ne pensait pas remettre à plus de cinq jours. Ferait-il une sottise en se détachant d'Ina ? Il la voyait très bien se marier vite avec quelqu'un d'autre. Il s'en mordrait peut-être les doigts à ce moment-là. Mais est-ce que ce n'était pas une façon répugnante de voir les choses ? Il avait l'horrible sentiment qu'au cours des mois passés ici sa personnalité, ses principes s'étaient effondrés, désintégrés. Qu'était-il ? Sans doute un être qui réglait son comportement sur une série d'attitudes. Ces attitudes formaient le caractère. Mais, sa vie en eût-elle dépendu qu'il n'aurait pu identifier un seul principe sur lequel il se guidât. En couchant avec Ina, ne se rendait-il pas coupable à présent d'une duperie ? Et cela ne le mettait même pas mal à l'aise. Toute sa vie passée n'était-elle qu'une suite de mensonges ? Ou ce mensonge ne datait-il que des dernières semaines ? Il était couvert de sueur, mais il manquait de l'énergie nécessaire pour se lever et se doucher sur la terrasse.

Il entendit à la porte de la rue un grattement, une plainte. Jensen avait sans doute sorti sa poubelle. En général, elle attirait les chats. Le grattement continuait. La colère tira Ingham du lit. Il alluma la lumière et prit sa lampe électrique. Il descendit les quatre marches, les nerfs tendus, prêt à chasser d'un hurlement le chat qui devait essayer de déloger une boîte de sardines coincée sous la porte.

Le chien le regarda. Il émit un grondement sourd.

« Hasso ? Non, ce n'est pas *toi* ! »

C'était bien Hasso. Il avait une allure effroyable, mais il se souvenait d'Ingham, juste assez pour ne pas l'attaquer en tout cas.

« *Anders !* hurla Ingham, avec une telle frénésie que sa voix se fêla. Anders, *Hasso* est là ! »

Le chien gravit, les pattes molles, l'escalier qui menait à l'appartement de Jensen.

« Quoi ? » fit Jensen, penché à sa fenêtre.

Un rire hystérique s'amorça dans la gorge d'Ingham. Jensen, à genoux sur la première marche, serrait le chien dans ses bras. Sans raison, Ingham alluma toutes les lumières, et même celles de la terrasse. Il versa du lait concentré dans un bol, en y ajoutant quelques gouttes d'eau pour l'alléger, puis il le porta à Jensen. Celui-ci, toujours à genoux par terre, examinait le chien.

« *Vand !*

— Quoi !

— De l'eau ! »

Ingham alla en chercher au robinet.

« J'ai des sardines. Et des frankfurters.

— Regardez-le ! Mais il vivra. Pas un os cassé ! »

Ce fut la dernière parole compréhensible que Jensen prononça avant plusieurs minutes. Le reste était en danois.

Le chien but de l'eau, mangea avidement quelques sardines. Puis, brusquement, il se détourna du plat. Il était trop affamé pour absorber beaucoup de choses à la fois. Il portait au cou un vieux collier marron auquel restait attachée une chaîne de métal. Ingham se demanda s'il l'avait brisée ou cassée avec ses dents, mais les derniers maillons, usés au point d'en être complètement aplatis, ne donnaient aucune indication là-dessus. Le chien avait dû marcher pendant des kilomètres.

« En fait, il n'a aucune blessure, dit Ingham. Ce n'est pas miraculeux ? »

— Si. Il y a juste cette cicatrice. »

Un petit bout de peau nue apparaissait devant une oreille. Jensen pensait qu'on avait dû l'assommer pour l'attraper ou pour lui passer le collier. Il regarda les dents de Hasso, ses pattes couvertes de croûtes et de sang séché. Des taches suspectes dans la fourrure n'étaient dues qu'à la boue et à la graisse.

Ingham descendit chercher son whisky. Il apporta le reste du lait condensé. Jensen avait fait chauffer de l'eau et lavait les pattes du chien.

Ils bavardèrent pendant un long moment. L'aube vint. Le chien se coucha sur une couverture que Jensen lui avait étalée par terre et s'endormit.

« Il était même trop fatigué pour sourire, vous avez remarqué ? » dit Ingham.

Et le temps passa avec les remarques de ce genre, des remarques sans importance, mais Ingham et Jensen étaient très heureux tous les deux. Jensen s'interrogeait sur ce qui avait pu arriver. Quelqu'un avait dû l'amener à des kilomètres de là et tenté de le garder enchaîné. Sans doute lui lançait-on sa nourriture de loin, car il n'aurait laissé personne s'approcher. Mais comment l'avait-on attrapé ? En l'assommant à coups de bâton ? En le droguant au chloroforme ? Peu probable. Et Ingham se disait que tout allait de travers hormis ceci, le retour de Hasso, la chose à laquelle il s'attendait le moins. Il savait aussi que, le lendemain, ou plutôt, le jour même, il parlerait à Ina, il lui dirait qu'il ne pouvait pas l'épouser. Voilà ce qu'il fallait faire. Et, dans trois jours, il aurait fini son livre, il en était certain. Il l'annonça à Jensen, qu'il allait achever son roman, mais il se demanda si l'autre l'avait entendu.

Vers dix-neuf heures, grâce au whisky, ils étaient satisfaits, détendus. Dans le cas de Jensen, on pouvait carrément parler d'ivresse. Ils se couchèrent dans leurs lits respectifs.

CE matin-là, à onze heures et demie, Ingham marchait sur la plage, ses chaussures de tennis à la main, en direction de l'hôtel. Le sable était blanc sous le soleil qui se déversait à flots. En marchant vite, sa chaleur restait supportable sous les pieds. Le ciel était d'un bleu profond, éclatant, sans nuages, comme les portes et les persiennes des maisons tunisiennes. Plus tôt dans la matinée, il avait acheté un poulet et une espèce de gigot pour Hasso. Jensen, si la gueule de bois le tenaillait, n'y pensait pas, tout préoccupé qu'il était par l'état de son chien. Au réveil, celui-ci allait déjà beaucoup mieux, assez bien pour lui sourire, et à Ingham aussi.

Pour l'instant Ingham préparait, sans grand succès, comme d'habitude, ce qu'il allait dire à Ina. L'heure n'avait pas d'importance pour lui. Il aurait aussi bien pu être quatre heures du matin. Ah ! le destin ! Il était convaincu que sa décision de se séparer d'Ina l'affecterait, lui, un peu plus qu'elle. Il l'imaginait très bien faisant la connaissance d'un second John Castlewood, ou d'un remplaçant de lui-même, d'ici quelques semaines. Elle trouverait plus facilement que lui quelqu'un à aimer, il en était sûr. Et, à cause de cela, il pensait qu'il ne lui ferait pas tellement de mal.

Peut-être, d'ailleurs, ne la trouverait-il pas chez elle.

Il était prêt à s'entendre dire que Miss Pallant faisait une excursion en autobus on ne savait où et ne rentrerait pas avant le soir.

Miss Pallant ne se trouvait pas dans sa chambre, mais elle était sur la plage.

Ingham y redescendit et prit la direction de Hammamet, car il était sûr de ne pas l'avoir dépassée.

Il reconnut sa chaise longue au peignoir de bain et à la couverture bleue du manuscrit posés dessus. Il se tourna vers la mer, en fermant à demi les yeux pour se protéger du soleil, et examina la surface de l'eau.

Ça ne pouvait pas être vrai. Et pourtant si. A cent mètres au large, sur la gauche, le trident de OWL avec sa flèche noire apparaissait à la surface. A côté, sous son bonnet blanc, émergea la tête d'Ina qui riait, le souffle court. Et puis, ce fut la figure cramoisie de OWL qui sortit à son tour. Evidemment, il n'y avait rien au bout de son trident. Lui était-il jamais arrivé d'attraper quelque chose ?

Ils l'aperçurent et lui adressèrent un signe de la main. Ingham attendit, la peau sèche et brûlante, pendant qu'ils sortaient de la mer; son visage et ses avant-bras grillaient doucement.

OWL le salua avec les effusions habituelles. Pourquoi n'avait-il pas apporté son maillot de bain ?

« Pourquoi n'es-tu pas en train de travailler ? »

Ina s'essuya la figure avec une serviette.

« Hasso est revenu cette nuit, dit Ingham. Le chien d'Anders.

— Non ? Celui qui était perdu ? (OWL écarquillait les yeux de surprise.) Oui, Ina ! Je vous l'ai dit ? Le chien d'Anders avait disparu... Depuis combien de temps ?

— Six semaines au moins », répondit Ingham.

Ina accueillit la bonne nouvelle avec autant de joie et d'incrédulité.

Adams leur proposa de venir boire une bière chez lui pour se rafraîchir, mais Ingham lui dit :

« Non merci, Francis. Ce sera pour une autre fois, si vous voulez bien. »

Ingham et Ina se dirigèrent vers l'hôtel. Ina s'arrêta pour se doucher sous le robinet en plein air où Ingham avait vu les Américains, en les prenant pour des Allemands. Ils montèrent tout droit dans sa chambre, sans prononcer un mot. Ina ôta son maillot dans la salle de bain et ressortit vêtue d'un peignoir en éponge qui ressemblait à celui d'Ingham, mais en blanc.

« Je sais ce que tu vas dire. Alors ce n'est pas la peine que tu le fasses », déclara-t-elle.

Ingham s'était assis dans le grand fauteuil. Ina se pencha sur lui, en s'appuyant d'une main sur le dossier, et l'embrassa sur la joue, puis, brièvement sur les lèvres.

Je ne peux pas l'épouser, pensa Ingham. Que devait-il dire ? Merci ?

« Tu veux un scotch, mon chéri ?

— Non merci. On a passé une drôle de nuit, tu sais. J'étais réveillé. J'ai entendu le chien d'Anders gratter à la porte. Je ne savais pas que c'était lui, évidemment. Alors, je suis descendu. C'était incroyable, de le revoir après tant de semaines. Il est maigre, bien sûr, il a une allure terrible, mais il vivra. C'est un miracle, tu ne trouves pas ?

— Si. Il avait disparu depuis six semaines, dis-tu ? »

Assise sur le lit, elle le regardait avec un air de politesse mortelle.

« A peu près. Je n'ai pas compté. »

Leurs yeux se rencontrèrent brièvement.

Une folle impulsion poussa Ingham à la renverser sur le lit et à lui faire l'amour. Mais s'il essayait, en serait-il capable ?

« Je suis désolé de t'avoir traînée ici.

— Ce n'est pas toi. »

Il prévoyait le dialogue qui suivrait. C'était affreux. Les phrases attendues se présentèrent les unes après les autres et, à la fin, il se surprit à prononcer les mots qu'il avait espéré pouvoir taire.

« Pourquoi te ferais-je tomber dans un piège ? Je n'aime probablement personne. Je ne peux probablement aimer personne. »

Et elle répondit obligeamment :

« Oh ! tu as ton travail. Les écrivains pensent à tant d'aspects différents des choses qu'ils n'arrivent pas à se fixer sur un seul. Je ne te reproche rien. Je comprends. »

Combien de fois Ingham avait-il entendu cela avant son mariage avec Lotte ? Les femmes ne brillaient pas par leur perspicacité. Mais une chose était certaine : son travail les rendait jalouses.

« Ce n'est pas ça, dit-il, en se sentant stupide.

— Que veux-tu dire ? »

Elle était censée se frayer un chemin au milieu de toutes ces broussailles avec le coupe-coupe acéré de son cerveau, pensa Ingham. Il ne savait que répondre. Elle lui en voulait quand même, il le voyait bien, et il aurait peut-être beaucoup mieux valu qu'elle se mît en colère.

« Ça ne suffit pas pour se marier, dit-il.

— Oh ! c'est certain. »

Elle fit, d'une main molle, un geste d'impuissance. Ingham détourna les yeux de cette main.

« Tu n'auras pas de mal à trouver quelqu'un d'autre, je parie. Peut-être même avant ton départ de Tunisie. »

Elle rit.

« OWL, sans doute. (Elle se leva pour préparer des scotches.) Comment vas-tu finir ton livre si tu ne dors jamais ?

— Je le finirai. »

Elle partait pour Paris dans deux jours, ou peut-être le lendemain, et Ingham pensa que ce serait le lendemain. Elle venait de recevoir un câble du bureau lui accordant une semaine supplémentaire de congé. Et bien sûr, ici, la chaleur était difficilement supportable. Le scotch assomma à moitié Ingham, mais il ne le regretta pas et même il en fut heureux.

« Si nous dînions ensemble ce soir ? Anders, toi et moi ? Avec OWL peut-être ?

— Je ne m'en sens pas capable. Excuse-moi. »

Elle avait les larmes aux yeux.

Ingham était conscient d'avoir dit tout ce qu'il n'aurait pas dû dire; il savait qu'il n'améliorerait pas la situation en lui proposant de dîner en tête-à-tête. Il se leva. Il ne pouvait plus faire qu'une seule chose pour elle : s'en aller.

« Je te téléphonerai demain pour savoir à quelle heure tu pars, ma chérie.

— Je n'ai pas dit que je partirais demain. »

Elle était pieds nus dans son peignoir blanc. Il eut envie de la serrer dans ses bras, mais craignait qu'elle ne le repoussât.

« Je t'appellerai quand même. (Il se dirigea vers la porte.) Au revoir, ma chérie. »

Il referma la porte derrière lui et ne pensa à rien jusqu'à ce qu'il fût redescendu sur la plage, où il ôta ses chaussures. Le sable devenu brûlant l'obligea à courir vers l'eau. Il souleva une gerbe d'écume qui mouilla le bas de ses jeans, les roula et se mit à patauger en direction de Hammamet, dans l'eau qui lui arrivait aux chevilles. Il était convaincu qu'Ina verrait OWL ce soir. OWL exprimerait ses regrets et sa désapprobation.

Dans sa chambre, Ingham se sentit plus calme. Il se fit du café et le but à petites gorgées tout en rangeant. Jensen, en haut, ne faisait aucun bruit. Peut-être dormait-il avec son chien. Il se mit au travail avec une seconde tasse de café. Mais avant de pouvoir renouer le fil de ses réflexions sur le chapitre en cours, il pensa à Lotte. Cette fois, la pointe du regret — mais c'était peut-être celle du désir, ou de l'amour — le transperça plus profondément. L'envie lui vint de lui écrire tout de suite (il ne connaissait pas d'autre adresse que celle à laquelle ils habitaient tous les deux autrefois, mais on lui ferait sans doute suivre la lettre), de lui demander comment elle allait, si elle accepterait de le voir un jour à New York, de boire un verre ou de dîner avec lui, si elle venait de temps en temps dans cette ville. Elle vivait en Californie depuis plus d'un an. Il ne demandait qu'à la reprendre, telle qu'elle était, il s'en rendait fort bien compte. Elle avait cette qualité incroyable — ni vertu ni mérite — de ne jamais commettre de faute. Du moins à ses yeux. Certes elle n'échappait pas aux erreurs, elle agissait quelquefois avec égoïsme, mais il ne l'avait jamais blâmée, jamais accusée, jamais détestée. Etait-ce de l'amour, se demanda-t-il, ou simplement de la folie ? Il décida finalement de ne pas lui écrire, mais sa décision n'avait tenu qu'à un fil.

Encore cinq minutes de promenade dans la pièce, une seconde cigarette et il s'installa devant sa table. Dennison était sorti de prison, après sept années condensées par Ingham en cinq pages de prose intense dont il était assez fier. Sa femme, fidèle depuis toujours, l'attendait. Dennison avait quarante-cinq ans, à présent. La détention ne l'avait pas changé. Il ne courbait pas la tête, il sortait, un peu hébété, peut-être, mais indemne d'un monde qui n'était pas le sien. Il allait trouver un emploi dans une autre société, une compagnie d'assurances, et recommencer exactement les mêmes entourloupettes financières que l'autre fois. Dennison trouvait intolérables les difficultés dans lesquelles les gens se débattaient, à partir du moment où un peu d'argent suffisait à les résoudre. Ingham, torse nu, trempé de sueur dans ses jeans blancs qui lui collaient au corps, avait écrit à seize heures trente cinq pages; il quitta sa chaise et s'écroula sur son lit. Dans la pièce, quoique tout fût ouvert, l'air était immobile et saturé de chaleur. Au bout de quelques secondes, il dormait.

Il se réveilla, le cerveau alourdi par une brume dont il avait pris l'habitude et qui mettait quinze secondes à se dissiper. Où était-il ? Dans quelle position ? Quelle heure ? Quel jour de la semaine ? Avait-il quelque chose à faire ? Hasso était revenu. Il avait parlé à Ina. Il avait prononcé des paroles détestables, ou plutôt elle s'en était chargée à sa place. Plus qu'un jour, un jour et demi de travail, et *La Flambée Dennison* serait terminée.

Ingham se déshabilla, passa sur la terrasse et se versa un seau d'eau sur le corps. Il enfila un short et mit à tremper ses jeans maculés de sueur dans le seau qu'il remplit à l'évier. Puis il monta chez Jensen.

Il le trouva en train de peindre, vêtu en tout et pour tout d'un slip de coton; la sueur noircissait ses cheveux blonds. Le chien dormait par terre.

« Je vous invite à dîner *chez moi ?*

— *Avec plaisir, m'sieur ! J'accepte !* »

Jensen avait les yeux brouillés de fatigue, mais l'air heureux. Il travaillait à sa toile avec cet Arabe et ces deux énormes sandales au premier plan. Un pot de vaseline était posé par terre à côté du chien.

« Vous avez écrit à votre famille que... »

Ingham montra Hasso.

« J'ai télégraphié. J'ai dit que je rentrais dans une semaine.

— Ah ! bon ? Je ne savais pas. »

Ingham voyait les côtes du chien se soulever et retomber au rythme de sa respiration sous la courte fourrure noire.

« Je n'ai pas envie qu'il lui arrive encore autre chose. Les Choudi ont été très gentils ce matin. Je crois qu'ils étaient aussi heureux que moi ! »

Il s'agissait de leurs voisins arabes.

Un bonheur simple et presque angélique rayonnait sur le visage de Jensen.

« Vous allez tomber raide par cette chaleur ! chuchota Ingham. Une sieste ne vous ferait pas du bien ? »

Tout autour d'eux, la ville semblait dormir. Derrière les fenêtres, pas un bruit : seul le soleil épais, silencieux.

« J'en ferai peut-être une. J'apporte du vin et de la glace ?

— Rien du tout. »

Ingham sortit. Dehors, il se dit que la boucherie ne serait peut-être pas encore ouverte, mais il voulait acheter un tas de choses et il devrait peut-être faire deux voyages, de toute façon. Une fillette de dix ans, celle des Choudi, assise devant sa porte ouverte, jouait avec des cailloux ronds qu'elle disposait sur le seuil. Elle lui sourit, les yeux brillants, et lui dit quelque chose qu'il ne comprit pas.

Il lui répondit en français, en lui rendant son sourire. Il pensait qu'elle avait prononcé le mot « Hasso », mais, même cela, il ne le reconnaissait pas dans sa bouche. Son petit visage était chaleureux et amical. Ingham poursuivit son chemin. Ses sentiments vis-à-vis des Choudi changèrent brusquement : ce n'était plus seulement des voisins, mais des amis, les siens et ceux de Jensen. Il se rendit compte qu'il les avait vaguement soupçonnés d'avoir joué un rôle dans la disparition de Hasso.

Ce soir-là, le dîner fut le meilleur possible, compte tenu des ressources de la ville. Ingham était allé à la petite épicerie du *Reine*. Il y avait du salami, des œufs durs coupés en tranches, des langues d'agneau, du jambon et du rosbif froid, de la salade de pommes de terre, du fromage et des figues fraîches. Jensen avait apporté de la *boukhah*, ce qui n'excluait pas, bien entendu, la présence du whisky et du vin blanc glacé. Hasso était là, lui aussi, et gobait les bouts de viande qu'on lui tendait.

« Je ne fais pas ça d'habitude, mais aujourd'hui c'est particulier, dit Jensen.

— Il garde tout ? »

Oui, Hasso gardait tout. Jensen avait toujours l'air très heureux, peut-être même trop heureux pour s'endormir.

« Et Ina ? Comment va-t-elle ?

— Bien. Je crois qu'elle est avec OWL ce soir.

— Elle restera peut-être une semaine de plus, m'avez-vous dit ?

— Non, je crois qu'elle va partir pour Paris. Après-demain, sans doute.

— Et vous aussi ?

— Non, dit Ingham, d'un ton un peu gauche. Je lui ai dit qu'à mon avis nous ne devions pas nous marier. Ce n'est pas la fin du monde pour elle, j'en suis sûre. »

Jensen eut l'air étonné, ou peut-être ne trouvait-il rien à dire.

« Ça n'a aucun rapport avec la mort de cet Arabe, j'espère ?

— Non. (Ingham eut un petit rire. Il faillit parler de Lotte, dire qu'il l'aimait toujours, mais il ne savait pas si c'était vrai. Il n'était pas sûr du tout que son amour pour Lotte fût la raison principale de sa rupture avec Ina. L'affaire Castlewood l'avait secoué plus

307

qu'il ne s'en était rendu compte au premier abord.)
Vous avez déjà eu quelqu'un dans votre vie ? demanda-t-il. Un grand amour, après qui rien ne marche ?

— Oh oui », fit Jensen en se laissant aller en arrière sur sa chaise et en regardant le plafond.

Un garçon, bien sûr, mais Jensen savait exactement ce qu'il voulait dire, Ingham le sentait.

« C'est drôle, cette impression que certaines personnes ne pourront jamais commettre de faute, quoi qu'elles fassent, qu'on n'aura jamais à se plaindre d'elles. »

Jensen rit.

« C'est facile quand on ne vit pas avec elles. C'est ce qui s'est passé dans mon cas. Je n'ai jamais vécu avec ce garçon. Je n'ai jamais dormi avec lui. Simplement, je l'ai aimé pendant deux ans. Je l'aimerai toujours, bien sûr, mais pendant deux ans je n'ai couché avec personne. »

Ingham, lui, pensait à quelqu'un avec qui l'on vivait, comme lui avec Lotte. Toutefois, il n'en souffla pas mot. Il se rendait compte que Jensen lui manquerait terriblement quand il serait parti.

Ingham conduisit Ina à l'aéroport le lendemain. Elle prenait l'avion de 14 h 30 pour Paris. OWL les accompagna dans la voiture d'Ingham. Celui-ci avait téléphoné à Ina juste avant onze heures de chez Mélik, et elle l'avait mise au courant de son projet.

« Je comptais t'envoyer quelqu'un pour te prévenir », dit-elle avec une certaine désinvolture.

Ingham ne savait pas s'il devait ou non la croire, mais en tout cas elle avait son adresse.

« Je vais te conduire en voiture. Nous déjeunerons à l'aéroport.

— Francis veut m'emmener.

— Alors invite-le à venir avec nous, dit Ingham, un peu agacé par la présence continuelle de OWL. J'arrive dans une demi-heure environ. »

Il rentra chez lui, se changea et ressortit presque aussitôt. Ina n'avait pas voulu rester un seul jour de plus. Ingham connaissait cet avion de quatorze heures trente. Il en partait un tous les jours.

Ina réglait sa note à la réception. Ingham vit, derrière la porte vitrée, la Cadillac noire d'Adams s'arrêter devant l'hôtel. Adams avait un petit bouquet de fleurs à la main.

« Alors, vous allez rater quelques jours de vacances

309

à Paris en charmante compagnie », dit OWL avec son sourire d'écureuil, mais Ina lui avait certainement dit que le mariage était à l'eau, Ingham le sentait.

Il insista pour prendre sa voiture, malgré les protestations de OWL, et ils montèrent tous trois. OWL débita les observations habituelles sur le paysage.

Ina dit à Ingham :

« J'irai faire un tour dans ton appartement dès que je serai rentrée. »

Elle était assise devant, à côté de lui.

« Inutile de te presser. De toute façon, je serai peut-être de retour, moi aussi, dans une dizaine de jours. »

Elle eut un petit rire.

« Depuis combien de temps répètes-tu ça ? »

Ils déjeunèrent à l'aéroport, dans le restaurant un peu dément. Le service était sporadique, mais ils avaient tout leur temps. Cette fois encore, le babillage de la radio rendait pratiquement inaudibles les renseignements sur les départs et les arrivées. Ina se donnait du mal (Ingham aussi), mais il devinait sur ses traits une certaine tristesse, une déception qui le peinait. Il avait tant d'affection pour elle ! Il espérait qu'elle ne fondrait pas en larmes dans l'avion, dès qu'il ne serait plus là pour la voir.

« Vous avez des amis à Paris en ce moment ? demanda OWL.

— Non. Mais on rencontre toujours quelqu'un. Et puis, ça m'est égal. J'aime bien m'y promener seule. »

14 h 10. Il allait être temps de monter à bord. Ingham paya. Un baiser devant la barrière, le premier sur la joue de OWL, le second, rapide et sans passion, pour Ingham, puis elle tourna les talons et s'en fut.

Ingham et Adams retournèrent à la voiture sans souffler mot. Ingham se sentait triste, déprimé, un peu impatient, comme s'il venait de commettre une erreur, encore que ce ne fût pas le cas, il le savait bien.

« Ça ne s'est donc pas arrangé, apparemment », dit OWL.

Ingham serra les dents l'espace d'un instant, puis répliqua :

« Nous avons tout simplement décidé de ne pas nous marier. Ça ne veut pas dire que nous nous soyons disputés.

— Oh ! non. »

Adams en resta silencieux pendant un moment. Ce fut Ingham qui reprit la parole le premier :

« Je sais qu'elle a été heureuse de vous connaître. Vous avez été très gentil avec elle. »

OWL, les yeux fixés sur le pare-brise, hocha la tête.

« Vous êtes un drôle de type, Howard, d'avoir laissé filer une fille merveilleuse.

— Peut-être.

— Il n'y a personne d'autre dans votre vie ? Je ne voudrais pas être indiscret.

— Non, il n'y a personne. »

A seize heures, Ingham était rentré chez lui. Il voulait travailler, mais il lui fallut une heure pour s'y mettre. Il pensait à Ina.

Il n'écrivit que deux pages ce jour-là. Encore une journée de travail et ce serait sûrement fini, se dit-il. Comme d'habitude, à la fin d'un livre, il éprouvait une espèce de lassitude, de dépression, et il se demandait s'il s'agissait là d'un phénomène apparenté à la crise de neurasthénie des accouchées ou d'un doute sur la qualité de son roman ? Mais il avait aussi connu cela après des livres qu'il savait être bons, comme *Le Jeu des « Si »*.

Le lendemain, il lui fallut trois longues heures pour achever le dernier chapitre. Quelques minutes plus tard, il monta chez Jensen et lui annonça que c'était fini.

« Hourra ! fit Jensen. Mais vous avez l'air sombre », ajouta-t-il en riant.

Il nettoyait ses pinceaux.

« Je suis toujours comme ça. N'y faites pas attention. Allons chez Mélik. »

Ils burent quelques verres avant le dîner. Dans l'après-midi, Jensen était allé dans un hôtel retenir une place dans l'avion de Copenhague qui partait le vendredi suivant, soit quatre jours plus tard. Ingham eut un accès de mélancolie absurde en apprenant cela.

« Vous... vous feriez bien de vous assurer que vos toiles sont sèches, n'est-ce pas ?

— Oui. Je ne peindrai plus. Je me contenterai de dessiner. »

Son visage souriant contrastait avec la mine sombre d'Ingham. Celui-ci lui servit un scotch à l'eau.

« Venez avec moi, Howard ! dit brusquement Jensen. Pourquoi pas ? Je préviendrai mes parents que je ramène un ami. Je leur ai déjà parlé de vous. Restez une semaine ou deux. Plus longtemps si vous voulez. Nous avons une grande maison. (Il se pencha vers Ingham.) Pourquoi pas, Howard ? »

C'était exactement ce dont Ingham avait envie : prendre l'avion en même temps que Jensen, découvrir le Nord, plonger dans un monde complètement différent de celui-ci.

« Vous parlez sérieusement ? »

Il n'y avait pas de doute là-dessus.

« Je vous ferai visiter Copenhague ! Mes parents habitent Hellerup. De l'autre côté de la Ryvangs Alle. Hellerup est une espèce de banlieue, pas tout à fait cependant. Vous ferez la connaissance de ma sœur Ingrid... peut-être même de ma tante Mathilde. (Jensen rit.) Mais nous irons surtout nous balader dans la ville. Il y a de bons snacks, un tas d'amis à voir, et il y fait frais... même en ce moment. »

Ingham avait désespérément envie d'accepter, mais il sentait qu'en agissant ainsi, il ne ferait que remettre à plus tard ses véritables obligations, qui étaient de retourner à New York et d'y renouer le fil de son existence. En allant à Copenhague, il imiterait ces gens qui fêtent Noël pendant cinq jours. Il ne voulait pas de ça.

« Qu'est-ce qu'il y a ? s'enquit Jensen.

— Je serais très heureux de partir avec vous. Mais je ne dois pas. Je ne peux pas. Pas en ce moment.

— Vous êtes simplement mélancolique ce soir. Donnez-moi une seule bonne raison qui s'oppose à votre départ.

— J'ai l'impression de traverser une petite crise. Ce serait de la lâcheté. C'est difficile à expliquer. Il vaut mieux que je redémarre dans ma propre voie. Mais je... je pourrai peut-être aller vous voir un jour, si vous êtes là-bas. »

Jensen eut l'air déçu, mais Ingham sentit qu'il comprenait.

« Bien sûr. Ne tardez pas trop. Je repartirai peut-être en janvier.

— Non, je ne tarderai pas. »

QUATRE jours plus tard, ce fut Jensen qu'Ingham conduisit à l'aéroport. Ils burent de la *boukhah* au bar du terminus. Hasso était déjà à bord, dans sa caisse. Ingham fit des efforts frénétiques pour avoir l'air gai, et même enjoué. Il pensait y réussir en partie. Jensen était visiblement si heureux de rentrer chez lui qu'il avait honte de sa propre dépression. Devant la barrière, ils s'embrassèrent comme des Français et Ingham suivit des yeux la haute silhouette efflanquée de Jensen, qui avançait vers l'angle du couloir, ses cartons à dessin serrés sur son cœur. Jensen se retourna et agita la main.

Ingham alla droit au guichet du terminus et prit un billet pour New York en date du mardi, à quatre jours de là.

Le logement vide de Jensen, au-dessus de sa tête, évoquait dans son esprit l'image maléfique d'une tombe qui aurait été violée. Il essaya d'oublier son existence, de faire comme si l'étage du dessus n'était pas là : en tout cas il n'irait pas y jeter un coup d'œil, pour le cas où Jensen aurait oublié quelque chose. Il se consolait en pensant que Jensen était bien vivant, qu'il le reverrait quelque part, dans quelques mois à peine s'il le désirait.

Il avait encore un autre sujet de réconfort, évidemment : le fait d'avoir achevé son livre. Il serait agréable de consacrer les quelques jours qui lui restaient à y mettre la dernière main, travail qui n'exigerait de sa part aucun effort affectif. Il était content de son roman et il se demandait simplement si des éditeurs ne le jugeraient pas trop terne après *Le Jeu des « Si »*. Dennison avait, vis-à-vis de l'argent, une attitude moins primitive que la plupart de ses congénères et il espérait avoir bien mis l'accent là-dessus. Pour lui, l'argent était devenu quelque chose d'impersonnel, un objet complètement dépourvu d'importance, comme un parapluie que l'on emprunte pour se protéger la tête, un de ces parapluies que l'on remet tout simplement au râtelier après s'en être servi dans certaines gares dont Ingham avait entendu parler, il ne savait plus où. C'était exactement ce que faisaient les banques, et elles extorquaient même des intérêts, tout en espérant qu'il n'y aurait pas de ruée de la part de leurs clients.

Il entama lentement ses préparatifs de départ, qui se réduisaient d'ailleurs à bien peu de choses. Il n'avait pas de factures en ville. Il écrivit à son agent. Il expédia les nattes d'Ina et donna un pourboire au postier en lui expliquant à partir de quelle date il devrait faire suivre ses lettres à son adresse de New York. Il passa chez OWL pour le mettre au courant et ils prirent rendez-vous pour dîner la veille de son départ. Il serait inutile et peu commode que OWL l'accompagnât à Tunis, déclara Ingham, car il devait rendre sa voiture louée.

« Mais alors, comment irez-vous jusqu'à l'aéroport ? fit OWL. Je vais vous suivre avec ma voiture. »

Impossible de l'en dissuader.

La routine étant devenue inutile puisqu'il n'y avait plus de livre à écrire, Ingham se fixa un programme

...ant plus strict. Un bain le matin, quelques heu-
...s de travail, encore un bain, une petite promenade
avant le déjeuner, et de nouveau le travail. Il faisait
ses adieux à la ville, et particulièrement au café de la
Plage, où les clients étaient toujours exclusivement
mâles, jusqu'au bébé de trois ans assis à une table de
buveurs de vin. De drôles d'idées lui passaient par la
tête et certaines le faisaient rire : il se disait entre
autres qu'il aurait été bien facile de se procurer pour
quelques jours un Arabe qui aurait joué le rôle d'Abdullah, persuadant ainsi Ina qu'il n'était pas mort.
Mais il savait que cela n'aurait fait aucune différence
essentielle dans ses rapports avec elle.

La veille de son départ, il y avait deux choses pour
lui au courrier. D'abord, une carte de Jensen :

Cher Howard,

*Je vous écrirai plus longuement bientôt, mais, en
attendant, voilà toujours ça. Je vais vous torturer en
vous disant qu'ici je dors sous une couverture. Venez
vite me voir, je vous en prie. Ecrivez-moi. Affectueuse-
ment. Anders.*

La carte représentait un bâtiment au toit verdâtre,
entouré par des douves ou par un canal.

Il y avait aussi une lettre, qui était passée plusieurs
fois d'une adresse à l'autre, et Ingham étouffa une exclamation en reconnaissant l'écriture, au milieu de
l'enveloppe. C'était celle de Lotte. Le premier cachet
de la poste était celui de la Californie. Il la décacheta.

20 juillet 19...

Cher Howard,

*Je ne suis pas sûre que cette lettre te parvienne,
car je ne connais que notre ancienne adresse. Com-*

ment vas-tu ? Bien, j'espère, et ton travail aussi. Peut-être es-tu remarié à présent (j'ai entendu quelques vagues rumeurs là-dessus), mais sinon, te connaissant comme je te connais, je parierais que ton cœur est pris, comme on dit.

Je vais à New York le mois prochain et je pensais que nous pourrions nous retrouver pour boire un verre en souvenir du bon vieux temps. Ne t'attends pas à voir en moi le portrait de l'épouse comblée : je viens de passer une sale année. Mon mari courait les jupons et nous avons finalement décidé de nous en tenir là. Pas d'enfants, Dieu merci, et pourtant j'en désirais un. (Tu ne vas pas me croire, mais j'ai changé.) J'espère rester assez longtemps à New York. On se lasse même du soleil et la Californie est si pleine de farfelus que je finissais par me sentir en comparaison aussi désespérément normale que les Smith Brothers. Ici, le bruit a couru que tu étais allé au Proche-Orient écrire une pièce ou quelque chose de ce genre. C'est vrai ? Ecris-moi c/o Ditson, 121 Bleecker Street, N.Y.C. Je n'y resterai pas, mais on me fera suivre mon courrier. Je serai à New York vers le 12 août.

Tendresses,
LOTTE.

Ingham ne retrouva sa respiration qu'après avoir achevé la lettre. Ce que c'était que le destin ! A croire qu'elle avait lu dans ses pensées. Mais ce n'était pas tout. Il avait dû lui arriver tant de choses pour que cette lettre fût possible ! Ainsi, elle était de nouveau libre. Un sourire un peu hébété se dessina sur les lèvres d'Ingham. Sa première impulsion fut de lui écrire qu'il serait très heureux de la voir, puis il se rappela qu'il serait à New York le lendemain soir. Il lui téléphonerait de chez lui.. ou plutôt il appellerait les Ditson pour leur demander où elle était. Il ne connaissait pas ces gens.

Ce soir-là, chez Mélik, OWL le félicita de sa bonne humeur. Il se sentait très gai, et il parlait beaucoup. Il devinait que OWL le croyait tout simplement heureux de partir. Il aurait pu lui parler de Lotte, mais il ne le désirait pas. Et, malgré sa bonne humeur apparente, il éprouvait un peu de compassion pour OWL, un peu de tristesse à son sujet. Adams avait l'air si seul sous cette gaieté qui paraissait de commande, cette gaieté aussi creuse peut-être que les phrases qu'il dictait à son magnétophone. Ingham eut l'impression terrifiante qu'un jour OWL éclaterait comme un ballon de baudruche, qu'il s'effondrerait et mourrait, le cœur brisé... pourquoi pas ? Combien y aurait-il de nouveaux venus pour lui tenir compagnie, dans les jours qui suivraient ? OWL, d'après ses propres dires, avait rencontré trois ou quatre personnes sympathiques depuis son arrivée à Hammamet, mais bien entendu elles finissaient toutes par s'en aller. De toute évidence, OWL se considérait comme le gardien solitaire de l'Idéal américain, ranimant la flamme dans un avant-poste désolé.

Le lendemain matin, à l'aéroport, OWL serra de toutes ses forces la main d'Ingham.

« Ecrivez-moi. Je n'ai pas besoin de vous donner mon adresse. Ha ! Ha !

— Au revoir, Francis. Vous savez... Je crois que vous m'avez sauvé la vie. »

C'était peut-être un peu mélodramatique, mais Ingham y croyait.

« Mais non ! Mais non ! (OWL ne pensait pas du tout à ce qu'Ingham venait de lui dire. Il lui enfonça un doigt dans la poitrine.) Les us et coutumes de l'Arabie sont aussi étranges que ses parfums. Hé oui ! Mais vous êtes un enfant de l'Occident. Puissiez-vous toujours en être conscient ! Ha ha ! Ça rime. Je ne l'ai pas fait exprès. Adieu, Howard, que Dieu vous bénisse ! »

Ingham s'engagea dans le couloir par lequel Jensen avait disparu quelques jours plus tôt. Il avait l'impression d'être transporté dans les airs, de plus en plus haut. Sa machine à écrire ne pesait rien du tout au bout de son bras. Il n'y a rien, se dit-il, rien au monde de plus délicieux que de retomber dans les bras d'une femme qui est... qui n'est peut-être pas celle qu'il vous faut. Un rire silencieux le secoua. Qui avait dit ça ? Proust ? Mais quelqu'un l'avait-il réellement dit ?

Au bout d'un couloir, il se retourna. OWL était toujours là : il agitait frénétiquement les bras. Ingham, trop chargé, ne pouvait lui répondre par signes, mais il cria un « Adieu, Francis ! » qui fut étouffé par les traînements de pieds, le vacarme des transistors, les vociférations inintelligibles des haut-parleurs.

ŒUVRES DE PATRICIA HIGHSMITH

« Composition réalisée en ordinateur par INFORMATYPE SERVICE »

IMPRIMÉ EN FRANCE PAR BRODARD ET TAUPIN
Usine de La Flèche (Sarthe).
LIBRAIRIE GÉNÉRALE FRANÇAISE - 6, rue Pierre-Sarrazin - 75006 Paris.
ISBN : 2 - 253 - 05667 - 7 ◈ 30/4420/3

low ? A moins qu'il n'eût été informé par l'un des garçons ? Peu probable, se dit Ingham. Sans doute avait-il essayé doucement, l'une après l'autre, la poignée de toutes les portes derrière lesquelles il ne voyait pas de lumière.

Mokta n'était pas là.

Le spectacle d'Adams, qui marchait sur la plage en direction de son bungalow, pieds nus, son trident et ses palmes à la main, arracha une grimace à Ingham.

« Bonjour ! cria Adams.

— Bonjour, Francis ! »

Ingham avait posé sa machine à écrire par terre, à l'arrière de sa voiture. Il referma la portière.

« Vous allez vous promener ? »

Adams se rapprochait.

« Je vais faire un tour à Tunis pour me procurer des rubans de machine et du papier. »

Il espérait bien qu'Adams ne manifesterait pas le désir de l'accompagner.

« Vous avez entendu ce hurlement la nuit dernière ? demanda Adams. Vers deux heures ? Ça m'a reveillé.

— Oui. J'ai entendu *quelque chose.* »

Une idée s'imposa brutalement à l'esprit d'Ingham : il se dit qu'il avait peut-être tué l'Arabe et que là était la raison de son malaise.

« Ça venait de votre côté. J'ai entendu deux garçons se lever pour aller voir ce qui se passait. Ils ne sont pas revenus avant une heure. Je suis si près d'eux que j'entends tout ce qu'ils font. (Il désigna du geste son bungalow, à dix mètres de là.) Il y a un petit mystère là-dessous. Un des garçons est rentré là (nouveau geste en direction de l'office qui desservait les bungalows) et en est ressorti une minute plus tard. »

Etait-il allé chercher la serpillière ? se demanda Ingham. Ou bien une pelle ?

« Ce qui est bizarre, c'est que les garçons ne veulent rien dire. Il y a peut-être eu une bagarre, un blessé. Mais pourquoi cette absence d'une heure, hein ? »

Les yeux d'Adams brillaient de curiosité.

« Je n'en sais rien, dit Ingham en ouvrant la portière de sa voiture. Je demanderai à Mokta.

— Vous n'en tirerez pas grand-chose. Vous vous sentez d'attaque pour sortir ce soir ? »

Ce n'était nullement le cas, mais Ingham répondit :

« Excellente idée. Passez d'abord chez moi prendre un verre.

— Non, venez, vous. J'ai quelque chose à vous montrer. »

Il cligna de l'œil, avec sa tête d'écureuil.

« D'accord. A dix-huit heures trente », dit Ingham en montant dans sa voiture.

Il fallait traverser Hammamet pour prendre la route de Tunis. En passant par le village, Ingham chercha des yeux le vieil Arabe en pantalon rouge au coin de la poste, puis à la terrasse de la Plage, mais il ne le vit pas.

A Tunis, quarante minutes de marche à pied lui furent nécessaires pour trouver un magasin qui voulût bien se charger de la réparation, ou qui parût en être capable. Dans une boutique ou deux, on lui dit qu'on pouvait le faire mais que ça prendrait au moins quinze jours, et on le fit sur un ton qui incita Ingham à douter tant du délai fixé que de la qualité du travail. Enfin, dans une artère commerciale animée, il découvrit un magasin qui lui sembla géré avec efficacité, et le patron déclara qu'il fallait compter une semaine. Ingham le crut, tout en déplorant la longueur de cette attente.

« C'est arrivé comment ? demanda le patron en français.

— Une femme de chambre de l'hôtel l'a fait tomber. Elle était posée sur l'appui de la fenêtre. »

Ingham avait prévu cette question.

« Quelle déveine ! J'espère que personne ne l'a reçue sur la tête.

— Non. Elle a atterri sur un parapet de pierre », répliqua Ingham.

Il quitta le magasin avec un reçu. Sans sa machine, il se sentait vide et perdu.

Il s'assit dans un café, sur le boulevard Bourguiba, pour boire une bière et lire le *Times* qu'il venait d'acheter. Les Israéliens se cramponnaient fermement à leurs gains territoriaux. On devinait aisément que la haine des Arabes contre les Juifs ne ferait que grandir et leur ressentiment empirer. L'atmosphère resterait tendue pendant un bon moment.

Il déjeuna sur le trottoir opposé du boulevard Bourguiba, dans un restaurant où l'air était rafraîchi par un ventilateur fixé au plafond : l'un des deux établissements indiqués par John Castlewood. Son escalope milanaise était excellente, il aurait dû l'apprécier après le régime de Hammamet, mais il n'avait pas d'appétit. Il se demandait si l'Arabe était mort, si les garçons l'avaient signalé à l'hôtel, l'hôtel à la police... mais dans ce cas pourquoi n'était-on pas venu enquêter chez lui de bonne heure ce matin ? Et si les garçons, pris de panique en trouvant l'Arabe mort, l'avaient enterré quelque part dans le sable ? Il y avait un bois de pins assez dense sur la plage, à cinquante mètres environ de l'eau. Personne ne s'y promenait jamais. On le contournait. Cela ferait un bon cimetière. Mais ne se laissait-il pas influencer par les craintes de Jensen au sujet de son chien ?

L'idée lui vint de raconter à Jensen son aventure de la nuit précédente. Au moins, il comprendrait, lui. Ingham regrettait à présent de ne pas avoir ouvert sa porte en entendant les garçons. Ou quand l'un d'eux était venu essuyer le carrelage.

De retour au *Reine* à 2 h 45, il trouva l'intérieur de son bungalow presque frais. Il se déshabilla et passa sous la douche. L'eau froide le fit frissonner, mais c'était une sensation délicieuse. Et ça ne durait pas longtemps. Au bout de deux minutes on en avait assez, on fermait le robinet et on se replongeait dans la chaleur. Ce soir, il demanderait peut-être à Adams ce qu'il fallait faire pour se procurer un appareil de climatisation. Il se glissa nu entre ses draps et dormit pendant une heure.

Au réveil, sa première pensée fut pour le chapitre qu'il était en train d'écrire — une scène demeurée inachevée — et il s'assit en cherchant sa machine des yeux. La table était vide. Il avait dormi à poings fermés. Une semaine sans sa machine. Pour lui, c'était comme si on lui avait coupé un bras. Même ses lettres personnelles, il détestait les écrire à la main. Comme il était de nouveau couvert de sueur, il reprit une douche.

Ensuite il enfila un short, une chemise légère, des sandales et partit à la recherche de Mokta. L'un des garçons, qui balayait paresseusement le ciment devant le bureau des bungalows, lui dit que Mokta faisait une course au bureau principal. Ingham commanda une bière, s'assit à l'ombre sur la terrasse et attendit. Mokta arriva dix minutes plus tard, un énorme paquet de serviettes ficelées en équilibre sur l'épaule. Il vit Ingham de loin et sourit. Il était en manches de chemise et portait un long pantalon noir. Dommage, se dit Ingham, que les garçons n'aient pas le droit de rester en short par cette chaleur.

« Mokta ! Bonjour ! Je peux vous parler un moment quand vous aurez le temps ?

— Bien sûr, m'sieur ! »